풍산자
반복수학

수학(하)

쉽고 정확한 문제 학습은 자신감으로

체계적이고 반복적인 훈련은 점수로 보답하는

〈풍산자 반복수학〉입니다.

당신이 할 수 있는 일, 하고 싶은 일, 꿈꾸는 일을 바로 지금 시작해라.

- Johann Wolfgang von Goethe -

정확하고 빠른 풀이를 위한 연산 반복 훈련서

풍산자 반복수학

주제별 짧은 흐름으로 바로 적용할 수 있는 **간결한 개념 설명과 풀이 팁**

빈틈없는 개념과 연산 학습을 위한 **체계적 연산 유형 분류**

교재 활용 로드맵

실력 점검, 취약한 개념과 연산을 확인할 수 있는 **중단원 점검문제**

개념과 연산 학습에 꼭맞는 문제 해결 과정이 보이는 **자세하고 쉬운 풀이**

한 권으로 기본 개념과 연산 실력 완성	개념과 연산 학습에 적합한 개념 설명과 쉬운 해설
개념과 연산 학습에 최적인 주제별 구성	소단원 흐름에 따라 주제별 개념과 연산 유형을 체계적으로 제시
스스로 학습이 가능한 문제 연결 학습법	개념과 공식을 바로 적용할 수 있어 수학의 기본 실력을 스스로 완성

풍산자 반복수학

수학(하)

풍산자 반복수학
이렇게 특별합니다.

1
한 권으로 기본 개념과 연산 실력 완성!

- 개념과 연산을 동시에 학습할 수 있도록 구성하여 기본 실력 완성
- 개념과 연산 유형의 집중학습으로 수학 실력을 쌓고 자신감을 기르며 실전에서는 킬러 문제에 시간을 할애

2
소단원별로 분석하여 체계적이고 최적인 주제별 구성!

- 소단원별로 학습 이해의 흐름에 맞춰 주제별 개념과 연산 유형을 체계적으로 학습
- 주제별 개념과 연산 학습으로 빈틈없는 기본 실력 향상

3
스스로 쉽게 학습할 수 있는 문제 연결 학습법!

- 개념과 공식 등을 이용하여 바로바로 적용하여 풀 수 있도록 구성하여 수학의 기본 개념과 연산을 스스로 완성
- 개념 정리부터 연산 유형까지 풀면서 저절로 원리를 터득

정확하고 빠른 풀이를 위한
반복 훈련서

풍산자 반복수학
이렇게 구성하였습니다.

❶ 주제별 개념 정리와 연산 유형

• 주제별로 중요한 개념 정리와 문제 풀이에 도움이 되는 참고, 보기, 보충 설명 제시
• 빈틈없는 개념과 연산학습이 이루어지도록 체계적으로 연산 유형 분류
• 풍쌤 POINT 에서 연산 학습의 비법, 공식 등을 다시 한번 체크

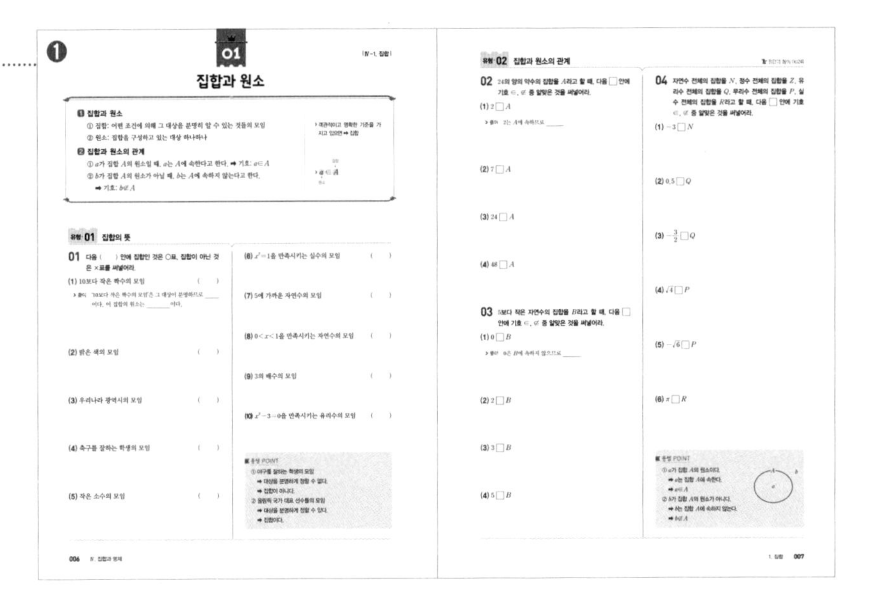

❷ 중단원 점검문제

• 실력을 점검하여 취약한 개념, 연산을 스스로 체크하고 보충 학습이 가능하도록 구성

❸ 정답과 풀이

• 문제 해결 과정이 보이는 자세하고 쉬운 풀이 제공

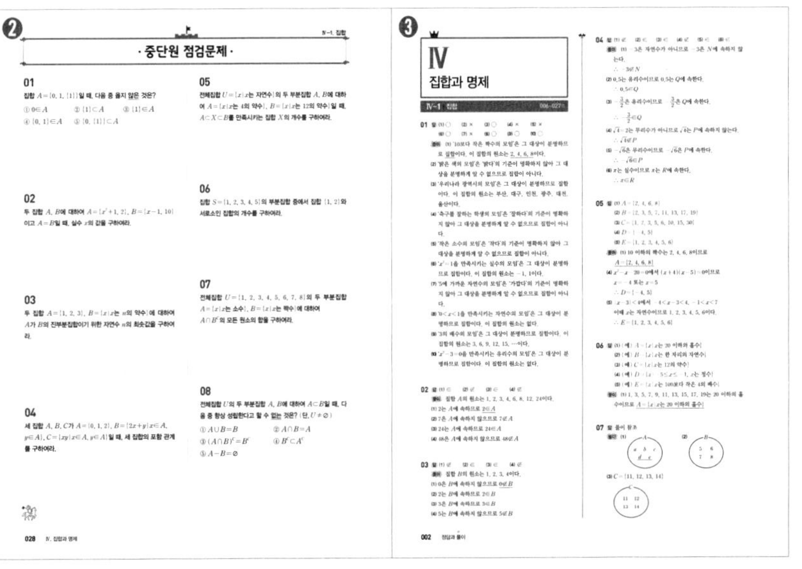

Ⅳ 집합과 명제

Ⅴ 함수와 그래프

Ⅵ 경우의 수

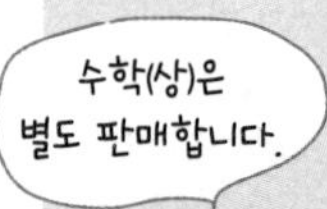

수학(상)

Ⅳ
집합과 명제

집합과 원소

1 집합과 원소

① 집합: 어떤 조건에 의해 그 대상을 분명히 알 수 있는 것들의 모임

② 원소: 집합을 구성하고 있는 대상 하나하나

2 집합과 원소의 관계

① a가 집합 A의 원소일 때, a는 A에 속한다고 한다. ➡ 기호: $a \in A$

② b가 집합 A의 원소가 아닐 때, b는 A에 속하지 않는다고 한다.

➡ 기호: $b \notin A$

› 객관적이고 명확한 기준을 가지고 있으면 ➡ 집합

› $a \in A$ (집합: A, 원소: a)

유형 01 집합의 뜻

01 다음 ( ) 안에 집합인 것은 ○표, 집합이 아닌 것은 ×표를 써넣어라.

(1) 10보다 작은 짝수의 모임 ( )

› 풀이 '10보다 작은 짝수의 모임'은 그 대상이 분명하므로 _____ 이다. 이 집합의 원소는 ________ 이다.

(2) 밝은 색의 모임 ( )

(3) 우리나라 광역시의 모임 ( )

(4) 축구를 잘하는 학생의 모임 ( )

(5) 작은 소수의 모임 ( )

(6) $x^2=1$을 만족시키는 실수의 모임 ( )

(7) 5에 가까운 자연수의 모임 ( )

(8) $0<x<1$을 만족시키는 자연수의 모임 ( )

(9) 3의 배수의 모임 ( )

(10) $x^2-3=0$을 만족시키는 유리수의 모임 ( )

풍쌤 POINT

① 야구를 잘하는 학생의 모임
➡ 대상을 분명하게 정할 수 없다.
➡ 집합이 아니다.

② 올림픽 국가 대표 선수들의 모임
➡ 대상을 분명하게 정할 수 있다.
➡ 집합이다.

02 24의 양의 약수의 집합을 A라고 할 때, 다음 □ 안에 기호 $\in$, $\notin$ 중 알맞은 것을 써넣어라.

(1) 2 □ A

> 풀이 2는 A에 속하므로 ______

(2) 7 □ A

(3) 24 □ A

(4) 48 □ A

03 5보다 작은 자연수의 집합을 B라고 할 때, 다음 □ 안에 기호 $\in$, $\notin$ 중 알맞은 것을 써넣어라.

(1) 0 □ B

> 풀이 0은 B에 속하지 않으므로 ______

(2) 2 □ B

(3) 3 □ B

(4) 5 □ B

04 자연수 전체의 집합을 N, 정수 전체의 집합을 Z, 유리수 전체의 집합을 Q, 무리수 전체의 집합을 P, 실수 전체의 집합을 R라고 할 때, 다음 □ 안에 기호 $\in$, $\notin$ 중 알맞은 것을 써넣어라.

(1) -3 □ N

(2) 0.5 □ Q

(3) $-\frac{3}{2}$ □ Q

(4) $\sqrt{4}$ □ P

(5) $-\sqrt{6}$ □ P

(6) π □ R

풍쌤 POINT

① a가 집합 A의 원소이다.
➡ a는 집합 A에 속한다.
➡ $a\in A$

② b가 집합 A의 원소가 아니다.
➡ b는 집합 A에 속하지 않는다.
➡ $b\notin A$

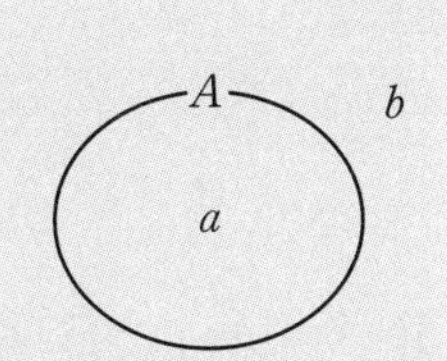

집합의 표현

1 집합의 표현

① 원소나열법: 집합 기호 { } 안에 모든 원소를 나열하는 방법

참고 • 나열하는 순서는 달라도 되지만, 같은 원소는 중복하여 쓰지 않는다.
• 원소의 수가 많고 원소 사이에 일정한 규칙이 있으면 '…'을 사용하여 원소 중 일부를 생략하여 나타내기도 한다.

② 조건제시법: $\{x|x$의 조건$\}$의 형태로 원소가 될 조건을 제시하는 방법

③ 벤다이어그램: 그림 안에 모든 원소를 나열하는 방법

2 유한집합과 무한집합

① 유한집합: 원소가 유한개인 집합

② 무한집합: 원소가 무한히 많은 집합

③ 공집합: 원소가 하나도 없는 집합 ➡ 기호: $\varnothing$

참고 공집합은 유한집합이다.

보기 '4의 약수의 집합'을 A라고 하면
① 원소나열법
➡ $A=\{1, 2, 4\}$
② 조건제시법
➡ $A=\{x|x$는 4의 약수$\}$
③ 벤다이어그램
➡

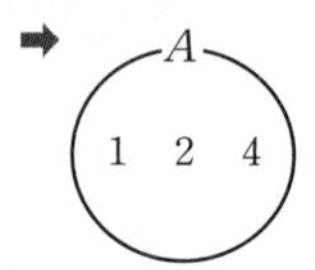

› 특별한 언급이 없는 한 약수, 배수, 홀수, 짝수 등은 자연수의 범위에서 생각한다.

유형 03 집합의 표현

05 다음을 원소나열법으로 나타내어라.

(1) $A=\{x|x$는 8 이하의 짝수$\}$

› 풀이 8 이하의 짝수는 2, 4, 6, 8이므로
____

(2) $B=\{x|x$는 20보다 작은 소수$\}$

(3) $C=\{x|x$는 30의 약수$\}$

(4) $D=\{x|x^2-x-20=0\}$

(5) $E=\{x||x-3|<4,\ x$는 자연수$\}$

06 다음을 조건제시법으로 나타내어라.

(1) $A=\{1, 3, 5, 7, 9, 11, 13, 15, 17, 19\}$

› 풀이 1, 3, 5, 7, 9, 11, 13, 15, 17, 19는 20 이하의 홀수이므로
____

(2) $B=\{1, 2, 3, 4, 5, 6, 7, 8, 9\}$

(3) $C=\{1, 2, 3, 4, 6, 12\}$

(4) $D=\{-5, -4, -3, -2, -1\}$

(5) $E=\{4, 8, 12, 16, 20, \cdots, 96\}$

유형 04 유한집합과 무한집합

07 다음을 벤다이어그램으로 나타내어라.

(1) $A=\{a, b, c, d, e\}$

> 풀이

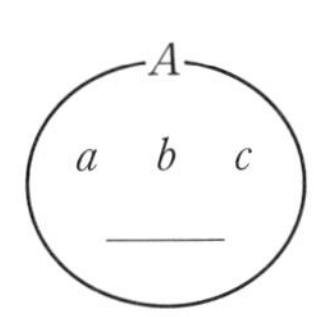

(2) $B=\{5, 6, 7, 8\}$

(3) $C=\{x\,|\,10<x<15$를 만족시키는 자연수$\}$

(4) $D=\{x\,|\,x$는 30 이하의 5의 배수$\}$

(5) $E=\{x\,|\,x^2=9\}$

풍쌤 POINT

집합을 나타내는 방법은 원소나열법, 조건제시법, 벤다이어그램이 있다.

- $X=\{1, 2, 3, 4, 5\}$ ➡ 원소나열법
- $X=\{x\,|\,x$는 5 이하의 자연수$\}$ ➡ 조건제시법
- 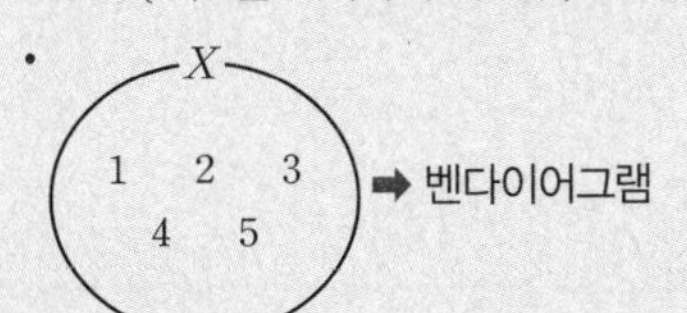

08 다음 (　　) 안에 유한집합인 것은 '유', 무한집합인 것은 '무'를 써넣어라.

(1) $A=\{11, 12, 13, \cdots, 19\}$ (　　)

(2) $B=\{10, 20, 30, 40, 50, \cdots\}$ (　　)

(3) $C=\{x\,|\,x$는 7의 배수$\}$ (　　)

(4) $D=\{x\,|\,x$는 6과 8의 공배수$\}$ (　　)

(5) $E=\{x\,|\,x<1$인 자연수$\}$ (　　)

풍쌤 POINT

- 원소가 없다. ➡ 공집합
- 원소가 유한개이다. ➡ 유한집합
- 원소가 무수히 많다. ➡ 무한집합
- 공집합($\varnothing$)은 원소의 개수가 0이므로 유한집합이다.

부분집합

1 부분집합

두 집합 A, B에 대하여 A의 모든 원소가 B에 속할 때, A를 B의 부분집합이라고 한다.

① A가 B의 부분집합일 때 ➡ 기호: $A \subset B$

② A가 B의 부분집합이 아닐 때 ➡ 기호: $A \not\subset B$

참고 $A \not\subset B$는 A의 원소 중에서 B의 원소가 아닌 것이 적어도 하나 있다는 의미이다.

2 부분집합의 성질

임의의 세 집합 A, B, C에 대하여

① $\varnothing \subset A$ ➡ 공집합은 모든 집합의 부분집합이다.

② $A \subset A$ ➡ 모든 집합은 자기 자신의 부분집합이다.

③ $A \subset B$이고 $B \subset C$이면 $A \subset C$이다.

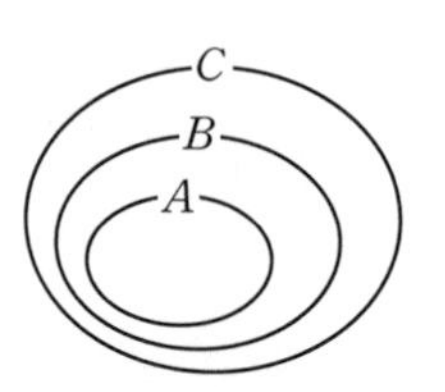

› a가 집합 A의 원소일 때,
➡ a는 A에 속한다.
➡ $a \in A$

› 집합 A의 모든 원소가 집합 B에 속할 때,
➡ A는 B에 포함된다.
➡ $A \subset B$

유형·05 부분집합

09 다음 집합의 부분집합을 모두 구하여라.

(1) $A=\{1, 2\}$

› 풀이 집합 A의 부분집합은 $\varnothing$, $\{1\}$, ____, ______이다.

(2) $B=\{a, b, c\}$

(3) $C=\{x \mid x$는 1보다 큰 8의 약수$\}$

(4) $D=\{\varnothing, 0\}$

(5) $E=\{\{0\}, \{1\}\}$

(6) $F=\{\varnothing, a, \{a\}\}$

유형·06 집합 사이의 포함 관계

10 집합 $A=\{1, 2, 3, 4, 6, 9, 12, 18, 36\}$에 대하여 다음 □ 안에 기호 $\subset$, $\not\subset$ 중 알맞은 것을 써넣어라.

(1) $\varnothing$ □ A

(2) $\{36\}$ □ A

(3) $\{12, 16\}$ □ A

(4) $\{3, 6, 9, 12\}$ □ A

(5) $\{1, 2, 3, 4, 5\}$ □ A

(6) $\{1, 2, 3, 4, 6, 9, 12, 18, 36\}$ □ A

11 다음 두 집합 X, Y 사이의 포함 관계를 기호 $\subset$를 사용하여 나타내어라.

(1) $X=\{-2\}$, $Y=\{y\mid y^2=4\}$

> 풀이 $X=\{-2\}$, $Y=\{-2,\ 2\}$이므로 ______

(2) $X=\{x\mid |x|<2,\ x$는 자연수$\}$,
$Y=\{y\mid |y-1|<2,\ y$는 자연수$\}$

(3) $X=\{x\mid x$는 직사각형$\}$, $Y=\{y\mid y$는 정사각형$\}$

(4) $X=\{x\mid x$는 12의 약수$\}$,
$Y=\{y\mid y$는 24의 약수$\}$

(5) $X=\{x\mid x$는 5의 배수$\}$,
$Y=\{y\mid y$는 15의 배수$\}$

(6) $X=\{x\mid x$는 정수$\}$, $Y=\{y\mid y$는 자연수$\}$

12 집합 $A=\{\varnothing,\ 1,\ 2,\ \{1\},\ \{2\},\ \{1,\ 2\}\}$에 대하여 다음 ( ) 안에 옳은 것은 ○표, 옳지 않은 것은 ×표를 써넣어라.

(1) $\varnothing\in A$ ( )

(2) $0\in A$ ( )

(3) $\{1,\ \{1\}\}\in A$ ( )

(4) $\{1,\ 2\}\subset A$ ( )

(5) $\{\{1\},\ \{2\}\}\subset A$ ( )

(6) $\{2\}\in A$ ( )

(7) $\{\varnothing,\ 2,\ \{2\}\}\not\subset A$ ( )

풍쌤 POINT

① 집합－원소의 속하는 관계 ➡ $\in$
② 집합－집합의 포함 관계 ➡ $\subset$
(예) a가 집합 A의 원소이면
➡ $a\in A$, $\{a\}\subset A$

서로 같은 집합과 진부분집합

1 서로 같은 집합

두 집합 A, B가 $A\subset B$이고 $B\subset A$일 때, A와 B는 서로 같다고 한다.

① A와 B가 서로 같은 집합일 때 ➡ 기호: $A=B$

② A와 B가 서로 같은 집합이 아닐 때 ➡ 기호: $A\neq B$

참고 두 집합이 서로 같으면 두 집합의 모든 원소가 같다.

2 진부분집합

두 집합 A, B가 $A\subset B$이고 $A\neq B$일 때, A를 B의 진부분집합이라고 한다.

› $A\subset B$의 의미

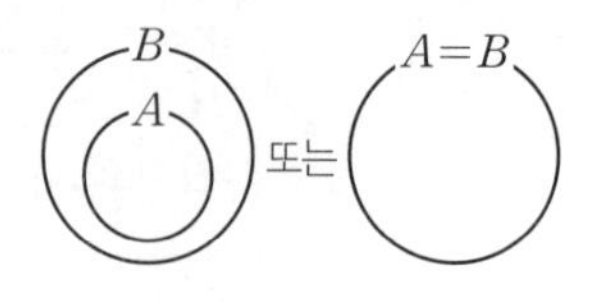

› 어떤 집합의 진부분집합은 자기 자신을 제외한 부분집합이다.

정답과 풀이 003쪽

유형·07 서로 같은 집합

13 다음 두 집합 A, B 사이의 관계를 기호 $=$ 또는 $\neq$를 사용하여 나타내어라.

(1) $A=\{2, 3\}$, $B=\{x|x^2-5x+6=0\}$

› 풀이 $A=\{2, 3\}$, $B=\{2, 3\}$이므로 ______

(2) $A=\{1, 2, 3, 6\}$,
$B=\{x|x$는 1보다 큰 6의 약수$\}$

(3) $A=\{x|x$는 6의 배수$\}$,
$B=\{6, 12, 18, 24, 30, \cdots\}$

14 다음 두 집합 X, Y에 대하여 $X=Y$일 때, 상수 a, b의 값을 각각 구하여라.

(1) $X=\{a, 5\}$, $Y=\{3, b\}$

› 풀이 $X=Y$이므로 $a\neq b$
이때 $a\in Y$, $b\in X$이므로 ______

(2) $X=\{3, a+2\}$, $Y=\{b-1, 9\}$

(3) $X=\{3a+1, 12\}$, $Y=\{16, 5b-3\}$

풍쌤 POINT

$A=B$일 때 ➡ 두 집합 A, B의 모든 원소가 일치

유형·08 진부분집합

15 다음 집합의 진부분집합을 모두 구하여라.

(1) $A=\{x, y\}$

› 풀이 A의 진부분집합은 부분집합 중 자기 자신 $\{x, y\}$를 제외한 것이므로 ______이다.

(2) $B=\{1\}$

(3) $C=\{s, t, u\}$

(4) $D=\{-1, 0, 1\}$

(5) $E=\{x|x$는 3의 양의 약수$\}$

(6) $F=\{x|x$는 10보다 작은 소수$\}$

풍쌤 POINT

A는 B의 진부분집합 ➡ $A\subset B$, $A\neq B$

부분집합의 개수

❶ 부분집합의 개수

집합 $A=\{a_1, a_2, a_3, \cdots, a_n\}$에 대하여

① A의 부분집합의 개수 ➡ 2^n

② A의 진부분집합의 개수 ➡ 2^n-1

③ A의 원소 중에서 특정한 p개를 반드시 원소로 갖는 부분집합의 개수
➡ 2^{n-p} (단, $p<n$)

④ A의 원소 중에서 특정한 q개를 원소로 갖지 않는 부분집합의 개수
➡ 2^{n-q} (단, $q<n$)

보기 집합 $A=\{1, 2, 3\}$에 대하여

① A의 부분집합의 개수
➡ $2^3=8$

② A의 진부분집합의 개수
➡ $2^3-1=7$

③ 1을 반드시 원소로 갖는 A의 부분집합의 개수
➡ $2^{3-1}=2^2=4$

④ 2, 3을 원소로 갖지 않는 A의 부분집합의 개수 ➡ $2^{3-2}=2$

유형·09 부분집합의 개수

정답과 풀이 004쪽

16 다음 집합의 부분집합의 개수를 구하여라.

(1) $A=\{1, 3, 5, 7\}$

> 풀이 집합 A의 원소의 개수가 ___이므로 부분집합의 개수는 ______

(2) $B=\{a, b, c, d, e, f\}$

(3) $C=\left\{1, \frac{1}{2}, \frac{1}{3}, \frac{1}{4}, \frac{1}{5}\right\}$

(4) $D=\{x\,|\,x$는 한 자리의 소수$\}$

(5) $E=\{x\,|\,x$는 50보다 작은 6의 배수$\}$

17 다음 집합의 진부분집합의 개수를 구하여라.

(1) $A=\{o, r, a, n, g, e\}$

> 풀이 집합 A의 원소의 개수가 ___이므로 진부분집합의 개수는 ______

(2) $B=\{2, 4, 6, 8\}$

(3) $C=\{1, 3, 5, 7, 9, 11, 13, 15, 17, 19\}$

(4) $D=\{x\,|\,x$는 $5\le x<10$인 자연수$\}$

(5) $E=\{x\,|\,x$는 20 미만의 짝수$\}$

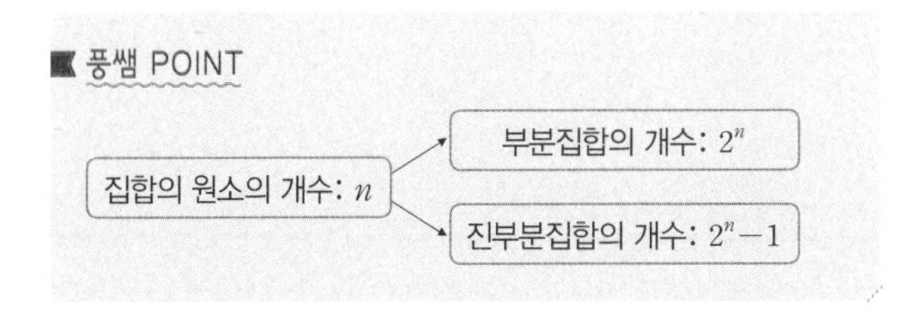

유형 10 특정한 원소를 포함하는 부분집합의 개수

18 집합 $A=\{a, b, c, d, e, f\}$에 대하여 다음을 만족시키는 집합 A의 부분집합의 개수를 구하여라.

(1) a를 포함하는 부분집합의 개수

> 풀이 구하는 부분집합의 개수는 a를 빼고 생각한 __________의 부분집합의 개수와 같으므로
> __________

(2) b, c를 포함하는 부분집합의 개수

(3) d, e, f를 포함하는 부분집합의 개수

(4) 모음을 모두 포함하는 부분집합의 개수

(5) 자음을 모두 포함하는 부분집합의 개수

19 집합 $B=\{x|x$는 10 이하의 자연수$\}$에 대하여 다음을 만족시키는 집합 B의 부분집합의 개수를 구하여라.

(1) 1, 2를 포함하지 않는 부분집합의 개수

> 풀이 구하는 부분집합의 개수는 1, 2를 빼고 생각한 __________의 부분집합의 개수와 같으므로
> __________

(2) 7, 8, 9를 포함하지 않는 부분집합의 개수

(3) 홀수를 포함하지 않는 부분집합의 개수

(4) 8의 약수를 포함하지 않는 부분집합의 개수

(5) 3의 배수를 포함하지 않는 부분집합의 개수

풍쌤 POINT

원소의 개수가 n인 집합의 부분집합 중에서

- 특정한 원소 p $(p<n)$개를 포함하는 부분집합의 개수
  ➡ 2^{n-p}
- 특정한 원소 q $(q<n)$개를 포함하지 않는 부분집합의 개수
  ➡ 2^{n-q}

유형·11 조건을 만족시키는 부분집합의 개수

정답과 풀이 004쪽

20 다음을 만족시키는 집합 X의 개수를 구하여라.

(1) $\{a, b\} \subset X \subset \{a, b, c, d\}$

> 풀이 집합 X는 $\{a, b, c, d\}$의 부분집합 중 두 원소 ____를 반드시 원소로 갖는 집합이므로 구하는 집합 X의 개수는 ________

(2) $\{1, 2, 4\} \subset X \subset \{1, 2, 4, 8, 16\}$

(3) $\{1, 3, 5, 7\} \subset X \subset \{1, 3, 5, 7, 9, 11, 13, 15\}$

(4) $\{7, 8, 9\} \subset X \subset \{1, 2, 3, 4, 5, \cdots, 9\}$

(5) $\{x \mid x$는 12의 양의 약수$\} \subset X$
$\subset \{x \mid x$는 36의 양의 약수$\}$

21 집합 $A=\{1, 2, 3, 4, 5\}$에 대하여 다음을 만족시키는 집합 A의 부분집합의 개수를 구하여라.

(1) 적어도 한 개의 홀수를 포함하는 부분집합의 개수

> 풀이 구하는 부분집합의 개수는
> (전체 부분집합의 개수)
> $-$(홀수 1, 3, 5를 포함하지 않는 부분집합의 개수)와 같다.
> (i) 전체 부분집합의 개수는 ______
> (ii) 홀수 1, 3, 5를 포함하지 않는 부분집합의 개수는 ________
> (i), (ii)에서 구하는 부분집합의 개수는 ________

(2) 적어도 한 개의 짝수를 포함하는 부분집합의 개수

(3) 적어도 한 개의 소수를 포함하는 부분집합의 개수

(4) 적어도 한 개의 3의 약수를 포함하는 부분집합의 개수

풍쌤 POINT

① $A \subset X \subset B$
➡ $A \subset X$: X는 A의 모든 원소를 반드시 포함한다.
➡ $X \subset B$: X는 B의 부분집합이다.

② (적어도 한 개의 ~인 경우의 수)
$=$(전체의 경우의 수)$-$(한 개도 ~가 아닌 경우의 수)

집합의 연산

1 집합의 연산

① 전체집합: 어떤 집합에 대하여 그 부분집합을 생각할 때, 처음의 집합을 전체집합이라 하고, 보통 U로 나타낸다.

② 합집합: 두 집합 A, B에 대하여 A에 속하거나 B에 속하는 모든 원소로 이루어진 집합 ➡ $A\cup B=\{x|x\in A$ 또는 $x\in B\}$

③ 교집합: 두 집합 A, B에 대하여 A에도 속하고 B에도 속하는 모든 원소로 이루어진 집합 ➡ $A\cap B=\{x|x\in A$ 그리고 $x\in B\}$

④ 서로소: 두 집합 A, B에서 공통인 원소가 하나도 없을 때, 즉 $A\cap B=\varnothing$일 때, A와 B는 서로소라고 한다.

⑤ 여집합: 전체집합 U의 부분집합 A에 대하여 U의 원소 중에서 A에 속하지 않는 모든 원소로 이루어진 집합을 U에 대한 A의 여집합이라고 한다.
➡ $A^C=\{x|x\in U$ 그리고 $x\notin A\}$

⑥ 차집합: 두 집합 A, B에 대하여 A에 속하지만 B에 속하지 않는 원소로 이루어진 집합 ➡ $A-B=\{x|x\in A$ 그리고 $x\notin B\}$

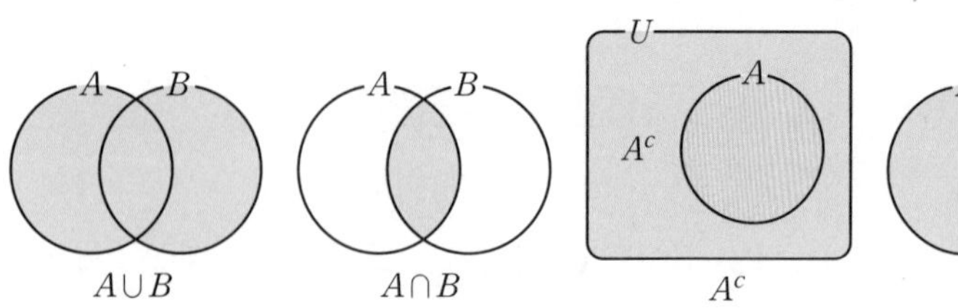

› '~이거나', '또는' ➡ 합집합
› '~이고', '와' ➡ 교집합

› 공집합 $\varnothing$는 모든 집합과 서로소이다.

› $A-B$를 A에 대한 B의 차집합이라고 한다.
› 집합 A의 여집합 A^C은 전체집합 U에 대한 집합 A의 차집합으로 생각할 수 있다.
➡ $A^C=U-A$

유형 12 합집합과 교집합

22 다음 두 집합 A, B에 대하여 $A\cup B$를 구하여라.

(1) $A=\{a, b, c\}$, $B=\{c, d, e\}$

› 풀이 $A\cup B=$________

(2) $A=\varnothing$, $B=\{s, t, u\}$

(3) $A=\{x|x$는 30 이하의 3의 배수$\}$,
$B=\{x|x$는 30 이하의 6의 배수$\}$

(4) $A=\{x|x$는 $-2\le x\le 2$인 정수$\}$,
$B=\{x|x$는 $0<x<4$인 정수$\}$

(5) $A=\{x|x$는 100보다 작은 자연수$\}$,
$B=\{x|x$는 100 이상인 자연수$\}$

23 다음 두 집합 A, B에 대하여 $A\cap B$를 구하여라.

(1) $A=\{1, 2, 4, 8\}$, $B=\{2, 4, 6\}$

› 풀이 $A\cap B=$______

(2) $A=\{a, b, c, d, e\}$, $B=\{f, g, h, i\}$

(3) $A=\{x|x$는 12의 약수$\}$,
$B=\{x|x$는 24의 약수$\}$

(4) $A=\{x|x$는 $1<x<9$인 자연수$\}$,
$B=\{x|x$는 $5\le x\le 15$인 자연수$\}$

풍쌤 POINT
① $A\cup B$ 구하기 ➡ A와 B에 있는 모든 원소를 나열
② $A\cap B$ 구하기 ➡ A와 B에 공통인 모든 원소를 나열

유형 13 서로소

24 다음 ( ) 안에 두 집합 A, B가 서로소인 것은 ○표, 서로소가 아닌 것은 ×표를 써넣어라.

(1) $A=\varnothing$, $B=\{a, b, c\}$ ( )

> 풀이 $A\cap B=\varnothing$이므로 A와 B는 ______이다.

(2) $A=\{1, 2, 4\}$, $B=\{2, 3, 5\}$ ( )

(3) $A=\{a, b, c, d, e\}$, $B=\{f, g, h, i\}$ ( )

(4) $A=\{x|-1<x<1\}$, $B=\{x|x^2=1\}$ ( )

(5) $A=\{x|x$는 $1\le x\le 5$인 자연수$\}$,
$B=\{x|x$는 $5<x\le 11$인 자연수$\}$ ( )

(6) $A=\{x|x$는 짝수$\}$, $B=\{x|x$는 홀수$\}$ ( )

(7) $A=\{x|x$는 유리수$\}$, $B=\{x|x$는 무리수$\}$
( )

(8) $A=\{x|x$는 3의 배수$\}$, $B=\{x|x$는 7의 배수$\}$
( )

풍쌤 POINT

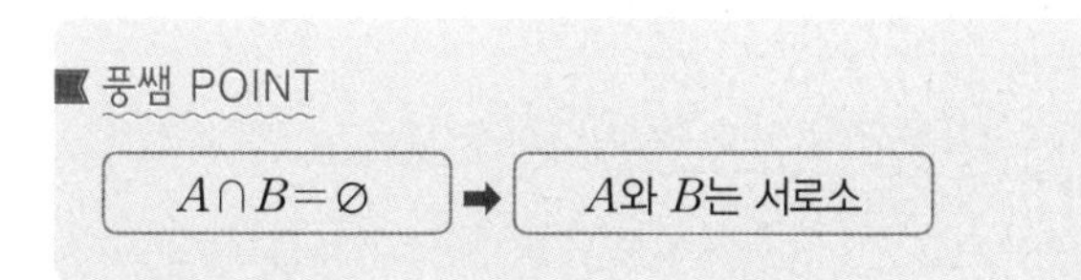

유형 14 여집합과 차집합

25 전체집합 $U=\{x|x$는 9 이하의 자연수$\}$의 부분집합이 다음과 같을 때, 각 집합의 여집합을 구하여라.

(1) $A=\{1, 2, 4, 8\}$

> 풀이 $U=\{1, 2, 3, 4, 5, 6, 7, 8, 9\}$에서
> $A^C=$ ______

(2) $B=\{1, 2, 3, 4, 5, 6, 7, 8, 9\}$

(3) $C=\{x|x$는 $x\le 5$인 자연수$\}$

(4) $D=\{x|x$는 짝수$\}$

26 다음 두 집합 A, B에 대하여 $A-B$를 구하여라.

(1) $A=\{a, b, c, d\}$, $B=\{c, d, e, f\}$

> 풀이 $A-B=$ ______

(2) $A=\{3, 6, 9, 12\}$, $B=\{5, 10, 15, 20\}$

(3) $A=\{x|x$는 10보다 작은 소수$\}$,
$B=\{x|x$는 10보다 작은 홀수$\}$

(4) $A=\{x|x$는 4의 약수$\}$,
$B=\{x|x$는 12의 약수$\}$

27 전체집합 $U=\{x|x$는 9 이하의 자연수$\}$의 두 부분집합 $A=\{x|x$는 2의 배수$\}$, $B=\{x|x$는 3의 배수$\}$에 대하여 다음 집합을 원소나열법으로 나타내어라.

(1) $A\cup B$

> 풀이 $A=\{2, 4, 6, 8\}$, $B=\{3, 6, 9\}$이므로
> $A\cup B=$__________

(2) $A\cap B$

(3) A^C

(4) B^C

(5) $A-B$

(6) $B-A$

(7) $(A\cup B)^C$

(8) $(A\cap B)^C$

(9) $A\cap B^C$

(10) B^C-A

28 전체집합 U의 두 부분집합 A, B를 오른쪽 벤다이어그램으로 나타냈을 때, 다음 집합을 원소나열법으로 나타내어라.

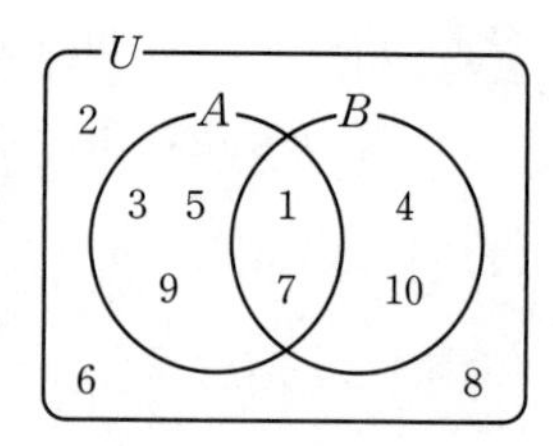

(1) $A\cup B$

> 풀이 벤다이어그램에서 $A\cup B=$__________

(2) $A\cap B$

(3) A^C

(4) B^C

(5) $A-B$

(6) $B-A$

(7) $(A\cup B)^C$

(8) $(A\cap B)^C$

풍쌤 POINT

- A^C 구하기 ➡ 전체집합에서 A의 원소를 지운다.
- $A-B$ 구하기 ➡ A의 원소 중 B의 원소를 지운다.

집합의 연산의 성질

1 집합의 연산의 성질

전체집합 U의 두 부분집합 A, B에 대하여

① $A\cup A=A$, $A\cap A=A$ ② $A\cup\varnothing=A$, $A\cap\varnothing=\varnothing$

③ $A\cup U=U$, $A\cap U=A$ ④ $A\cup A^C=U$, $A\cap A^C=\varnothing$

⑤ $\varnothing^C=U$, $U^C=\varnothing$ ⑥ $(A^C)^C=A$

⑦ $A-B=A\cap B^C=A-(A\cap B)=(A\cup B)-B$

› $A\subset B$와 같은 표현
➡ $A\cup B=B$
➡ $A\cap B=A$
➡ $A-B=\varnothing$
➡ $B^C\subset A^C$

유형 15 집합의 연산의 성질

정답과 풀이 005쪽

29 전체집합 U의 두 부분집합 A, B에 대하여 다음 집합을 벤다이어그램에 색칠하여 나타내고, □ 안에 기호 $\supset$, $=$, $\subset$ 중 알맞은 것을 써넣어라.

(1) $A\cup A^C$ □ U

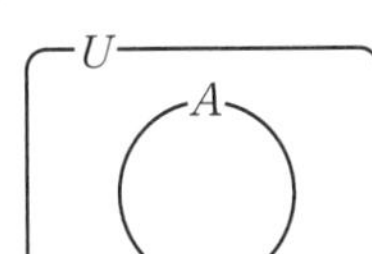

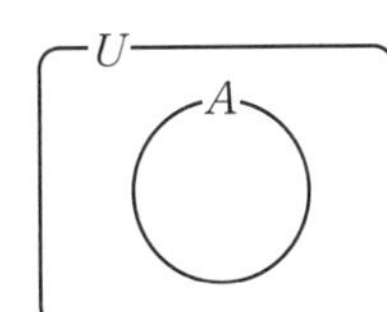

(2) $A\cap A^C$ □ $\varnothing$

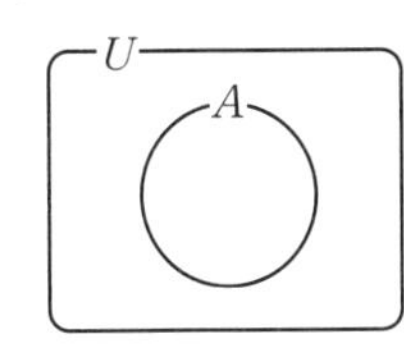

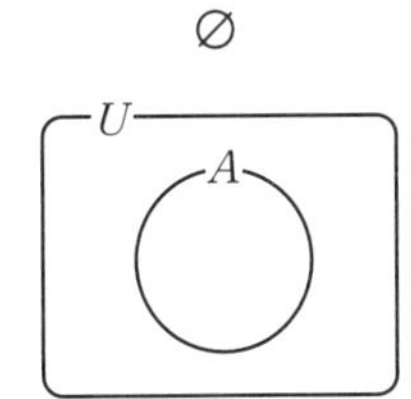

(3) $(A^C)^C$ □ A

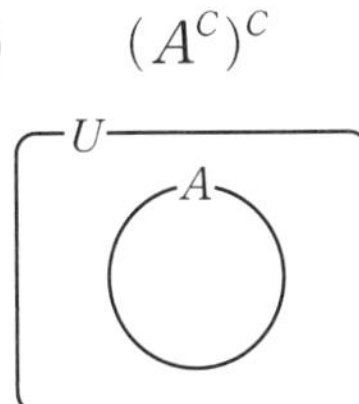

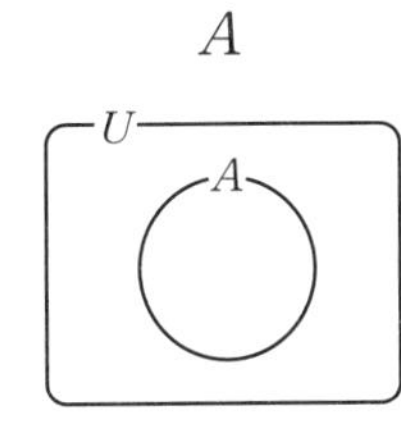

(4) $A-B$ □ $A\cap B^C$

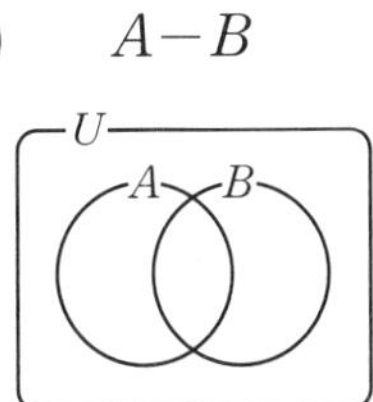

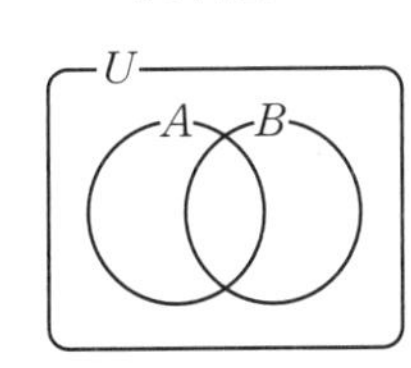

30 전체집합 $U=\{1, 2, 4, 8, 16, 32\}$의 두 부분집합 $A=\{1, 2, 4, 8, 16\}$, $B=\{1, 2, 4\}$에 대하여 다음 각 집합을 원소나열법으로 나타내어라.

(1) $A-B$

› 풀이 $A-B=$______

(2) $A\cap B^C$

(3) $A-(A\cap B)$

(4) $(A\cup B)-B$

유형·16 $A \subset B$와 같은 표현

31 전체집합 U의 두 부분집합 A, B에 대하여 다음 (　　) 안에 옳은 것은 ○표, 옳지 않은 것은 ×표를 써넣어라.

(1) $A \cup \varnothing^C = U$ (　　)

> 풀이 $A \cup \varnothing^C = A \cup U =$ ___

(2) $A \cap \varnothing^C = A$ (　　)

(3) $(\varnothing^C)^C = \varnothing$ (　　)

(4) $B - A = A \cap B^C$ (　　)

(5) $U - (A^C)^C = A$ (　　)

(6) $(A^C)^C \cap B^C = A - B$ (　　)

풍쌤 POINT

전체집합 U의 두 부분집합 A, B에 대하여
① $A \cup A = A$, $A \cap A = A$
② $A \cup \varnothing = A$, $A \cap \varnothing = \varnothing$
③ $A \cup U = U$, $A \cap U = A$
④ $A \cup A^C = U$, $A \cap A^C = \varnothing$
⑤ $\varnothing^C = U$, $U^C = \varnothing$
⑥ $(A^C)^C = A$
⑦ $A - B = A \cap B^C$

32 전체집합 U의 두 부분집합 A, B에 대하여 $A \subset B$일 때, 다음 □ 안에 알맞은 집합을 써넣어라. (단, $A \neq \varnothing$, $B \neq \varnothing$)

(1) $A \cap B = \square$

> 풀이 $A \subset B$이므로 $A \cap B =$ ___

(2) $A \cup B = \square$

(3) $(A^C)^C \cap B^C = \square$

(4) $A - B^C = \square$

(5) $B^C - A^C = \square$

33 전체집합 U의 두 부분집합 A, B에 대하여 $B \subset A$일 때, 다음 (　　) 안에 옳은 것은 ○표, 옳지 않은 것은 ×표를 써넣어라. (단, $A \neq \varnothing$, $B \neq \varnothing$)

(1) $A \cap B = B$ (　　)

> 풀이 $B \subset A$이므로 $A \cap B =$ ___

(2) $A \cup B^C = U$ (　　)

(3) $A - B = \varnothing$ (　　)

(4) $B \cap A^C = \varnothing$ (　　)

(5) $B^C \subset A^C$ (　　)

풍쌤 POINT

$A \subset B \Rightarrow A \cup B = B \Rightarrow A \cap B = A$
$\Rightarrow A - B = \varnothing \Rightarrow B^C \subset A^C$

08 집합의 연산 법칙

1 집합의 연산 법칙

세 집합 A, B, C에 대하여

① 교환법칙: $A\cup B=B\cup A$, $A\cap B=B\cap A$

② 결합법칙: $(A\cup B)\cup C=A\cup(B\cup C)$, $(A\cap B)\cap C=A\cap(B\cap C)$

③ 분배법칙: $A\cap(B\cup C)=(A\cap B)\cup(A\cap C)$,
$A\cup(B\cap C)=(A\cup B)\cap(A\cup C)$

④ 흡수법칙: $(A\cap B)\cup A=A$, $(A\cup B)\cap A=A$

› 세 집합 A, B, C에 대하여 결합법칙이 성립하므로 괄호를 생략하여 $A\cup B\cup C$, $A\cap B\cap C$로 나타낼 수도 있다.

유형 17 집합의 연산 법칙

정답과 풀이 006쪽

34 세 집합 A, B, C에 대하여 다음 집합을 벤다이어그램에 색칠하여 나타내고, □ 안에 기호 ⊃, =, ⊂ 중 알맞은 것을 써넣어라.

(1) $A\cup B$  $B\cup A$

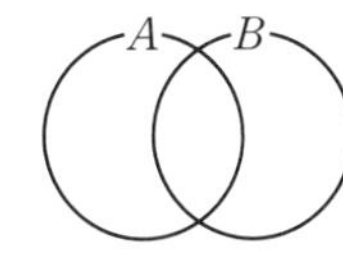

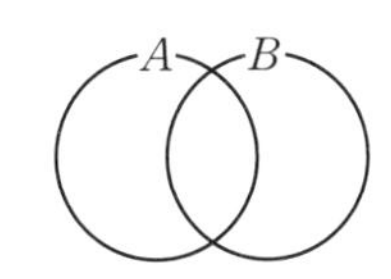

(2) $(A\cup B)\cup C$  $A\cup(B\cup C)$

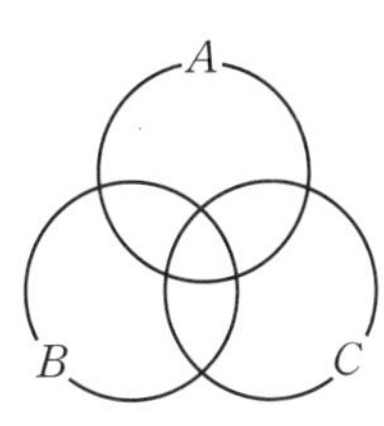

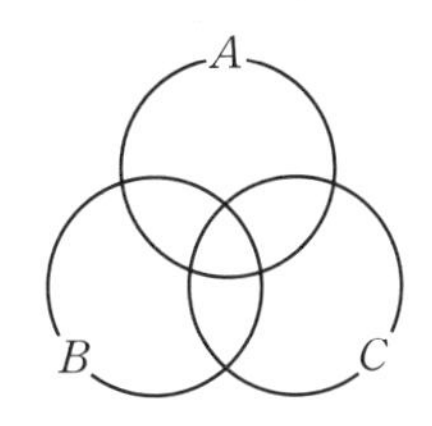

(3) $A\cap(B\cup C)$ □ $(A\cap B)\cup(A\cap C)$

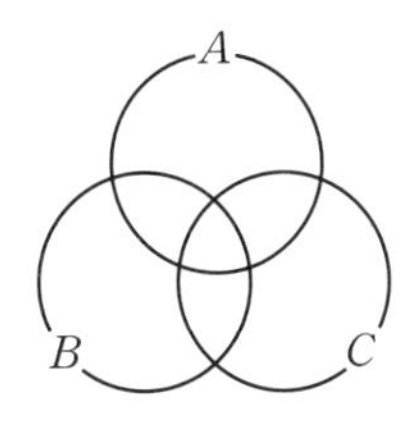

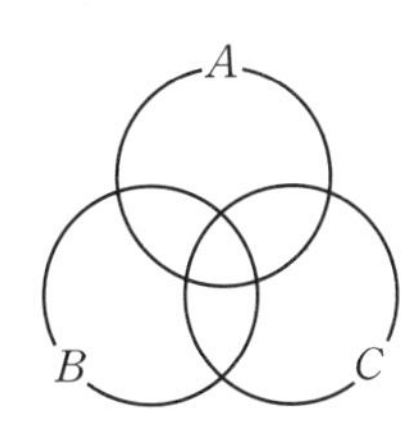

(4) $(A\cap B)\cup A$ □ A

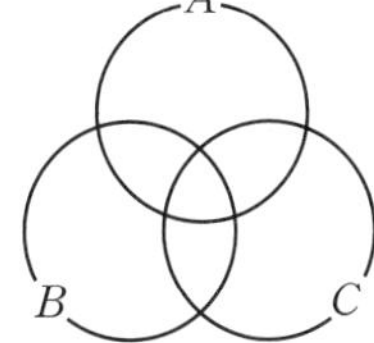

35 세 집합 $A=\{2, 4, 6, 8, 10\}$, $B=\{1, 2, 4, 8, 16\}$, $C=\{4, 8, 12, 16, 20\}$에 대하여 다음 각 집합을 원소나열법으로 나타내고, □ 안에 기호 ⊃, =, ⊂ 중 알맞은 것을 써넣어라.

(1) ① $A\cap B$
② $B\cap A$
③ $A\cap B$ □ $B\cap A$

(2) ① $(A\cap B)\cap C$
② $A\cap(B\cap C)$
③ $(A\cap B)\cap C$ □ $A\cap(B\cap C)$

(3) ① $A\cup(B\cap C)$
② $(A\cup B)\cap(A\cup C)$
③ $A\cup(B\cap C)$ □ $(A\cup B)\cap(A\cup C)$

(4) ① $(A\cup B)\cap A$
② A
③ $(A\cup B)\cap A$ □ A

드모르간의 법칙

❶ 드모르간의 법칙

전체집합 U의 두 부분집합 A, B에 대하여

① $(A\cup B)^C=A^C\cap B^C$

② $(A\cap B)^C=A^C\cup B^C$

> 복잡한 집합의 연산은 집합의 연산 법칙과 드모르간의 법칙을 이용하여 간단히 나타낸다.

유형 18 드모르간의 법칙

36 전체집합 U의 세 부분집합 A, B, C에 대하여 다음 집합을 벤다이어그램에 색칠하여 나타내고, □ 안에 기호 $\supset$, $=$, $\subset$ 중 알맞은 것을 써넣어라.

(1) $(A\cup B)^C$ □ $A^C\cap B^C$

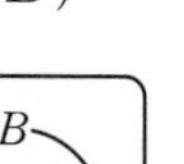

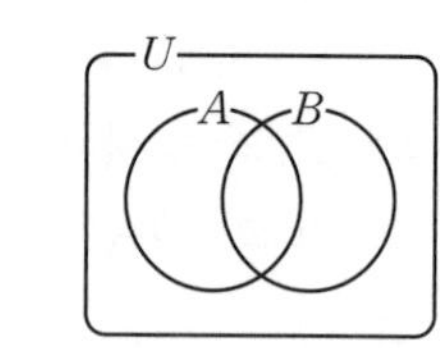

(2) $(A\cap B)^C$ □ $A^C\cup B^C$

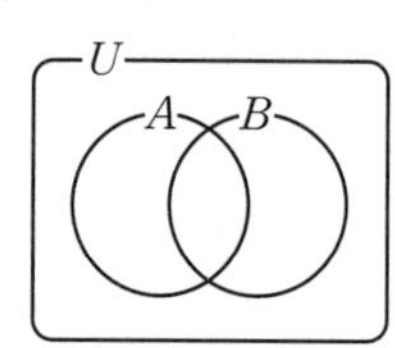

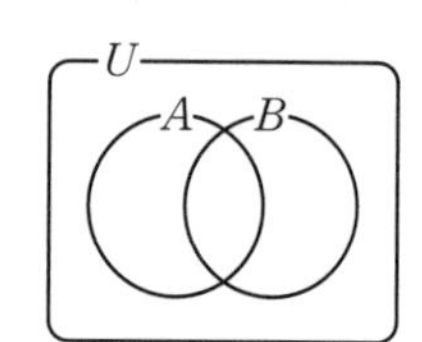

(3) $(A\cup B\cup C)^C$ □ $A^C\cap B^C\cap C^C$

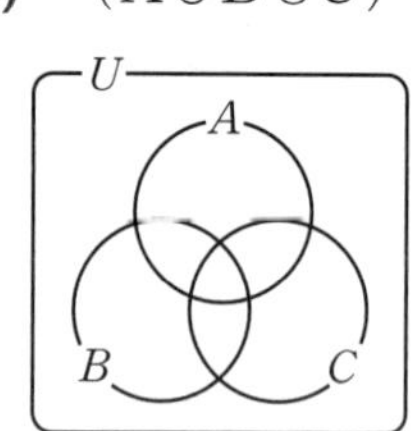

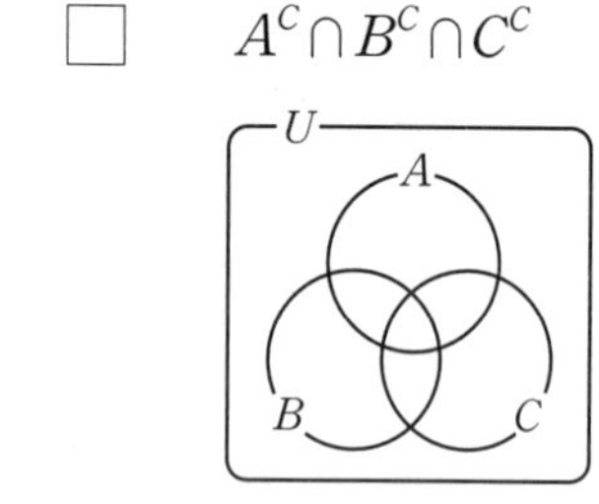

(4) $(A\cap B\cap C)^C$ □ $A^C\cup B^C\cup C^C$

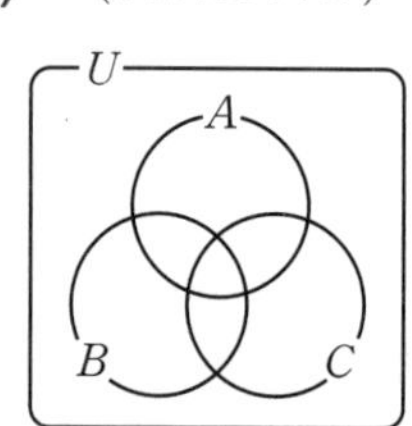

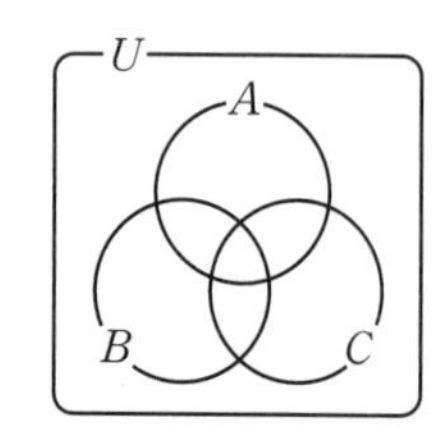

37 전체집합 $U=\{x|x$는 8 이하의 자연수$\}$의 두 부분집합 $A=\{1, 2, 4\}$, $B=\{2, 4, 8\}$에 대하여 다음 각 집합을 원소나열법으로 나타내고, □ 안에 기호 $\supset$, $=$, $\subset$ 중 알맞은 것을 써넣어라.

(1) ① $(A\cup B)^C$

> 풀이 $U=\{1, 2, 3, 4, 5, 6, 7, 8\}$에 대하여
> $A\cup B=\{1, 2, 4, 8\}$이므로 $(A\cup B)^C=$________

② $A^C\cap B^C$

> 풀이 $A^C=\{3, 5, 6, 7, 8\}$, $B^C=\{1, 3, 5, 6, 7\}$이므로
> $A^C\cap B^C=$________

③ $(A\cup B)^C$ □ $A^C\cap B^C$

(2) ① $(A\cap B)^C$

② $A^C\cup B^C$

③ $(A\cap B)^C$ □ $A^C\cup B^C$

> **풍쌤 POINT**
> 전체집합 U의 부분집합 A, B에 대하여
> $(A\cup B)^C=A^C\cap B^C$, $(A\cap B)^C=A^C\cup B^C$

정답과 풀이 007쪽

38 다음은 전체집합 U의 두 부분집합 A, B에 대하여 주어진 식을 간단히 하는 과정이다. 각 과정에서 이용된 연산 법칙을 보기에서 골라 □ 안에 그 기호를 써넣어라.

보기

ㄱ. 교환법칙　　ㄴ. 결합법칙
ㄷ. 분배법칙　　ㄹ. 드모르간의 법칙

(1) $(A\cap B)\cup(A\cap B^C)$
$=A\cap(B\cup B^C)$ □
$=A\cap U$
$=A$

(2) $A\cap(A\cup B)^C$
$=A\cap(A^C\cap B^C)$ □
$=(A\cap A^C)\cap B^C$ □
$=\varnothing\cap B^C$
$=\varnothing$

(3) $(A\cup B)\cap(A-B)^C$
$=(A\cup B)\cap(A\cap B^C)^C$
$=(A\cup B)\cap(A^C\cup B)$ □
$=(A\cap A^C)\cup B$ □
$=\varnothing\cup B$
$=B$

(4) $A\cup(B\cap A)^C$
$=A\cup(B^C\cup A^C)$ □
$=A\cup(A^C\cup B^C)$ □
$=(A\cup A^C)\cup B^C$ □
$=U\cup B^C$
$=U$

39 전체집합 U의 두 부분집합 A, B에 대하여 다음 등식이 성립함을 보여라.

(1) $A\cap(A^C\cup B)=A\cap B$

> 풀이 $A\cap(A^C\cup B)=$________$\cup(A\cap B)$
> $=$___$\cup(A\cap B)$
> $=$______

(2) $(A\cup B)\cap(A\cup B^C)=A$

(3) $(A^C-B)^C=A\cup B$

(4) $A\cup(A-B^C)=A$

풍쌤 POINT

① $A\cup B=B\cup A$, $A\cap B=B\cap A$
② $(A\cup B)\cup C=A\cup(B\cup C)$,
$(A\cap B)\cap C=A\cap(B\cap C)$
③ $A\cap(B\cup C)=(A\cap B)\cup(A\cap C)$,
$A\cup(B\cap C)=(A\cup B)\cap(A\cup C)$
④ $(A\cup B)^C=A^C\cap B^C$, $(A\cap B)^C=A^C\cup B^C$

원소의 개수

1 원소의 개수

전체집합 U의 세 부분집합 A, B, C에 대하여

① $n(A^C)=n(U)-n(A)$

② $n(A-B)=n(A)-n(A\cap B)=n(A\cup B)-n(B)$

③ $n(A\cup B)=n(A)+n(B)-n(A\cap B)$

참고 A, B가 서로소이면 $n(A\cap B)=0$이므로 $n(A\cup B)=n(A)+n(B)$

④ $n(A\cup B\cup C)=n(A)+n(B)+n(C)-n(A\cap B)-n(B\cap C)$
$-n(C\cap A)+n(A\cap B\cap C)$

› 유한집합 X의 원소의 개수를 보통 $n(X)$로 나타낸다.

› $B\subset A$일 경우 $n(A-B)=n(A)-n(B)$

유형 20 벤다이어그램과 집합의 원소의 개수

40 전체집합 U의 두 부분집합 A, B에 대하여 벤다이어그램을 이용하여 다음 표의 ①~⑦에 알맞은 수를 써넣어라. (단, 벤다이어그램에서 수는 해당하는 집합의 원소의 개수이다.)

(1)

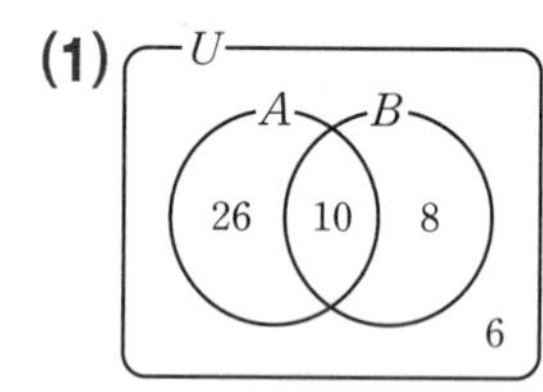

집합	원소의 개수
U	①
A	②
B	③
$A\cap B$	④
$A\cup B$	⑤
$A-B$	⑥
$B-A$	⑦

› 풀이 ① $n(U)=26+10+8+$___$=$___

② $n(A)=26+10=36$

③ $n(B)=8+10=18$

④ $n(A\cap B)=10$

⑤ $n(A\cup B)=26+10+8=44$

⑥ $n(A-B)=26$

⑦ $n(B-A)=8$

(2)

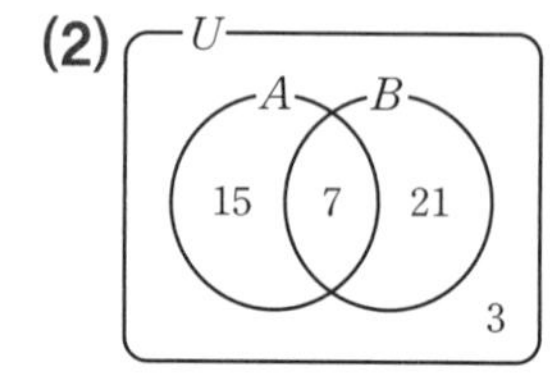

집합	원소의 개수
U	①
A	②
B	③
$A\cap B$	④
$A\cup B$	⑤
$A-B$	⑥
$B-A$	⑦

유형 21 여집합과 차집합의 원소의 개수

41 전체집합 U의 두 부분집합 A, B에 대하여 $n(U)=50$, $n(A)=20$, $n(B)=33$, $n(A\cap B)=8$일 때, 다음을 구하여라.

(1) $n(A^C)$

› 풀이 $n(A^C)=n(U)-n(A)=50-$___$=$___

(2) $n(B^C)$

(3) $n((A\cap B)^C)$

(4) $n(A^C\cup B^C)$

42 전체집합 U의 두 부분집합 A, B에 대하여 $n(U)=60$, $n(A)=34$, $n(B)=27$, $n(A\cup B)=50$일 때, 다음을 구하여라.

(1) $n(A^C)$

(2) $n(B^C)$

(3) $n((A\cup B)^C)$

(4) $n(A^C\cap B^C)$

유형 22 $A\cup B$, $A\cap B$의 원소의 개수

43 전체집합 U의 두 부분집합 A, B에 대하여 $n(A)=21$, $n(B)=24$, $n(A\cap B)=9$일 때, 다음을 구하여라.

(1) $n(A-B)$

> 풀이 $n(A-B)=n(A)-n(A\cap B)=21-\_\_=\_\_$

(2) $n(B-A)$

(3) $n(A\cap B^C)$

(4) $n(B\cap A^C)$

44 전체집합 U의 두 부분집합 A, B에 대하여 $n(A)=35$, $n(B)=31$, $n(A\cup B)=54$일 때, 다음을 구하여라.

(1) $n(A-B)$

> 풀이 $n(A-B)=n(A\cup B)-n(B)=54-\_\_=\_\_$

(2) $n(B-A)$

(3) $n(A\cap B^C)$

(4) $n(B\cap A^C)$

풍쌤 POINT

① $n(A^C)=n(U)-n(A)$

② $n(A-B)=n(A)-n(A\cap B)$
$=n(A\cup B)-n(B)$

45 전체집합 U의 두 부분집합 A, B가 다음을 만족시킬 때, $n(A\cup B)$를 구하여라.

(1) $n(A)=38$, $n(B)=35$, $n(A\cap B)=7$

> 풀이 $n(A\cup B)=n(A)+n(B)-n(A\cap B)$
> $=38+35-\_\_=\_\_$

(2) $n(A)=30$, $n(B)=24$, $n(A\cap B)=16$

(3) $n(A)=27$, $n(B)=22$, $n(A\cap B)=10$

(4) $n(A)=16$, $n(B)=10$, $n(A\cap B)=3$

(5) $n(A)=10$, $n(B)=20$, $n(A\cap B)=0$

(6) $n(A)=23$, $n(B)=25$, $A\cap B=\varnothing$

46 전체집합 U의 두 부분집합 A, B가 다음을 만족시킬 때, $n(A\cap B)$를 구하여라.

(1) $n(A)=17$, $n(B)=34$, $n(A\cup B)=38$

> 풀이 $n(A\cap B)=n(A)+n(B)-n(A\cup B)$
> $=17+34-\_\_\_=\_\_\_$

(2) $n(A)=33$, $n(B)=41$, $n(A\cup B)=66$

(3) $n(A)=20$, $n(B)=27$, $n(A\cup B)=36$

(4) $n(A)=22$, $n(B)=26$, $n(A\cup B)=31$

(5) $n(A)=14$, $n(B)=16$, $n(A\cup B)=30$

(6) $n(A)=21$, $n(B)=27$, $n(A\cup B)=48$

47 1부터 100까지의 자연수에 대하여 다음을 구하여라.

(1) 2의 배수 또는 3의 배수의 개수

> 풀이 1부터 100까지의 자연수의 집합을 U, 2의 배수의 집합을 A, 3의 배수의 집합을 B라고 하면
> $n(A)=50$, $n(B)=33$
> $A\cap B$는 6의 배수의 집합이므로
> $n(A\cap B)=16$
> 따라서 2의 배수 또는 3의 배수의 개수는
> $n(A\cup B)=n(A)+n(B)-n(A\cap B)$
> $=50+\_\_\_-\_\_\_=\_\_\_$

(2) 4의 배수 또는 6의 배수의 개수

(3) 5의 배수 또는 7의 배수의 개수

(4) 8의 배수 또는 12의 배수의 개수

풍쌤 POINT

① $n(A\cup B)=n(A)+n(B)-n(A\cap B)$
② $n(A\cap B)=n(A)+n(B)-n(A\cup B)$

유형·23 $A\cup B\cup C$, $A\cap B\cap C$의 원소의 개수

48 전체집합 U의 세 부분집합 A, B, C가 다음을 만족시킬 때, $n(A\cup B\cup C)$를 구하여라.

(1) $n(A)=16$, $n(B)=18$, $n(C)=20$,
$n(A\cap B)=5$, $n(B\cap C)=7$, $n(C\cap A)=6$,
$n(A\cap B\cap C)=2$

> 풀이 $n(A\cup B\cup C)$
$=n(A)+n(B)+n(C)-n(A\cap B)-n(B\cap C)$
$-n(C\cap A)+n(A\cap B\cap C)$
$=16+18+20-5-7-6+\_\_\_=\_\_\_$

(2) $n(A)=25$, $n(B)=18$, $n(C)=19$,
$n(A\cap B)=13$, $n(B\cap C)=6$, $n(C\cap A)=11$,
$n(A\cap B\cap C)=4$

(3) $n(A)=11$, $n(B)=21$, $n(C)=23$,
$n(A\cap B)=5$, $n(B\cap C)=10$, $n(C\cap A)=3$,
$n(A\cap B\cap C)=1$

(4) $n(A)=15$, $n(B)=17$, $n(C)=17$,
$n(A\cap B)=4$, $n(B\cap C)=5$, $n(C\cap A)=6$,
$n(A\cap B\cap C)=3$

(5) $n(A)=18$, $n(B)=21$, $n(C)=18$,
$n(A\cap B)=5$, $n(B\cap C)=4$, $n(C\cap A)=4$,
$n(A\cap B\cap C)=2$

49 전체집합 U의 세 부분집합 A, B, C가 다음을 만족시킬 때, $n(A\cap B\cap C)$를 구하여라.

(1) $n(A)=13$, $n(B)=14$, $n(C)=15$,
$n(A\cap B)=5$, $n(B\cap C)=4$, $n(C\cap A)=5$,
$n(A\cup B\cup C)=31$

> 풀이 $n(A\cap B\cap C)$
$=n(A\cup B\cup C)-n(A)-n(B)-n(C)$
$+n(A\cap B)+n(B\cap C)+n(C\cap A)$
$=\_\_\_-13-14-15+5+4+5=\_\_\_$

(2) $n(A)=18$, $n(B)=16$, $n(C)=13$,
$n(A\cap B)=5$, $n(B\cap C)=3$, $n(C\cap A)=4$,
$n(A\cup B\cup C)=36$

(3) $n(A)=15$, $n(B)=15$, $n(C)=17$,
$n(A\cap B)=3$, $n(B\cap C)=3$, $n(C\cap A)=4$,
$n(A\cup B\cup C)=39$

(4) $n(A)=19$, $n(B)=20$, $n(C)=22$,
$n(A\cap B)=6$, $n(B\cap C)=7$, $n(C\cap A)=7$,
$n(A\cup B\cup C)=46$

(5) $n(A)=20$, $n(B)=20$, $n(C)=24$,
$n(A\cap B)=8$, $n(B\cap C)=9$, $n(C\cap A)=10$,
$n(A\cup B\cup C)=44$

풍쌤 POINT
$n(A\cup B\cup C)=n(A)+n(B)+n(C)$
$-n(A\cap B)-n(B\cap C)-n(C\cap A)$
$+n(A\cap B\cap C)$

·중단원 점검문제·

01

집합 $A=\{0, 1, \{1\}\}$일 때, 다음 중 옳지 않은 것은?

① $0\in A$ ② $\{1\}\subset A$ ③ $\{1\}\in A$
④ $\{0, 1\}\in A$ ⑤ $\{0, \{1\}\}\subset A$

02

두 집합 A, B에 대하여 $A=\{x^2+1, 2\}$, $B=\{x-1, 10\}$이고 $A=B$일 때, 실수 x의 값을 구하여라.

03

두 집합 $A=\{1, 2, 3\}$, $B=\{x|x$는 n의 약수$\}$에 대하여 A가 B의 진부분집합이기 위한 자연수 n의 최솟값을 구하여라.

04

세 집합 A, B, C가 $A=\{0, 1, 2\}$, $B=\{2x+y|x\in A, y\in A\}$, $C=\{xy|x\in A, y\in A\}$일 때, 세 집합의 포함 관계를 구하여라.

05

전체집합 $U=\{x|x$는 자연수$\}$의 두 부분집합 A, B에 대하여 $A=\{x|x$는 4의 약수$\}$, $B=\{x|x$는 12의 약수$\}$일 때, $A\subset X\subset B$를 만족시키는 집합 X의 개수를 구하여라.

06

집합 $S=\{1, 2, 3, 4, 5\}$의 부분집합 중에서 집합 $\{1, 2\}$와 서로소인 집합의 개수를 구하여라.

07

전체집합 $U=\{1, 2, 3, 4, 5, 6, 7, 8\}$의 두 부분집합 $A=\{x|x$는 소수$\}$, $B=\{x|x$는 짝수$\}$에 대하여 $A\cap B^C$의 모든 원소의 합을 구하여라.

08

전체집합 U의 두 부분집합 A, B에 대하여 $A\subset B$일 때, 다음 중 항상 성립한다고 할 수 없는 것은? (단, $U\neq\varnothing$)

① $A\cup B=B$ ② $A\cap B=A$
③ $(A\cap B)^C=B^C$ ④ $B^C\subset A^C$
⑤ $A-B=\varnothing$

09

두 집합 A, B에 대하여 $A-(A\cap B)=A$일 때, 다음 중 항상 성립하는 것은?

① $A\subset B$ ② $B\subset A$ ③ $A^C\subset B$
④ $A=\varnothing$ ⑤ $A\cap B=\varnothing$

10

두 집합 $A=\{2,\ 2a+3\}$, $B=\{5,\ 7,\ a^2-2\}$에 대하여 $A\cap B=A$를 만족시키는 실수 a의 값을 구하여라.

11

다음 벤다이어그램에서 색칠한 부분을 나타내는 집합은?
(단, U는 전체집합이다.)

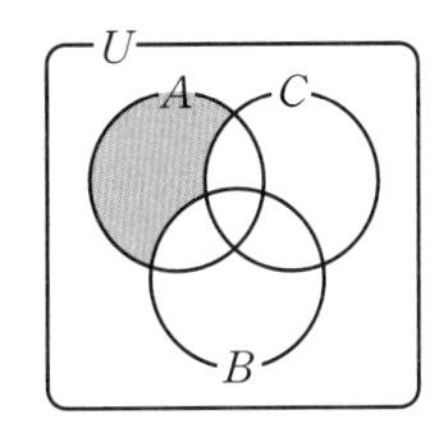

① $A\cap(B\cap C)^C$ ② $A\cap(B\cup C)^C$
③ $A\cap(B^C\cap C)^C$ ④ $A\cap(B^C\cap C^C)^C$
⑤ $A\cap(B^C\cup C^C)^C$

12

두 집합 A, B에 대하여 $A=\{1, 2, 3, 4\}$이고 $(A\cup B)-(A\cap B)=\{1, 3, 5\}$일 때, 집합 B를 구하여라.

13

전체집합 U의 두 부분집합 A, B에 대하여 $(A\cup B)\cap(A^C\cap B)^C$을 간단히 하여라.

14

전체집합 U의 두 부분집합 A, B에 대하여 $n(U)=40$, $n(A\cap B)=6$일 때, $n(A^C\cup B^C)$을 구하여라.

15

세 집합 A, B, C에 대하여 $A\cap B=\varnothing$이고 $n(A)=5$, $n(B)=4$, $n(C)=3$, $n(A\cup C)=7$, $n(B\cup C)=5$일 때, $n(A\cup B\cup C)$를 구하여라.

01 명제와 조건

1 명제

참, 거짓을 명확하게 판별할 수 있는 문장이나 식

2 조건

변수의 값에 따라 참, 거짓이 결정되는 문장이나 식

3 진리집합

전체집합 U의 원소 중 조건 $p(x)$가 참이 되게 하는 모든 원소의 집합을 조건 $p(x)$의 진리집합이라고 한다.

즉, 조건 $p(x)$의 진리집합을 P라고 하면

$P=\{x|x\in U,\ p(x)\text{는 참}\}$

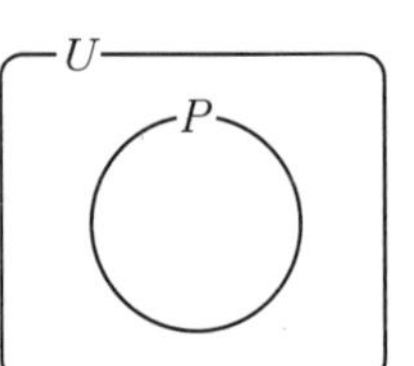

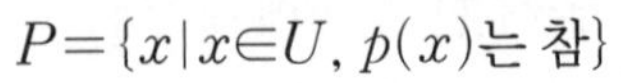

참고 두 조건 p, q의 진리집합을 각각 P, Q라고 할 때, 조건 'p 또는 q'의 진리집합은 $P\cup Q$, 조건 'p 그리고 q'의 진리집합은 $P\cap Q$이다.

보기 ① $1+1=2$
➡ 참인 명제
② 0은 자연수이다.
➡ 거짓인 명제
③ $x+2=3$
➡ 조건

유형·01 명제

01 다음 (　　) 안에 명제인 것은 ○표, 명제가 아닌 것은 ×표를 써넣어라.

(1) 1은 작은 수이다. (　　)

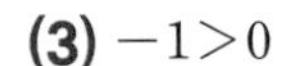

> 풀이 ________을 명확하게 판별할 수 없으므로 __________.

(2) 강아지는 귀엽다. (　　)

(3) $-1>0$ (　　)

(4) x는 짝수이다. (　　)

(5) 2는 소수이다. (　　)

(6) 3은 6의 배수이다. (　　)

풍쌤 POINT

문장, 식 — 참, 거짓 판별 가능 → 명제이다. — 참 → 참인 명제 / 거짓 → 거짓인 명제

문장, 식 — 참, 거짓 판별 불가능 → 명제가 아니다.

유형·02 명제와 조건의 구분

02 다음 (　　) 안에 명제인 것은 '명', 조건인 것은 '조'를 써넣어라.

(1) $x^2=1$ (　　)

> 풀이 x의 값에 따라 참, 거짓이 결정되므로 ________.

(2) $2^2=4$ (　　)

(3) $2x+1=7$ (　　)

(4) 5는 짝수이다. (　　)

(5) x는 4의 약수이다. (　　)

(6) $\sqrt{2}$는 유리수이다. (　　)

풍쌤 POINT

$x+1=3$ → 조건

$x=2$이면 → 참인 명제

$x=1$이면 → 거짓인 명제

03 **전체집합 $U=\{1, 2, 3, 4, 5, 6, 7, 8\}$에 대하여 다음 조건의 진리집합을 구하여라.**

(1) x는 홀수이다.

> 풀이 x는 홀수이므로 진리집합은 ________

(2) x는 8의 약수이다.

(3) x는 12의 약수가 아니다.

(4) $x\leq 8$

(5) $3x+1>10$

(6) $1<x<2$

(7) $|x-4|<2$

(8) $x^2=4$

04 **전체집합 $U=\{x|x$는 10 이하의 자연수$\}$에 대하여 두 조건 p, q가 다음과 같을 때, 조건 'p 또는 q'의 진리집합을 구하여라.**

(1) p: $1<x<6$, q: $3\leq x\leq 8$

> 풀이 전체집합 $U=\{1, 2, 3, 4, 5, 6, 7, 8, 9, 10\}$에 대하여 두 조건 p, q의 진리집합을 각각 P, Q라고 하면
> $P=\{2, 3, 4, 5\}$, $Q=\{3, 4, 5, 6, 7, 8\}$
> 따라서 조건 'p 또는 q'의 진리집합은
> $P\cup Q=$ ____________

(2) p: $x^2-7x+10=0$, q : $|x-4|=1$

(3) p: x는 6의 약수이다.
q: $3x+2\leq 17$

05 **전체집합 $U=\{x|x$는 10 이하의 자연수$\}$에 대하여 두 조건 p, q가 다음과 같을 때, 조건 'p 그리고 q'의 진리집합을 구하여라.**

(1) p: $x<7$, q: $1<x<9$

> 풀이 전체집합 $U=\{1, 2, 3, 4, 5, 6, 7, 8, 9, 10\}$에 대하여 두 조건 p, q의 진리집합을 각각 P, Q라고 하면
> $P=\{1, 2, 3, 4, 5, 6\}$, $Q=\{2, 3, 4, 5, 6, 7, 8\}$
> 따라서 조건 'p 그리고 q'의 진리집합은
> $P\cap Q=$ __________

(2) p: $2\leq x\leq 10$, q: $2x+3>15$

(3) p: x는 10의 약수이다.
q: x는 5의 배수이다.

풍쌤 POINT

두 조건 p, q의 진리집합을 P, Q라고 할 때,
① 조건 'p 또는 q'의 진리집합 ➡ $P\cup Q$
② 조건 'p 그리고 q'의 진리집합 ➡ $P\cap Q$

명제와 조건의 부정

1 명제와 조건의 부정

명제 또는 조건 p에 대하여 'p가 아니다.'를 p의 부정이라고 한다.

➡ 기호: $\sim p$

이때 $\sim p$의 부정은 p이다. 즉 $\sim(\sim p)=p$

2 명제의 부정의 참, 거짓

명제 p가 참이면 $\sim p$는 거짓이고, 명제 p가 거짓이면 $\sim p$는 참이다.

3 조건의 부정의 진리집합

조건 p의 진리집합을 P라고 하면 조건 $\sim p$의 진리집합은 P^C이다.

› 두 조건 p, q의 진리집합을 각각 P, Q라고 할 때,
① 'p 또는 q'의 부정
➡ $\sim(p$ 또는 $q)$
$=\sim p$ 그리고 $\sim q$
'p 또는 q'의 부정의 진리집합
➡ $(P\cup Q)^C=P^C\cap Q^C$
② 'p 그리고 q'의 부정
➡ $\sim(p$ 그리고 $q)$
$=\sim p$ 또는 $\sim q$
'p 그리고 q'의 부정의 진리집합
➡ $(P\cap Q)^C=P^C\cup Q^C$

유형 04 명제와 조건의 부정

06 다음 명제의 부정을 말하여라.

(1) $0\in Q$

› 풀이 '$0\in Q$'의 부정은 '______'이다.

(2) $(-1)+1=0$

(3) $\sqrt{2}$는 유리수이다.

(4) 5는 8의 약수가 아니다.

07 다음 조건의 부정을 말하여라.

(1) $x\neq 2$

› 풀이 '$x\neq 2$'의 부정은 '______'이다.

(2) $x<5$

(3) $x\geq 3$

(4) x는 정수이다.

08 다음 조건의 부정을 말하여라.

(1) $x\geq 4$ 또는 $x<1$

› 풀이 '$x\geq 4$ 또는 $x<1$'의 부정은 '______ 그리고 ______'이다.

(2) $x=7$ 또는 $x=8$

(3) $x-5>0$ 또는 $x-9\leq 0$

(4) $x=0$ 그리고 $y=1$

(5) $10<x<20$

(6) $6\leq x<12$

풍쌤 POINT

조건	조건의 부정
$=$ (같다.)	$\neq$ (같지 않다.)
$x<a$ (미만)	$x\geq a$ (이상)
$x>a$ (초과)	$x\leq a$ (이하)
p 또는 q	$\sim p$ 그리고 $\sim q$
p 그리고 q	$\sim p$ 또는 $\sim q$

유형·05 명제의 부정의 참, 거짓

09 다음 명제에 대하여 물음에 답하여라.

(1) 2는 3과 서로소이다.

① 명제의 참, 거짓을 판별하여라.

② 명제의 부정을 말하여라.

③ 명제의 부정의 참, 거짓을 판별하여라.

(2) 5는 2의 배수이다.

① 명제의 참, 거짓을 판별하여라.

② 명제의 부정을 말하여라.

③ 명제의 부정의 참, 거짓을 판별하여라.

(3) $\sqrt{4}$는 유리수가 아니다.

① 명제의 참, 거짓을 판별하여라.

② 명제의 부정을 말하여라.

③ 명제의 부정의 참, 거짓을 판별하여라.

(4) π는 무리수이다.

① 명제의 참, 거짓을 판별하여라.

② 명제의 부정을 말하여라.

③ 명제의 부정의 참, 거짓을 판별하여라.

풍쌤 POINT

① 명제 p가 참 ➡ $\sim p$는 거짓
② 명제 p가 거짓 ➡ $\sim p$는 참

유형·06 조건의 부정의 진리집합

10 전체집합 $U=\{x|x$는 10 이하의 자연수$\}$에 대하여 다음 조건의 부정의 진리집합을 구하여라.

(1) $x>4$

> 풀이 전체집합 $U=\{1, 2, 3, 4, 5, 6, 7, 8, 9, 10\}$에 대하여 주어진 조건의 진리집합을 P라고 하면
> $P=\{5, 6, 7, 8, 9, 10\}$
> 따라서 조건의 부정의 진리집합은
> $P^C=$ ______

(2) $x\leq 5$

(3) $3\leq x<6$

(4) $x^2-9=0$

(5) x는 소수이다.

(6) x는 홀수이다.

(7) x는 3의 배수이다.

(8) x는 10의 약수이다.

풍쌤 POINT

조건 p의 진리집합을 P라고 할 때,
조건 '$\sim p$'의 진리집합 ➡ P^C

명제 $p \longrightarrow q$

1 명제 $p \longrightarrow q$의 가정과 결론

두 조건 p, q에 대하여 명제 'p이면 q이다.'를 기호로 $p \longrightarrow q$와 같이 나타낸다. 이때 p를 가정, q를 결론이라고 한다.

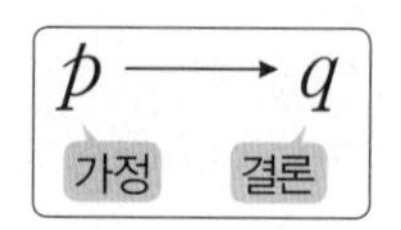

2 명제 $p \longrightarrow q$의 참, 거짓

두 조건 p, q의 진리집합을 각각 P, Q라고 할 때,

① 명제 $p \longrightarrow q$가 참이면 $P \subset Q$이다.
또, $P \subset Q$이면 명제 $p \longrightarrow q$는 참이다.

② 명제 $p \longrightarrow q$가 거짓이면 $P \not\subset Q$이다.
또, $P \not\subset Q$이면 명제 $p \longrightarrow q$는 거짓이다.

> 반례
명제 $p \longrightarrow q$에서 가정 p는 만족시키지만 결론 q는 만족시키지 않는 예

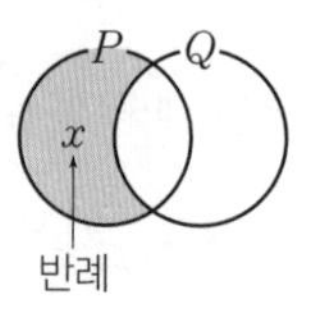

유형·07 가정과 결론

11 다음 명제의 가정과 결론을 각각 말하여라.

(1) 6은 12의 약수이다.

> 풀이 가정: 어떤 수는 ______.
결론: 어떤 수는 ____________.

(2) $x=2$이면 $x^2=4$이다.

(3) $2<x<3$이면 $2 \le x \le 3$이다.

(4) a, b가 모두 홀수이면 ab는 홀수이다.

(5) a, b가 모두 자연수이면 $a+b$는 자연수이다.

풍쌤 POINT

$p \longrightarrow q$
가정 결론

유형·08 명제 $p \longrightarrow q$의 참, 거짓

12 다음 두 조건 p, q의 진리집합을 각각 P, Q라고 할 때, 명제 $p \longrightarrow q$의 참, 거짓을 판별하여라.

(1) $P=\{x \mid x$는 4의 약수$\}$,
$Q=\{x \mid x$는 8의 약수$\}$

> 풀이 $P=\{1, 2, 4\}$, $Q=\{1, 2, 4, 8\}$에서 $P \subset Q$이므로
$p \longrightarrow q$는 ___이다.

(2) $P=\{x \mid x^2=1\}$, $Q=\{x \mid x-1=0\}$

(3) $P=\{x \mid 0 \le x \le 1\}$, $Q=\{x \mid |x|<2\}$

13 실수 전체의 집합에서 다음 두 조건 p, q에 대하여 명제 $p \longrightarrow q$의 참, 거짓을 판별하여라.

(1) p: 4의 배수, q: 12의 배수

> 풀이 조건 p, q의 진리집합을 각각 P, Q라고 하면
$P=\{4, 8, 12, 16, 20, \cdots\}$, $Q=\{12, 24, 36, 48, 60, \cdots\}$
에서 $P \not\subset Q$이므로 $p \longrightarrow q$는 _____이다.

(2) p: 30의 약수, q: 15의 약수

(3) p: $x=6$, q: $x^2-15x+54=0$

유형 09 명제의 참, 거짓과 진리집합의 포함 관계

14 다음 명제의 참, 거짓을 판별하여라.

(1) x가 소수이면 x는 홀수이다.

> 풀이 'p: x가 소수', 'q: x는 홀수'라 하고, 조건 p, q의 진리집합을 각각 P, Q라고 하면
> $P=\{2, 3, 5, 7, 11, \cdots\}$, $Q=\{1, 3, 5, 7, 9, \cdots\}$
> 따라서 $P\not\subset Q$이므로 $p \longrightarrow q$는 ____이다.

(2) $x=3$이면 $7x-11=10$이다.

(3) $x>3$이면 $2x-1>3$이다.

(4) $x<5$이면 $x^2<25$이다.

(5) x가 실수이면 $x^2>0$이다.

(6) 정사각형은 마름모이다.

(7) 실수 x, y에 대하여 $x>y$이면 $\frac{1}{x}<\frac{1}{y}$이다.

(8) 실수 x, y, z에 대하여 $xz=yz$이면 $x=y$이다.

풍쌤 POINT

두 조건 p, q의 진리집합을 각각 P, Q라고 할 때,
① $P\subset Q$이면 명제 $p \longrightarrow q$는 참이다.
② $P\not\subset Q$이면 명제 $p \longrightarrow q$는 거짓이다.

15 전체집합 U에 대하여 두 조건 p, q의 진리집합을 각각 P, Q라고 하자. 명제 $p \longrightarrow q$가 참일 때, 다음 (　　) 안에 옳은 것은 ○표, 옳지 않은 것은 ×표를 써넣어라.

(1) $P\cap Q=P$ (　　)

> 풀이 명제 $p \longrightarrow q$가 참이므로 ______
> $\therefore P\cap Q=$ ____

(2) $P\cap Q^C=\varnothing$ (　　)

(3) $P\cup Q^C=U$ (　　)

(4) $P^C\cap Q^C=Q^C$ (　　)

16 전체집합 U에 대하여 두 조건 p, q의 진리집합을 각각 P, Q라고 하자. 명제 $p \longrightarrow \sim q$가 참일 때, 다음 (　　) 안에 옳은 것은 ○표, 옳지 않은 것은 ×표를 써넣어라.

(1) $P\cap Q=Q$ (　　)

> 풀이 명제 $p \longrightarrow \sim q$가 참이므로 ______
> $\therefore P\cap Q=$ ____

(2) $P\cap Q^C=P$ (　　)

(3) $P^C\cap Q^C=\varnothing$ (　　)

(4) $P^C\cup Q^C=U$ (　　)

풍쌤 POINT

두 조건 p, q의 진리집합을 각각 P, Q라고 할 때,
명제 $p \longrightarrow q$가 참 ➡ $P\subset Q$

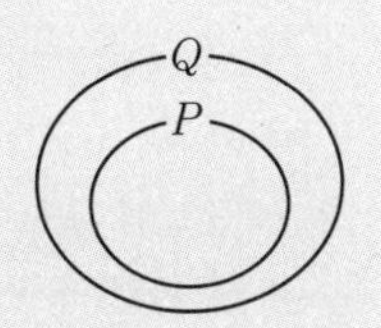

'모든'이나 '어떤'이 있는 명제

1 '모든'이나 '어떤'이 있는 명제의 참, 거짓

전체집합 U에 대하여 조건 p의 진리집합을 P라고 할 때,

① '모든 x에 대하여 p이다.'의 참, 거짓
$P=U$이면 참이고, $P\neq U$이면 거짓이다.

② '어떤 x에 대하여 p이다.'의 참, 거짓
$P\neq\varnothing$이면 참이고, $P=\varnothing$이면 거짓이다.

2 '모든'이나 '어떤'이 있는 명제의 부정

① '모든 x에 대하여 p이다.'의 부정은 '어떤 x에 대하여 $\sim p$이다.'이다.

② '어떤 x에 대하여 p이다.'의 부정은 '모든 x에 대하여 $\sim p$이다.'이다.

› 일반적으로 조건 $p(x)$는 명제가 아니지만 조건 $p(x)$ 앞에 '모든'이나 '어떤'이 있으면 x의 값이 정해지지 않아도 참, 거짓을 판별할 수 있으므로 명제이다.

정답과 풀이 011쪽

유형 10 '모든'이나 '어떤'이 있는 명제의 참, 거짓

17 전체집합 $U=\{1, 2, 3, 4\}$에 대하여 $x\in U$일 때, 다음 명제의 참, 거짓을 판별하여라.

(1) 모든 x에 대하여 $x<5$이다.

› 풀이 '$x<5$이다.'의 진리집합을 P라고 하면
$P=U=$________이므로 ___이다.

(2) 모든 x에 대하여 $x^2<10$이다.

(3) 어떤 x에 대하여 x는 4의 약수이다.

(4) 어떤 x에 대하여 $x^2=x$이다.

(5) 어떤 x에 대하여 $x-1\geq 4$이다.

풍쌤 POINT

① 모든 x에 대하여 $p(x)$
➡ 반례가 없으면 참

② 어떤 x에 대하여 $p(x)$
➡ 진리집합의 원소가 있으면 참

유형 11 '모든'이나 '어떤'이 있는 명제의 부정

18 다음 명제의 부정을 말하고, 그것의 참, 거짓을 판별하여라.

(1) 모든 자연수 x에 대하여 $x>0$이다.

› 풀이 어떤 자연수 x에 대하여 _____이다. (_____)

(2) 모든 실수 x에 대하여 $x-1\neq 0$이다.

(3) 모든 소수는 짝수가 아니다.

(4) 어떤 실수 x에 대하여 $x^2+1=0$이다.

(5) 어떤 4의 약수는 8의 약수가 아니다.

풍쌤 POINT

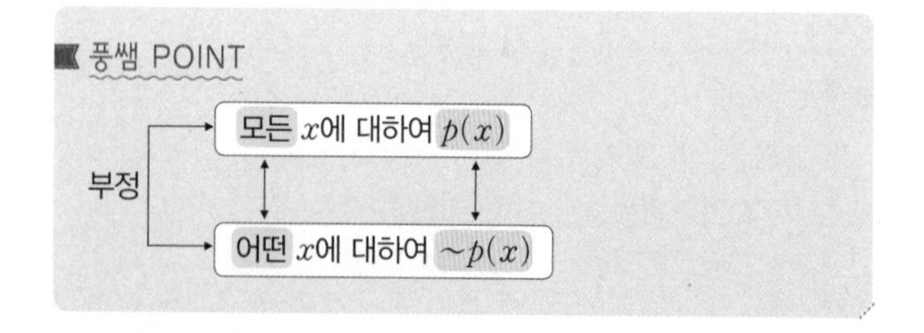

명제의 역과 대우

1 명제 $p \longrightarrow q$의 역과 대우

① 역: 앞뒤를 바꾼 명제 $q \longrightarrow p$

② 대우: 부정하여 앞뒤를 바꾼 명제 $\sim q \longrightarrow \sim p$

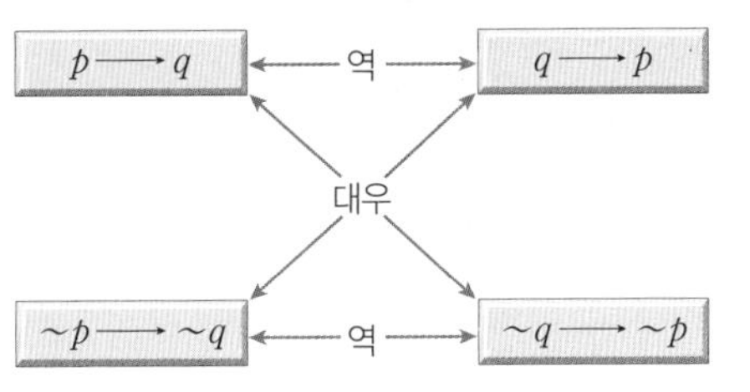

2 명제 $p \longrightarrow q$와 그 대우의 참, 거짓

① 명제 $p \longrightarrow q$가 참이면 그 대우 $\sim q \longrightarrow \sim p$도 참이다.

② 명제 $p \longrightarrow q$가 거짓이면 그 대우 $\sim q \longrightarrow \sim p$도 거짓이다.

> 명제와 그 대우의 참, 거짓은 일치한다.

유형 12 명제의 역과 대우

정답과 풀이 011쪽

19 다음 명제의 역과 대우를 각각 말하여라.

(1) $q \longrightarrow p$

> 풀이 역: ________, 대우: ____________

(2) $p \longrightarrow \sim q$

(3) $\sim p \longrightarrow q$

(4) $\sim p \longrightarrow \sim q$

(5) $\sim q \longrightarrow \sim p$

20 다음 명제의 역과 대우를 각각 말하여라.

(1) $x^2=1$이면 $x=1$이다.

> 풀이 역: $x=1$이면 ______이다.
> 대우: $x \neq 1$이면 ______이다.

(2) $x>2$이면 $x>0$이다.

(3) $xy=0$이면 $x=0$ 또는 $y=0$이다.

(4) $x+y=2$이면 $x=1$이고 $y=1$이다.

(5) $a<0$ 또는 $b<0$이면 $a+b<0$이다.

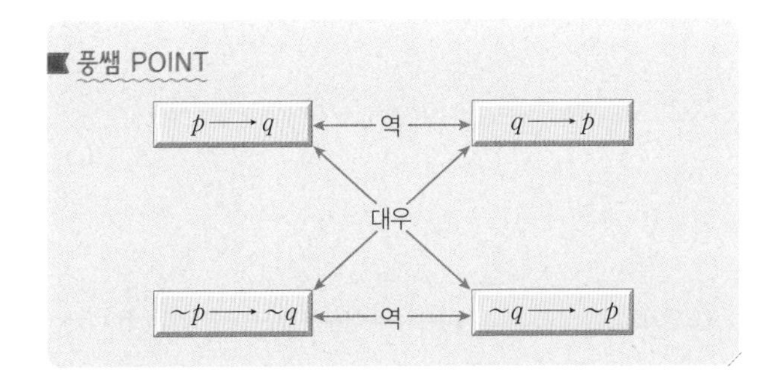

유형·13 명제의 역과 대우의 참, 거짓

21 다음 명제의 역과 대우를 각각 말하고, 그것의 참, 거짓을 판별하여라.

(1) x가 4의 배수이면 x는 2의 배수이다.

> 풀이 역: x가 2의 배수이면 ______________. (거짓)
> 대우: x가 2의 배수가 아니면 ________________.
> (____)

(2) x가 6의 약수이면 x는 12의 약수이다.

(3) 정삼각형이면 이등변삼각형이다.

(4) $x+y\geq 3$이면 $x\geq 1$이고 $y\geq 2$이다.

(5) xy가 짝수이면 x 또는 y는 짝수이다. (단, x, y는 자연수이다.)

(6) x, y가 모두 무리수이면 xy는 무리수이다.

풍쌤 POINT
① 명제와 그 대우의 참, 거짓은 항상 일치한다.
② 명제와 그 역의 참, 거짓은 아무 상관이 없다.

유형·14 명제와 그 대우의 관계

22 두 조건 p, q에 대하여 주어진 명제가 참일 때, 다음 보기 중 반드시 참인 명제인 것을 골라라.

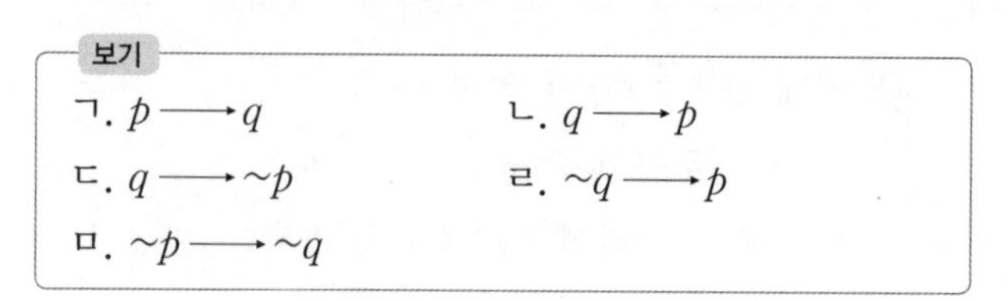
보기
ㄱ. $p \longrightarrow q$　　ㄴ. $q \longrightarrow p$
ㄷ. $q \longrightarrow \sim p$　　ㄹ. $\sim q \longrightarrow p$
ㅁ. $\sim p \longrightarrow \sim q$

(1) $q \longrightarrow p$

> 풀이 명제 $q \longrightarrow p$가 참이므로 그 대우 ______________가 참이다.

(2) $p \longrightarrow \sim q$

(3) $\sim p \longrightarrow q$

(4) $\sim p \longrightarrow \sim q$

(5) $\sim q \longrightarrow \sim p$

풍쌤 POINT
명제 $p \longrightarrow q$가 참
➡ 그 대우 명제 $\sim q \longrightarrow \sim p$도 참

삼단논법

❶ 삼단논법

두 개의 명제에서 새로운 하나의 명제를 얻는 추론을 삼단논법이라고 한다. 세 조건 p, q, r에 대하여 명제 $p \longrightarrow q$가 참이고 명제 $q \longrightarrow r$가 참이면 명제 $p \longrightarrow r$도 참이다.

참고 세 조건 p, q, r의 진리집합을 각각 P, Q, R라고 할 때,
$p \longrightarrow q$, $q \longrightarrow r$가 참이면 $P \subset Q$, $Q \subset R$
$\therefore P \subset R$
따라서 $p \longrightarrow r$가 참이다.

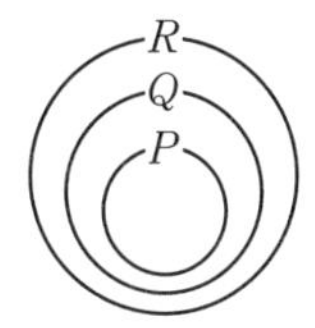

› 대우의 성질과 삼단논법
$p \longrightarrow q$가 참이고 $\sim p \longrightarrow \sim s$가 참이면 대우도 참이므로 $s \longrightarrow p$도 참이다. 이때 $s \longrightarrow p$가 참이고 $p \longrightarrow q$가 참이므로 삼단논법에 의하여 $s \longrightarrow q$도 참이다.

유형 15 삼단논법

정답과 풀이 012쪽

23 세 조건 p, q, r에 대하여 다음 □ 안에 알맞은 것을 써넣어라.

(1) 두 명제 $p \longrightarrow q$, $r \longrightarrow \sim q$가 모두 참일 때, 명제 $p \longrightarrow$ □가 참이다.

› 풀이 명제 $r \longrightarrow \sim q$가 참이므로 그 대우 $q \longrightarrow$ ____도 참이다. 따라서 명제 $p \longrightarrow q$, $q \longrightarrow$ ____가 모두 참이므로 삼단논법에 의하여 $p \longrightarrow$ ____가 참이다.

(2) 두 명제 $p \longrightarrow r$, $\sim q \longrightarrow \sim r$가 모두 참일 때, 명제 $p \longrightarrow$ □가 참이다.

(3) 두 명제 $q \longrightarrow \sim p$, $\sim q \longrightarrow r$가 모두 참일 때, 명제 $p \longrightarrow$ □가 참이다.

(4) 두 명제 $p \longrightarrow \sim q$, $\sim p \longrightarrow r$가 모두 참일 때, 명제 $q \longrightarrow$ □가 참이다.

(5) 두 명제 $\sim q \longrightarrow \sim r$, $q \longrightarrow p$가 모두 참일 때, 명제 $r \longrightarrow$ □가 참이다.

24 세 조건 p, q, r에 대하여 두 명제 $p \longrightarrow \sim q$, $r \longrightarrow q$가 모두 참일 때, 다음 ( ) 안에 반드시 참인 것은 ○표, 그렇지 않은 것은 ×표를 써넣어라.

(1) $q \longrightarrow \sim p$ ( )

› 풀이 명제 $p \longrightarrow \sim q$가 참이므로 그 대우 $q \longrightarrow$ ____도 참이다.

(2) $\sim q \longrightarrow \sim r$ ( )

(3) $p \longrightarrow \sim r$ ( )

(4) $r \longrightarrow \sim p$ ( )

(5) $\sim q \longrightarrow p$ ( )

(6) $q \longrightarrow r$ ( )

풍쌤 POINT
명제 $p \longrightarrow q$와 $q \longrightarrow r$가 참이면
➡ 명제 $p \longrightarrow r$도 참이다.

대우를 이용한 증명법과 귀류법

1 정의: 용어의 뜻을 명확하게 정한 것

참고 '정의'의 예: 두 변의 길이가 같은 삼각형을 이등변삼각형이라고 한다.

2 정리: 정의와 성질 등을 이용하여 참임을 보일 수 있는 명제

참고 '정리'의 예: 이등변삼각형의 두 밑각의 크기는 같다.

3 증명: 이미 알고 있는 사실을 이용하여 어떤 명제가 참임을 밝히는 과정

4 대우를 이용한 증명법: 명제와 그 대우의 참, 거짓은 항상 일치하므로 명제가 참임을 증명할 때, 그 대우가 참임을 증명하는 방법

5 귀류법: 명제가 참임을 증명할 때, 그 명제의 결론을 부정하여 가정, 정리 등에 모순임을 밝힘으로써 명제가 참임을 증명하는 방법

› **직접 증명법**
명제를 가정과 결론의 순서로 증명하는 방법

› **간접 증명법**
직접 증명이 어려울 때 이용하는 방법으로 대우를 이용한 증명법과 귀류법이 있다.

유형·16 대우를 이용한 증명법

25 다음은 명제가 참임을 대우를 이용하여 증명한 것이다. 증명 과정에서 (가), (나)에 알맞은 것을 써넣어라.

(1) 자연수 n에 대하여 n^2이 짝수이면 n이 짝수이다.

증명

주어진 명제의 대우 '자연수 n에 대하여 n이 홀수이면 n^2도 [(가)]이다.'가 참임을 보이면 된다.
n이 홀수이면 $n=2k-1$(k는 자연수)로 나타낼 수 있으므로
$n^2=(2k-1)^2=4k^2-4k+1$
$=2($[(나)]$)-1$
여기서 $2($[(나)]$)$이 짝수이므로 n^2은 [(가)]이다.
따라서 주어진 명제의 대우가 참이므로 주어진 명제도 참이다.

(2) 두 자연수 m, n에 대하여 mn이 짝수이면 m 또는 n이 짝수이다.

증명

주어진 명제의 대우 '두 자연수 m, n에 대하여 m, n이 모두 [(가)]이면 mn은 홀수이다.'가 참임을 보이면 된다.
m, n이 모두 [(가)]이면
$m=2k-1$, $n=2l-1$ (k, l은 자연수)로 나타낼 수 있으므로
$mn=(2k-1)(2l-1)$
$=2($[(나)]$)+1$
여기서 $2($[(나)]$)$은 짝수이므로 mn은 홀수이다.
따라서 주어진 명제의 대우가 참이므로 주어진 명제도 참이다.

26 다음은 명제가 참임을 귀류법을 이용하여 증명한 것이다. 증명 과정에서 (가), (나)에 알맞은 것을 써넣어라.

(1) $\sqrt{2}$는 유리수가 아니다.

증명

주어진 명제의 결론을 부정하여 $\sqrt{2}$를 유리수라고 가정하면 $\sqrt{2}=\frac{n}{m}$(m, n은 서로소인 자연수)인 m, n이 존재한다.

$\sqrt{2}=\frac{n}{m}$의 양변을 제곱하면

$2=\frac{n^2}{m^2}$

$\therefore n^2=$ (가) …… ㉠

따라서 n^2이 2의 배수이므로 n도 (나) 의 배수이다.

$n=2k$ (k는 자연수)로 놓고 ㉠에 대입하면

$(2k)^2=2m^2$ $\therefore m^2=2k^2$

m^2이 2의 배수이므로 m도 (나) 의 배수이다.

이것은 m, n이 서로소라는 가정에 모순이므로 $\sqrt{2}$는 유리수가 아니다.

(2) $\sqrt{3}$는 무리수이다.

증명

주어진 명제의 결론을 부정하여 $\sqrt{3}$이 (가) 라고 가정하면

$\sqrt{3}=\frac{n}{m}$ (m, n은 서로소인 자연수)인 m, n이 존재한다.

$\sqrt{3}=\frac{n}{m}$의 양변을 제곱하면

$3=\frac{n^2}{m^2}$

$\therefore n^2=3m^2$ …… ㉠

따라서 n^2이 3의 배수이므로 n도 (나) 의 배수이다.

$n=3k$(k는 자연수)로 놓고 ㉠에 대입하면

$(3k)^2=3m^2$ $\therefore m^2=3k^2$

m^2이 3의 배수이므로 m도 (나) 의 배수이다.

이것은 m, n이 서로소라는 가정에 모순이므로 $\sqrt{3}$은 유리수가 아니다. 즉, $\sqrt{3}$은 무리수이다.

(3) n이 자연수일 때, n^2+3n이 9의 배수가 아니면 n은 3의 배수가 아니다.

증명

주어진 명제의 결론을 부정하여 n을 (가) 의 배수라고 가정하면 $n=3k$ (k는 자연수)로 나타낼 수 있으므로

$n^2+3n=(3k)^2+3\times3k=9k^2+9k$
$=9(k^2+k)$

여기서 $9(k^2+k)$가 9의 배수이므로 n^2+3n은 (나) 의 배수이다.

이것은 n^2+3n이 9의 배수가 아니라는 가정에 모순이므로 n은 3의 배수가 아니다.

(4) n이 자연수일 때, n^2+2n이 4의 배수가 아니면 n은 2의 배수가 아니다.

증명

주어진 명제의 결론을 부정하여 n을 (가) 의 배수라고 가정하면

$n=2k$ (k는 자연수)로 나타낼 수 있으므로

$n^2+2n=(2k)^2+2\times2k=4k^2+4k$
$=4($ (나) $)$

여기서 $4($ (나) $)$가 4의 배수이므로 n^2+2n은 4의 배수이다.

이것은 n^2+2n이 4의 배수가 아니라는 가정에 모순이므로 n은 2의 배수가 아니다.

필요조건과 충분조건, 필요충분조건

1 필요조건과 충분조건, 필요충분조건

① 명제 $p \longrightarrow q$가 참일 때, 이것을 기호 $p \Longrightarrow q$로 나타내고, p는 q이기 위한 충분조건, q는 p이기 위한 필요조건이라고 한다.

② $p \Longrightarrow q$이고 $q \Longrightarrow p$일 때, 이것을 기호 $p \Longleftrightarrow q$로 나타내고, p는 q이기 위한 필요충분조건이라 하고, q는 p이기 위한 필요충분조건이라고 한다.

q는 p이기 위한 필요조건

$p \Longrightarrow q$

p는 q이기 위한 충분조건

2 필요조건, 충분조건과 진리집합

두 조건 p, q의 진리집합을 각각 P, Q라고 할 때,

① $P \subset Q$이면 p는 q이기 위한 충분조건, q는 p이기 위한 필요조건이다.

② $P=Q$이면 p는 q이기 위한 필요충분조건이다.

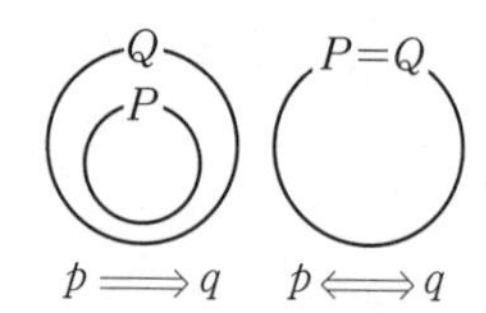

유형 18 필요조건과 충분조건, 필요충분조건

27 두 조건 p, q가 다음과 같을 때, 물음에 답하여라.

(1) p: 평행사변형, q: 마름모

① 명제 $p \longrightarrow q$의 참, 거짓을 판별하여라.

> 풀이 평행사변형은 ______이다. (거짓)

② 명제 $q \longrightarrow p$의 참, 거짓을 판별하여라.

> 풀이 마름모는 평행사변형이다. (____)

③ p는 q이기 위한 어떤 조건인지 말하여라.

> 풀이 명제 $p \longrightarrow q$가 거짓이고 명제 $q \longrightarrow p$가 참이므로 p는 q이기 위한 ____조건이다.

(2) p: 자연수, q: 정수

① 명제 $p \longrightarrow q$의 참, 거짓을 판별하여라.

② 명제 $q \longrightarrow p$의 참, 거짓을 판별하여라.

③ p는 q이기 위한 어떤 조건인지 말하여라.

(3) p: 두 내각의 크기가 같은 삼각형, q: 이등변삼각형

① 명제 $p \longrightarrow q$의 참, 거짓을 판별하여라.

② 명제 $q \longrightarrow p$의 참, 거짓을 판별하여라.

③ p는 q이기 위한 어떤 조건인지 말하여라.

28 두 조건 p, q가 다음과 같을 때, 물음에 답하여라.

(1) p: $x^2+x<0$, q: $x-3<0$

① 조건 p의 진리집합 P를 구하여라.

> 풀이 $x(x+1)<0$, $-1<x<0$이므로 $P=\{x|$________$\}$

② 조건 q의 진리집합 Q를 구하여라.

> 풀이 $x<3$이므로 $Q=\{x|$______$\}$

③ p는 q이기 위한 어떤 조건인지 말하여라.

> 풀이 $P \subset Q$이고 $Q \not\subset P$이므로 p는 q이기 위한 ____조건이다.

(2) p: $x^2+x-6=0$, q: $3x-1=5$

① 조건 p의 진리집합 P를 구하여라.

② 조건 q의 진리집합 Q를 구하여라.

③ p는 q이기 위한 어떤 조건인지 말하여라.

(3) p: $|x|=4$, q: $x^2=16$

① 조건 p의 진리집합 P를 구하여라.

② 조건 q의 진리집합 Q를 구하여라.

③ p는 q이기 위한 어떤 조건인지 말하여라.

29 두 조건 p, q가 다음과 같을 때, p는 q이기 위한 어떤 조건인지 말하여라. (단, x, y는 실수이다.)

(1) p: $x+y=3$, q: $x=1$, $y=2$

> 풀이 $p \longrightarrow q$는 거짓이고, $q \longrightarrow p$는 ___이다.
> [$p \longrightarrow q$의 반례] $x=2$, $y=1$이면 $x+y=3$이지만 $x \neq 1$, $y \neq 2$이다.
> 따라서 $q \Longrightarrow p$이므로 p는 q이기 위한 _____조건이다.

(2) p: $x^2=25$, q: $x=5$

(3) p: $x^2+y^2=0$, q: $x=y=0$

(4) p: $x^2=y^2$, q: $|x|=|y|$

(5) p: $0<x<9$, q: $x \leq 10$

(6) p: $x \geq 2$, q: $x^2-5x+6<0$

(7) p: $x^2<1$, q: $x \geq -1$

(8) p: $|x|<3$, q: $x<3$

(9) p: $x>0$, $y>0$, q: $x+y>0$, $xy>0$

(10) p: $|xy|=xy$, q: $x \geq 0$, $y \geq 0$

(11) p: $x+y$가 짝수, q: x, y가 모두 짝수

(12) p: $A \subset B$, q: $A \cap B=A$

풍쌤 POINT

① $p \Longrightarrow q$
➡ p는 q이기 위한 충분조건

② $p \Longleftarrow q$
➡ p는 q이기 위한 필요조건

유형 19 필요조건, 충분조건과 미정계수

정답과 풀이 014쪽

30 다음을 만족시키는 상수 a의 값을 구하여라.

(1) 두 조건 p: $x=1$, q: $x^2-ax+4=0$에 대하여 p가 q이기 위한 충분조건

> 풀이 두 조건 p, q의 진리집합을 각각 P, Q라고 하자.
> p가 q이기 위한 충분조건, 즉 $p \longrightarrow q$가 참이므로 ______ 이어야 한다.
> 따라서 $x=1$이 $x^2-ax+4=0$을 만족시키므로
> $1-a+4=0$ $\quad \therefore a=$___

(2) 두 조건 p: $x-2=0$, q: $x^2-5x+a=0$에 대하여 q가 p이기 위한 필요조건

(3) 두 조건 p: $x^2-ax+12=0$, q: $2x=6$에 대하여 q가 p이기 위한 충분조건

(4) 두 조건 p: $3x^2-a=0$, q: $x+1=0$에 대하여 p가 q이기 위한 필요조건

31 다음을 만족시키는 실수 a의 최솟값을 구하여라.

(1) 두 조건 p: $1\le x\le a$, q: $2\le x\le 4$에 대하여 p가 q이기 위한 필요조건

> 풀이 두 조건 p, q의 진리집합을 각각 P, Q라고 하자.
> p가 q이기 위한 필요조건, 즉 $q \longrightarrow p$가 참이므로 ______ 이어야 한다.

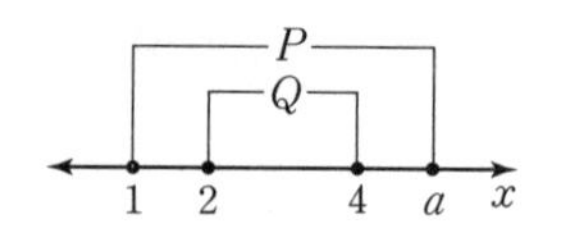

> 따라서 $a\ge$___이므로 a의 최솟값은 ___이다.

(2) 두 조건 p: $-3\le x\le 2$, q: $-5\le x\le a$에 대하여 p가 q이기 위한 충분조건

(3) 두 조건 p: $-2\le x<3$, q: $|x|\le a$에 대하여 q가 p이기 위한 필요조건

(4) 두 조건 p: $-4\le x\le 8$, q: $a+1<x<a+5$에 대하여 q가 p이기 위한 충분조건

풍쌤 POINT

p는 q이기 위한 충분조건		q는 p이기 위한 필요조건
⬇		⬇
p	$\Longrightarrow$	q
P	$\subset$	Q

기본적인 절대부등식

1 절대부등식: 문자를 포함한 부등식에서 문자에 어떤 실수를 대입하여도 항상 성립하는 부등식

2 부등식의 증명에 이용되는 실수의 성질

두 실수 a, b에 대하여

① $a>b \Longleftrightarrow a-b>0$ ② $a^2\geq 0$, $a^2+b^2\geq 0$

③ $a^2+b^2=0 \Longleftrightarrow a=0$, $b=0$ ④ $|a|^2=a^2$, $|ab|=|a||b|$

⑤ $a>0$, $b>0$일 때, $a+b>0$, $ab>0$

› $|x|\geq 0$은 모든 실수 x에 대하여 항상 성립하므로 절대부등식이다.

정답과 풀이 014쪽

유형 20 절대부등식

32 실수 x에 대하여 다음 (　　) 안에 절대부등식인 것은 ○표, 절대부등식이 아닌 것은 ×표를 써넣어라.

(1) $x+2>0$ (　　)

› 풀이 $x+2>0$에서 $x>-2$이므로 ______인 경우에는 부등식이 성립하지 않는다.
따라서 ______이 아니다.

(2) $2x^2>0$ (　　)

(3) $|x|+1>0$ (　　)

(4) $(x+1)^2>0$ (　　)

(5) $x^2+1\geq 2x$ (　　)

풍쌤 POINT

절대부등식
➡ 모든 실수에 대하여 항상 성립하는 부등식

유형 21 두 식의 대소 비교

33 실수 a, b에 대하여 다음 두 수 A, B의 대소를 비교하여라.

(1) $A=\dfrac{a^2+b^2}{2}$, $B=\left(\dfrac{a+b}{2}\right)^2$

› 풀이 $A-B=\dfrac{a^2+b^2}{2}-\dfrac{a^2+2ab+b^2}{4}$
$=\dfrac{a^2-2ab+b^2}{4}=\dfrac{(a-b)^2}{4}\geq$ ___
∴ ______ (단, 등호는 $a=b$일 때 성립한다.)

(2) $A=\dfrac{a}{1+a}$, $B=\dfrac{b}{1+b}$ (단, $a>b>0$)

(3) $A=\sqrt{a+b}$, $B=\sqrt{a}+\sqrt{b}$ (단, $a>0$, $b>0$)

풍쌤 POINT

(1) A, B가 실수일 때,
① $A-B>0 \Longleftrightarrow A>B$ ② $A-B=0 \Longleftrightarrow A=B$
③ $A-B<0 \Longleftrightarrow A<B$

(2) $A>0$, $B>0$일 때,
① $A^2-B^2>0 \Longleftrightarrow A>B$ ② $A^2-B^2=0 \Longleftrightarrow A=B$
③ $A^2-B^2<0 \Longleftrightarrow A<B$

정답과 풀이 015쪽

34 다음은 a, b가 실수일 때, 각 부등식을 증명한 것이다. 증명 과정에서 (가), (나)에 알맞은 것을 써넣어라.

(1) $a^2+ab+b^2\ge 0$

증명

$a^2+ab+b^2=a^2+ab+\boxed{(가)}+\frac{3}{4}b^2$

$=\left(a+\boxed{(나)}\right)^2+\frac{3}{4}b^2$

그런데 $\left(a+\boxed{(나)}\right)^2\ge 0$, $\frac{3}{4}b^2\ge 0$이므로

$a^2+ab+b^2\ge 0$ (단, 등호는 $a=b=0$일 때 성립한다.)

(2) $a^2-ab+b^2\ge 0$

증명

$a^2-ab+b^2=a^2-ab+\frac{1}{4}b^2+\boxed{(가)}$

$=\left(a-\frac{1}{2}b\right)^2+\boxed{(가)}$

그런데 $\left(a-\frac{1}{2}b\right)^2\ge 0$, $\boxed{(가)}\ge 0$이므로

$a^2-ab+b^2\boxed{(나)}0$

(단, 등호는 $a=b=0$일 때 성립한다.)

(3) $|a|+|b|\ge|a+b|$

증명

$(|a|+|b|)^2-|a+b|^2$

$=(|a|^2+2|a||b|+|b|^2)-(a+b)^2$

$=(a^2+2|ab|+b^2)-(a^2+2ab+b^2)$

$=2(\boxed{(가)})\ge 0$

$\therefore (|a|+|b|)^2\ge|a+b|^2$

그런데 $|a|+|b|\ge 0$, $|a+b|\ge 0$이므로

$|a|+|b|\ge|a+b|$

(단, 등호는 $|ab|=\boxed{(나)}$, 즉 $ab\ge 0$일 때 성립한다.)

(4) $\sqrt{2(a^2+b^2)}\ge|a|+|b|$

증명

$\{\sqrt{2(a^2+b^2)}\}^2-(|a|+|b|)^2$

$=2(a^2+b^2)-(|a|^2+2|a||b|+|b|^2)$

$=2(a^2+b^2)-(a^2+2|a||b|+b^2)$

$=|a|^2-2|a||b|+|b|^2$

$=(\boxed{(가)})^2\ge 0$

$\therefore \{\sqrt{2(a^2+b^2)}\}^2\ge(|a|+|b|)^2$

그런데 $\sqrt{2(a^2+b^2)}\ge 0$, $|a|+|b|\ge 0$이므로

$\sqrt{2(a^2+b^2)}\ge|a|+|b|$

(단, 등호는 $|a|=\boxed{(나)}$일 때 성립한다.)

산술평균과 기하평균

1 산술평균과 기하평균

$a>0$, $b>0$일 때,

$\frac{a+b}{2} \geq \sqrt{ab}$ (단, 등호는 $a=b$일 때 성립한다.)

참고 $a>0$, $b>0$일 때,

$\frac{a+b}{2}-\sqrt{ab}=\frac{a+b-2\sqrt{ab}}{2}=\frac{(\sqrt{a})^2+(\sqrt{b})^2-2\sqrt{a}\sqrt{b}}{2}$

$=\frac{(\sqrt{a}-\sqrt{b})^2}{2} \geq 0 \quad \therefore \frac{a+b}{2} \geq \sqrt{ab}$

> 두 양수 a, b에 대하여 $\frac{a+b}{2}$를 산술평균, $\sqrt{ab}$를 기하평균이라고 한다.

유형 23 산술평균과 기하평균

정답과 풀이 015쪽

35 다음을 구하여라.

(1) $a>0$일 때, $a+\frac{1}{a}$의 최솟값

> 풀이 $a>$___, $\frac{1}{a}>$___이므로 산술평균과 기하평균의 관계에 의하여 $a+\frac{1}{a} \geq 2\sqrt{a \times \frac{1}{a}}=$___
>
> (단, 등호는 $a=1$일 때 성립한다.)
>
> 따라서 $a+\frac{1}{a}$의 최솟값은 ___이다.

(2) $a>0$일 때, $4a+\frac{9}{a}$의 최솟값

(3) $a>1$일 때, $a-1+\frac{4}{a-1}$의 최솟값

(4) $a>0$, $b>0$일 때, $\frac{b}{a}+\frac{a}{b}$의 최솟값

(5) $a>0$, $b>0$일 때, $\frac{8b}{a}+\frac{2a}{b}$의 최솟값

36 두 양수 a, b에 대하여 다음을 구하여라.

(1) $ab=4$일 때, $a+b$의 최솟값

> 풀이 ___>0, ___>0이므로 산술평균과 기하평균의 관계에 의하여 $a+b \geq 2\sqrt{ab}=2\sqrt{4}=$___
>
> (단, 등호는 $a=b$일 때 성립한다.)
>
> 따라서 $a+b$의 최솟값은 ___이다.

(2) $ab=6$일 때, $2a+3b$의 최솟값

37 두 양수 a, b에 대하여 다음을 구하여라.

(1) $a+b=2$일 때, ab의 최댓값

> 풀이 $a>0$, $b>0$이므로 ____평균과 ____평균의 관계에 의하여 $\sqrt{ab} \leq \frac{a+b}{2}=\frac{2}{2}=$___
>
> (단, 등호는 $a=b$일 때 성립한다.)
>
> 따라서 ab의 최댓값은 ___이다.

(2) $3a+2b=12$일 때, ab의 최댓값

풍쌤 POINT

① 두 양수의 합의 최솟값 구하기 ➡ $a+b \geq 2\sqrt{ab}$

② 두 양수의 곱의 최댓값 구하기 ➡ $\sqrt{ab} \leq \frac{a+b}{2}$

코시-슈바르츠의 부등식

1 코시－슈바르츠의 부등식

a, b, x, y가 실수일 때,

$(a^2+b^2)(x^2+y^2)\geq(ax+by)^2$ $\left(\text{단, 등호는 } \frac{x}{a}=\frac{y}{b}\text{일 때 성립한다.}\right)$

참고 $(a^2+b^2)(x^2+y^2)-(ax+by)^2=(a^2x^2+a^2y^2+b^2x^2+b^2y^2)-(a^2x^2+2abxy+b^2y^2)$
$=a^2y^2-2abxy+b^2x^2=(ay-bx)^2\geq0$

$\therefore (a^2+b^2)(x^2+y^2)\geq(ax+by)^2$ $\left(\text{단, 등호는 } ay=bx\text{, 즉 } \frac{x}{a}=\frac{y}{b}\text{일 때 성립한다.}\right)$

유형 24 코시－슈바르츠의 부등식

정답과 풀이 016쪽

38 두 실수 x, y에 대하여 $x^2+y^2=5$일 때, 다음 식의 최댓값과 최솟값을 구하여라.

(1) $x+y$

> 풀이 $a=1$, $b=1$로 놓고 코시－슈바르츠의 부등식을 적용하면
> $(1^2+1^2)(x^2+y^2)\geq$ ______
> (단, 등호는 $x=y$일 때 성립한다.)
> 이때 $x^2+y^2=5$이므로 $(x+y)^2\leq10$
> $\therefore -\sqrt{10}\leq x+y\leq\sqrt{10}$
> 따라서 $x+y$의 최댓값은 ____, 최솟값은 ____이다.

(2) $2x+y$

(3) $x+3y$

(4) $3x+4y$

39 두 실수 x, y가 다음을 만족시킬 때, x^2+y^2의 최솟값을 구하여라.

(1) $x+y=4$

> 풀이 $a=1$, $b=1$로 놓고 코시－슈바르츠의 부등식을 적용하면
> (1^2+1^2)______ $\geq(x+y)^2$
> (단, 등호는 $x=y$일 때 성립한다.)
> 이때 $x+y=4$이므로 $2(x^2+y^2)\geq16$
> $\therefore x^2+y^2\geq$ ___
> 따라서 x^2+y^2의 최솟값은 ___이다.

(2) $x+2y=5$

(3) $2x+3y=13$

(4) $4x+3y=10$

풍쌤 POINT

실수 조건이 주어지고 최댓값 또는 최솟값을 구하는 문제
➡ 코시－슈바르츠의 부등식 이용

· 중단원 점검문제 ·

정답과 풀이 016쪽

01

다음 중 명제가 아닌 것은?

① $3>0$

② $x<3$

③ 5는 8의 약수이다.

④ 울릉도는 대한민국의 섬이다.

⑤ 대한민국의 수도는 서울이다.

02

다음 명제 중 거짓인 것은?

① $x<1$이면 $x^2<1$이다.

② $|x|=2$이면 $x^2=4$이다.

③ $xy=0$이면 $x=0$ 또는 $y=0$이다.

④ x, y가 유리수이면 xy도 유리수이다.

⑤ x가 4의 약수이면 x는 8의 약수이다.

03

조건 '$a^2+b^2=0$'의 부정은? (단, a, b는 실수이다.)

① $a=b=0$

② $ab>0$

③ $ab<0$

④ $a\neq0$ 또는 $b\neq0$

⑤ $a\neq0$이고 $b\neq0$

04

전체집합 $U=\{1, 2, 3, 4, 5, 6, 7, 8\}$에 대하여 조건 p가

'p: x는 짝수 또는 6의 약수이다.'

일 때, 조건 $\sim p$의 진리집합의 모든 원소의 합을 구하여라.

05

세 조건 p, q, r의 진리집합을 각각 P, Q, R라고 할 때, 벤다이어그램으로 나타내면 오른쪽 그림과 같다. 다음 명제 중 거짓인 것은? (단, U는 전체집합이다.)

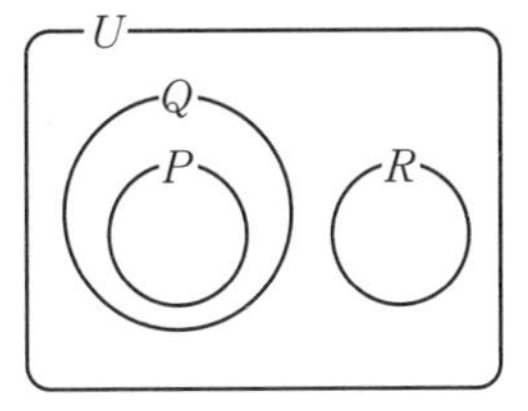

① $r \longrightarrow \sim q$ ② $r \longrightarrow \sim p$ ③ $p \longrightarrow \sim r$

④ $\sim q \longrightarrow \sim p$ ⑤ $p \longrightarrow \sim q$

06

실수 a에 대하여 명제 '$a\geq\sqrt{3}$이면 $a^2\geq3$이다.'의 대우는?

① $a^2<3$이면 $a>\sqrt{3}$이다.

② $a^2<3$이면 $a<\sqrt{3}$이다.

③ $a^2\leq3$이면 $a\leq\sqrt{3}$이다.

④ $a>\sqrt{3}$이면 $a^2\leq3$이다.

⑤ $a\geq\sqrt{3}$이면 $a^2<3$이다.

07

다음 명제의 역이 참인 것은? (단, x, y, a, b는 실수이다.)

① $x>y$이면 $x^2>y^2$이다.

② $x=-3$이면 $2x^2-18=0$이다.

③ $a=0$이고 $b=0$이면 $ab=0$이다.

④ $a>0$이고 $b>0$이면 $a+b>0$이고 $ab>0$이다.

⑤ 세 집합 A, B, C에 대하여 $A\subset B$이면 $(A\cap C)\subset(B\cap C)$이다.

08

실수 전체의 집합에 대하여 명제

'어떤 실수 x에 대하여 $x^2-18x+k<0$이다.'

의 부정이 참이 되도록 하는 상수 k의 최솟값을 구하여라.

09

다음은 $n\geq 2$인 자연수 n에 대하여 $\sqrt{n^2-1}$이 무리수임을 증명한 것이다.

증명

$\sqrt{n^2-1}$을 유리수라고 가정하면 $\sqrt{n^2-1}=\frac{q}{p}$
(p, q는 서로소인 자연수)로 놓을 수 있다.
이 식의 양변을 제곱하여 정리하면 $p^2(n^2-1)=q^2$이다.
p는 q^2의 약수이므로 $\frac{q^2}{p}$은 자연수이다. 그런데 p, q는 서로소이므로 p가 1이 아닌 자연수이면 $\frac{q^2}{p}$은 자연수가 아니다.
$\therefore p=1$
따라서 $n^2=$ (가) 이다.
자연수 k에 대하여
(i) $q=2k$일 때,
$(2k)^2<n^2<$ (나) 인 자연수 n이 존재하지 않는다.
(ii) $q=2k+1$일 때,
(나) $<n^2<(2k+2)^2$인 자연수 n이 존재하지 않는다.
(i), (ii)에 의하여 $\sqrt{n^2-1}=\frac{q}{p}$ (p, q는 서로소인 자연수)를 만족시키는 자연수 n은 존재하지 않으므로 $\sqrt{n^2-1}$은 무리수이다.

위의 (가), (나)에 알맞은 식을 차례대로 적은 것은?

① q^2-1, $2k^2+1$
② q^2, $2k^2+1$
③ q^2, $(2k+1)^2$
④ q^2+1, $2k^2+1$
⑤ q^2+1, $(2k+1)^2$

10

세 조건 p, q, r에 대하여 p는 q이기 위한 충분조건이고, p는 $\sim r$이기 위한 필요조건일 때, 다음 보기 중 옳은 것의 개수를 구하여라.

보기

ㄱ. $p \Longrightarrow q$
ㄴ. $q \Longrightarrow p$
ㄷ. $r \Longrightarrow \sim p$
ㄹ. $\sim q \Longrightarrow r$

11

$x^2-2ax+3\neq 0$은 $x-3\neq 0$이기 위한 충분조건일 때, 상수 a의 값을 구하여라.

12

두 조건 p: $-3<x<6$, q: $-7+a<x<7+a$에 대하여 명제 $p \longrightarrow q$가 참이 되도록 하는 상수 a의 최솟값을 m, 최댓값을 M이라고 할 때, $m+M$의 값을 구하여라.

13

$a>0$, $b>0$일 때, $\left(a+\frac{8}{b}\right)\left(b+\frac{2}{a}\right)$의 최솟값을 구하여라.

14

두 실수 x, y에 대하여 $x^2+y^2=1$일 때, $2x+3y$의 최댓값과 최솟값의 곱을 구하여라.

V
함수와 그래프

함수의 정의

1 대응: 공집합이 아닌 두 집합 X, Y에 대하여 X의 원소에 Y의 원소를 짝 지어 주는 것을 집합 X에서 집합 Y로의 대응이라고 한다.

2 함수: 공집합이 아닌 두 집합 X, Y에 대하여 X의 각 원소에 Y의 원소가 오직 하나씩 대응할 때, 이 대응을 X에서 Y로의 함수라고 한다. 이것을 기호 $f : X \longrightarrow Y$로 나타낸다.

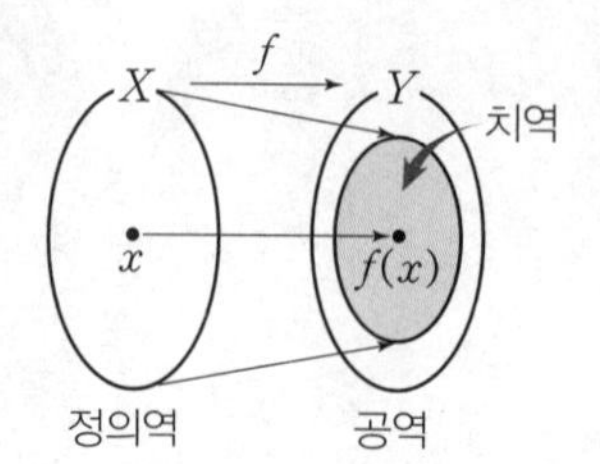

① 정의역: 집합 X

② 공역: 집합 Y

③ 치역: 함숫값 전체의 집합 $\{f(x) \mid x \in X\}$

참고 함수의 정의역이나 공역이 주어지지 않은 경우에는 함수가 정의되는 실수 전체의 집합을 정의역으로, 실수 전체의 집합을 공역으로 한다.

› 치역은 공역의 부분집합이다.

유형·01 대응

01 두 집합 X, Y에 대하여 집합 X의 원소 x에 집합 Y의 원소 y가 다음 관계에 의하여 대응할 때, 이 대응을 그림으로 나타내어라.

(1) $X=\{1, 2, 3, 4\}$,
$Y=\{3, 5, 7, 9\}$,
$y=2x+1$

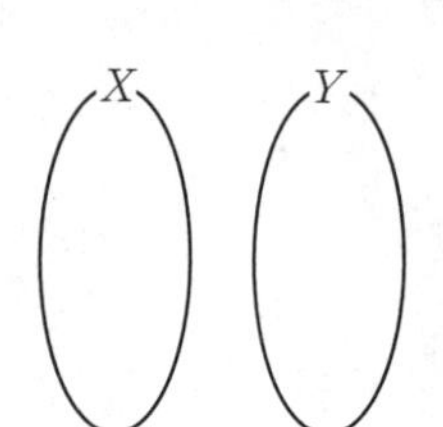

(2) $X=\{29, 30, 31, 32\}$,
$Y=\{0, 1, 2, 3\}$,
$y=$(x를 4로 나눈 나머지)

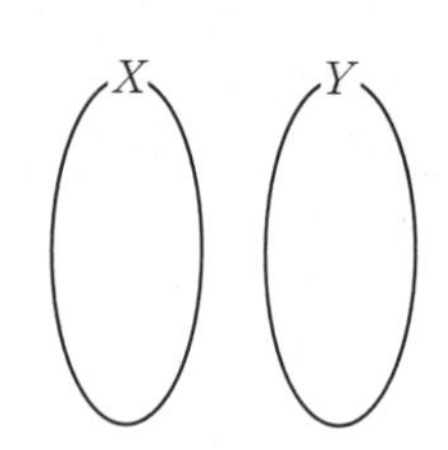

(3) $X=\{2, 4, 6, 8\}$,
$Y=\{2, 3, 4\}$,
$y=$(x의 양의 약수의 개수)

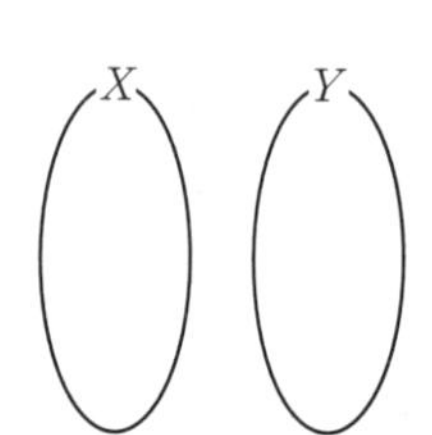

유형·02 함수의 정의

02 다음 (　　) 안에 집합 X에서 Y로의 함수인 것은 ○표, 함수가 아닌 것은 ×표를 써넣어라.

(1)

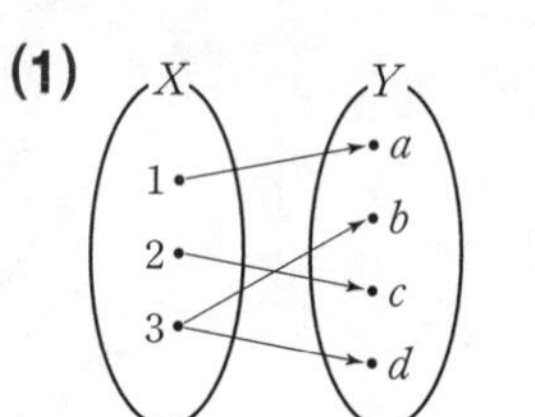

(　　)

(2)

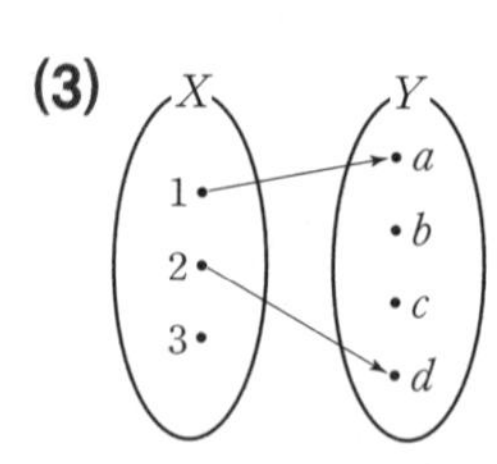

(　　)

(3)

X Y
1 a
2 b
3 c
d

(　　)

■ 풍쌤 POINT

X의 한 원소에 대응하는 Y의 원소가 없거나 두 개 이상 대응하면 함수가 아니다.

유형 03 함수의 정의역, 공역, 치역

03 집합 $X=\{-1, 0, 1\}$에 대하여 다음 ( ) 안에 X에서 X로의 함수인 것은 ○표, 함수가 아닌 것은 ×표를 써넣어라.

(1) $f(x)=|x|$ ( )

> 풀이 X의 각 원소에 대하여 $-1 \longrightarrow 1$, $0 \longrightarrow$ __, $1 \longrightarrow$ __과 같이 Y의 원소가 오직 하나씩 대응하므로 함수이다.

(2) $f(x)=x+1$ ( )

(3) $f(x)=x^2$ ( )

(4) $f(x)=x^3$ ( )

(5) $f(x)=|x-1|$ ( )

(6) $f(x)=\frac{x}{2}$ ( )

04 다음 함수에서 정의역, 공역, 치역을 각각 구하여라.

(1)

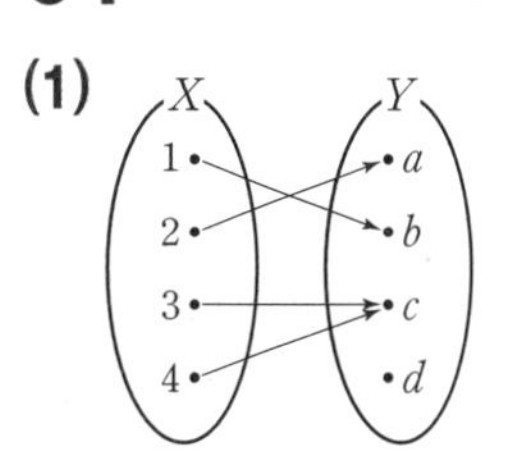

> 풀이 정의역: $\{1, 2, 3, 4\}$, 공역: $\{a, b, c, d\}$,
> 치역: {__, __, __}

(2)

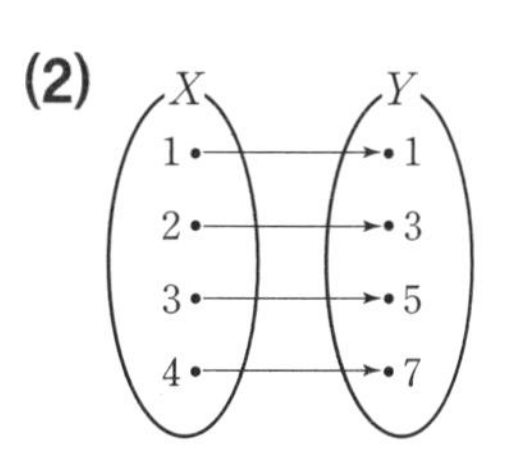

(3)

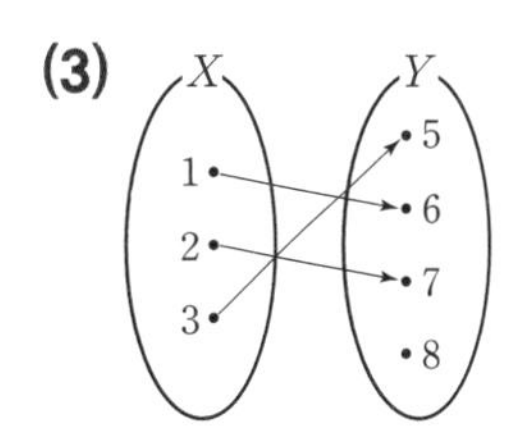

(4)

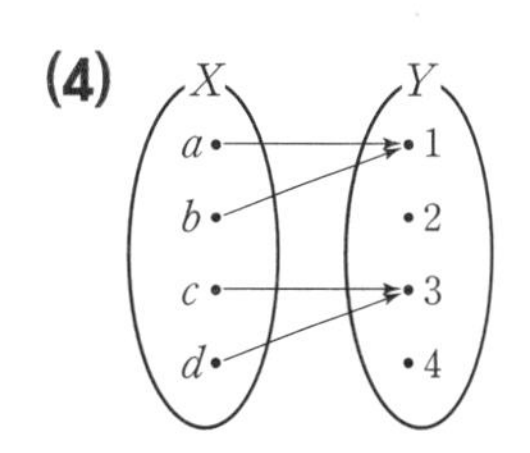

(5)

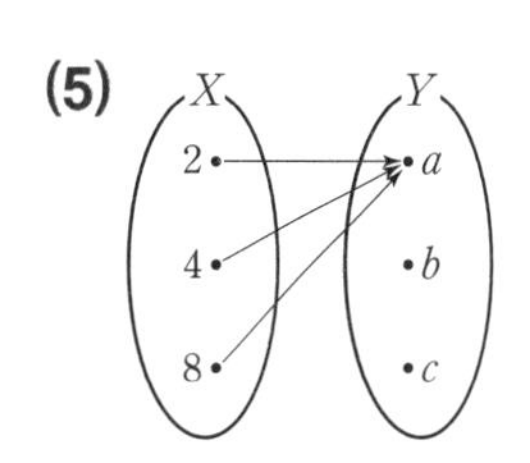

05 두 집합 $X=\{-1, 0, 1\}$, $Y=\{-2, -1, 0, 1, 2, 3\}$에 대하여 함수 $f: X \longrightarrow Y$가 다음과 같이 주어질 때, f의 치역을 구하여라.

(1) $f(x)=2x$

> 풀이 X의 각 원소에 대하여 $-1 \longrightarrow -2$, $0 \longrightarrow 0$, $1 \longrightarrow 2$와 같이 대응하므로 치역은 {____, ___, ___}이다.

(2) $f(x)=x$

(3) $f(x)=x^2-1$

(4) $f(x)=|x|+1$

(5) $f(x)=|x-2|$

06 집합 $X=\{1, 2, 3, 4, 5\}$를 정의역으로 하는 함수 f에 대하여 $f(x)$가 다음과 같이 주어질 때, f의 치역을 구하여라.

(1) $f(x)=\begin{cases} 2x-1 & (x<3) \\ x+2 & (x\geq3) \end{cases}$

> 풀이 (i) $x<3$일 때, 즉 $x=1$, 2일 때, $f(x)=2x-1$이므로
> $f(1)=2-1=1$, $f(2)=4-1=3$
> (ii) $x\geq3$일 때, 즉 $x=3$, 4, 5일 때, $f(x)=x+2$이므로
> $f(3)=3+2=5$, $f(4)=4+2=6$, $f(5)=5+2=7$
> 따라서 f의 치역은 {___, ___, ___, ___, ___}이다.

(2) $f(x)=\begin{cases} -x+3 & (x<2) \\ x^2-3 & (x\geq2) \end{cases}$

(3) $f(x)=\begin{cases} -x+2 & (x\text{는 홀수}) \\ x-1 & (x\text{는 짝수}) \end{cases}$

풍쌤 POINT

함수 $f: X \rightarrow Y$에서
① 정의역 ➡ X
② 공역 ➡ Y
③ 함숫값 ➡ $f(x)$
④ 치역 ➡ $\{f(x) \mid x\in X\}$

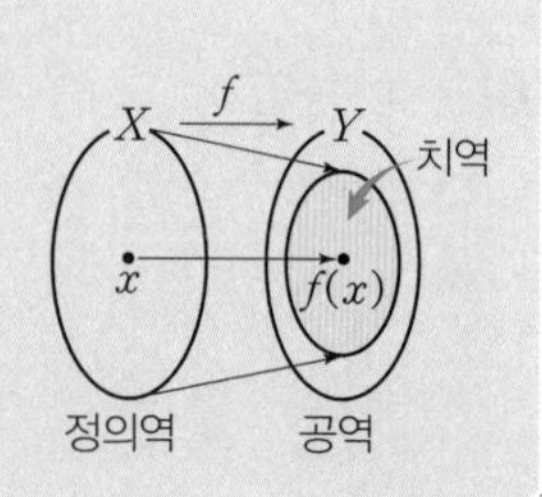

함수가 서로 같을 조건

1 서로 같은 함수

두 함수 f, g가 다음 두 조건을 만족시킬 때, f와 g는 서로 같다고 하고, 기호 $f=g$로 나타낸다.

(i) 정의역과 공역이 각각 같다.

(ii) 정의역에 속하는 모든 원소 x에 대하여 $f(x)=g(x)$이다.

참고 서로 같은 함수는 두 함수의 함수식이 같다는 것이 아니라, 정의역의 모든 원소 x에 대하여 두 함수의 함숫값이 같다는 뜻이다.

> 두 함수 f와 g가 서로 같지 않을 때는 기호 $f \neq g$로 나타낸다.

유형 04 서로 같은 함수

정답과 풀이 018쪽

07 집합 $X=\{-1, 0, 1\}$을 정의역으로 하는 다음 두 함수 f, g가 서로 같은 함수인지 알아보아라.

(1) $f(x)=x$, $g(x)=x^3$

> 풀이 $f(-1)=g(-1)=-1$, $f(0)=g(0)=0$,
> $f(1)=g(1)=$___
> $\therefore f=g$

(2) $f(x)=x+2$, $g(x)=2x-1$

(3) $f(x)=|x|+1$, $g(x)=x^2+1$

08 다음 두 함수 f, g가 서로 같은 함수인지 알아보아라.

(1) $f(x)=|x|$, $g(x)=\sqrt{x^2}$

> 풀이 $f(x)=|x|$, $g(x)=\sqrt{x^2}=|x|$
> $\therefore$ ____

(2) $f(x)=x-1$, $g(x)=\dfrac{x^2-1}{x+1}$

(3) $f(x)=\dfrac{1}{x-2}$, $g(x)=\dfrac{x+2}{x^2-4}$

09 정의역이 집합 X인 두 함수 f, g가 다음과 같을 때, $f=g$가 되도록 하는 상수 a, b의 값을 각각 구하여라.

(1) $X=\{1, 2\}$, $f(x)=x^2+1$, $g(x)=ax+b$

> 풀이 $f(1)=g(1)$에서 $a+b=2$
> $f(2)=g(2)$에서 $2a+b=5$
> 두 식을 연립하여 풀면 $a=$___, $b=$____

(2) $X=\{-1, 1\}$, $f(x)=x+1$, $g(x)=ax^2+bx$

(3) $X=\{0, 1\}$, $f(x)=x^2+ax-1$, $g(x)=2x+b$

(4) $X=\{1, 3\}$, $f(x)=\dfrac{3}{x}+2$, $g(x)=ax+b$

풍쌤 POINT

두 함수 f, g에 대하여 $f=g$이다.

➡ (i) 정의역과 공역이 같다.

(ii) 정의역의 각 원소 x에 대하여 $f(x)=g(x)$이다.

함수의 그래프

1 함수의 그래프

함수 $f : X \longrightarrow Y$에서 정의역 X의 각 원소 x와 이에 대응하는 함숫값 $f(x)$의 순서쌍 $(x, f(x))$를 원소로 갖는 집합

$\{(x, f(x)) | x \in X\}$

를 함수 f의 그래프라고 한다.

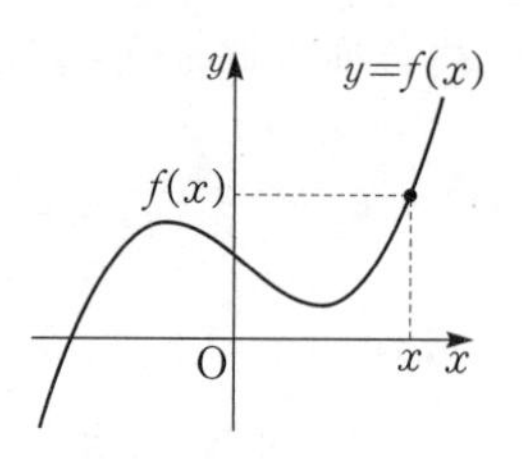

2 함수 $y=f(x)$의 정의역과 공역이 모두 실수 전체의 집합의 부분집합이면 함수 f의 그래프는 좌표평면 위에 점, 직선, 곡선으로 나타낼 수 있다.

› 함수 $y=f(x)$의 그래프는 정의역의 각 원소 k에 대하여 y축에 평행한 직선 $x=k$와 오직 한 점에서 만난다.

유형· 05 함수의 그래프

정답과 풀이 019쪽

10 다음 ( ) 안에 함수의 그래프인 것은 ○표, 함수의 그래프가 아닌 것은 ×표를 써넣어라.

(1)

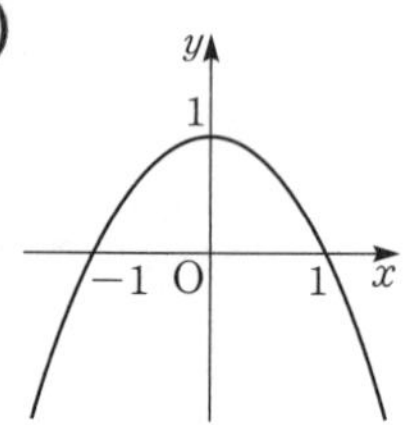

› 풀이 정의역의 각 원소에 공역의 원소가 오직 ______ 대응하므로 함수의 그래프이다.

( )

(2)

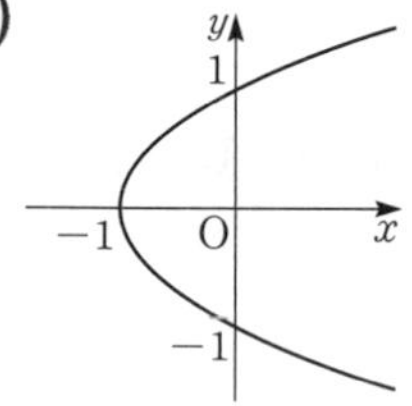

( )

(3)

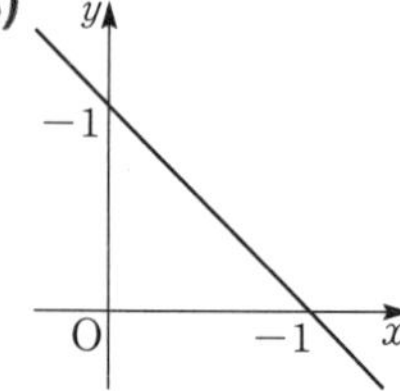

( )

(4)

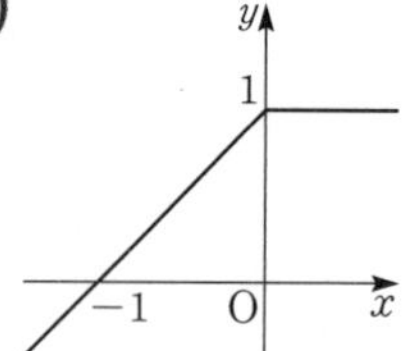

( )

(5)

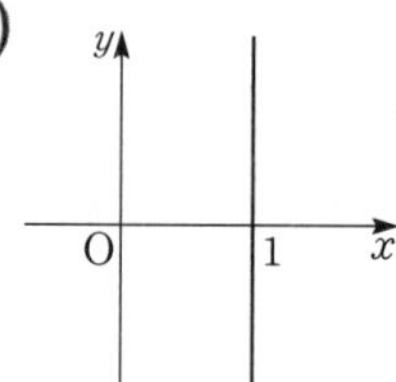

( )

(6)

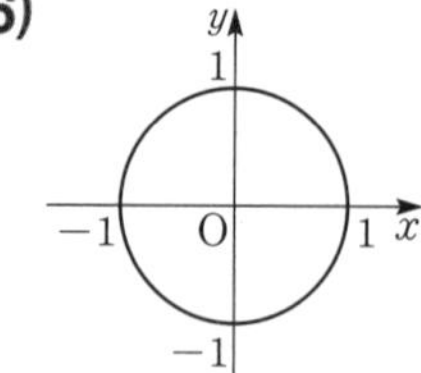

( )

풍쌤 POINT

함수의 그래프

➡ 정의역의 각 원소 a에 대하여 직선 $x=a$와 오직 한 점에서 만난다.

04 여러 가지 함수

1 일대일함수: 함수 $f : X \longrightarrow Y$에서 정의역 X의 임의의 원소 x_1, x_2에 대하여 '$x_1 \neq x_2$이면 $f(x_1) \neq f(x_2)$'를 만족시키는 함수

2 일대일대응: 함수 $f : X \longrightarrow Y$가 일대일함수이고, 치역과 공역이 같은 함수

3 항등함수: 함수 $f : X \longrightarrow Y$에서 임의의 $x \in X$에 대하여 $f(x)=x$인 함수

4 상수함수: 함수 $f : X \longrightarrow Y$에서 임의의 $x \in X$에 대하여 $f(x)=c(c \in Y$, c는 상수$)$인 함수

일대일함수

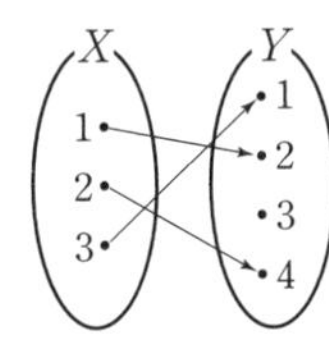

일대일대응

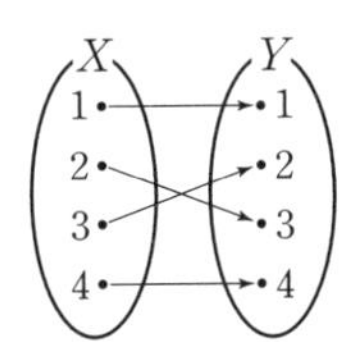

항등함수

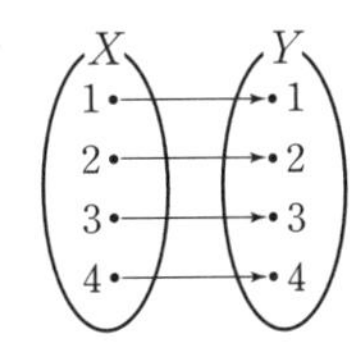

상수함수

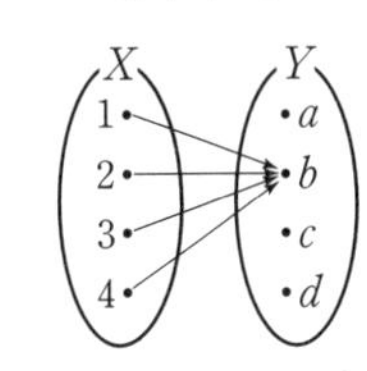

› 일대일대응이면 일대일함수이다.
› 모든 항등함수는 일대일대응이다.

유형·06 여러 가지 함수

정답과 풀이 019쪽

11 실수 전체의 집합에서 정의된 보기의 함수의 그래프에 대하여 다음을 모두 골라라.

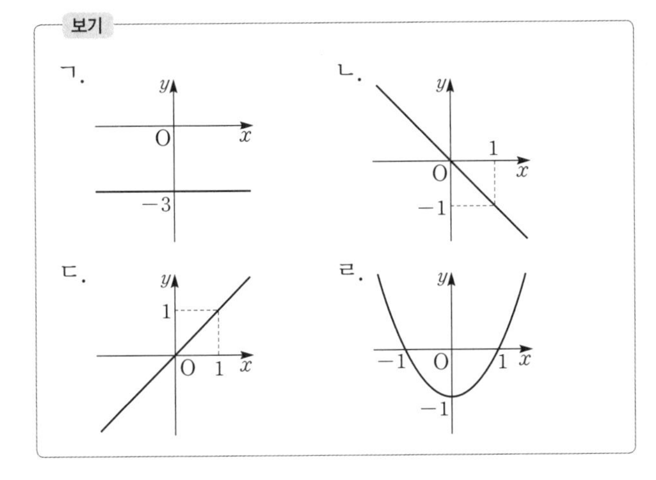

(1) 일대일함수

(2) 일대일대응

(3) 항등함수

(4) 상수함수

12 실수 전체의 집합에서 정의된 보기의 함수에 대하여 다음을 모두 골라라.

보기

ㄱ. $f(x)=x$　　ㄴ. $f(x)=x-1$

ㄷ. $f(x)=|x|$　　ㄹ. $f(x)=4$

(1) 일대일함수

(2) 일대일대응

(3) 항등함수

(4) 상수함수

풍쌤 POINT

① 일대일함수의 그래프
➡ 치역의 각 원소 k에 대하여 직선 $y=k$와 한 점에서 만난다.

② 일대일대응의 그래프
➡ 일대일함수이고, 치역과 공역이 같다.

유형 07 일대일대응이 되기 위한 조건

정답과 풀이 019쪽

13 다음 두 집합 X, Y에 대하여 X에서 Y로의 함수 $f(x)=ax+b$가 일대일대응이 되도록 하는 상수 a, b의 값을 각각 구하여라. (단, $a>0$)

(1) $X=\{x|-1\le x\le 3\}$, $Y=\{y|2\le y\le 6\}$

> 풀이 $a>0$에서 함수 $f(x)=ax+b$의 그래프는 증가하는 함수이므로 f는 일대일함수이다. f가 일대일대응이려면 치역과 공역이 일치해야 하므로 함수 $f(x)$의 그래프가 두 점 $(-1, 2)$, $(3, 6)$을 지나야 한다.
> 즉, $f(-1)=2$, $f(3)=6$이므로
> $-a+b=2$, $3a+b=6$
> 두 식을 연립하여 풀면 $a=$___, $b=$___

(2) $X=\{x|-2\le x\le 2\}$, $Y=\{y|-3\le y\le 5\}$

(3) $X=\{x|1\le x\le 6\}$, $Y=\{y|1\le y\le 16\}$

14 다음 두 집합 X, Y에 대하여 X에서 Y로의 함수 $f(x)=ax+b$가 일대일대응이 되도록 하는 상수 a, b의 값을 각각 구하여라. (단, $a<0$)

(1) $X=\{x|1\le x\le 6\}$, $Y=\{y|-7\le y\le 3\}$

> 풀이 $a<0$에서 함수 $f(x)=ax+b$의 그래프는 감소하는 함수이므로 f는 일대일함수이다. f가 일대일대응이려면 치역과 공역이 일치해야 하므로 함수 $f(x)$의 그래프가 두 점 $(1, 3)$, $(6, -7)$을 지나야 한다.
> 즉, $f(1)=3$, $f(6)=-7$이므로
> $a+b=3$, $6a+b=-7$
> 두 식을 연립하여 풀면 $a=$___, $b=$___

(2) $X=\{x|-6\le x\le -1\}$, $Y=\{y|-1\le y\le 4\}$

(3) $X=\{x|-3\le x\le 5\}$, $Y=\{y|-11\le y\le 13\}$

풍쌤 POINT

일대일대응

➡ 일대일함수이면서 치역과 공역이 같다.
(일대일함수 → 계속 증가하거나 계속 감소)

05

여러 가지 함수의 개수

1 여러 가지 함수의 개수

집합 X의 원소의 개수가 r, 집합 Y의 원소의 개수가 n일 때, X에서 Y로의 함수 f에 대하여

① 함수의 개수 ➡ n^r

② 일대일함수의 개수 ➡ $n\times(n-1)\times(n-2)\times\cdots\times(n-r+1)$ (단, $n\geq r$)

③ $n=r$일 때, 일대일대응의 개수 ➡ $n\times(n-1)\times(n-2)\times\cdots\times2\times1$

④ 상수함수의 개수 ➡ n

보기 집합 $X=\{1, 2, 3\}$에 대하여

① X에서 X로의 함수의 개수 ➡ $3\times3\times3=3^3=27$

② X에서 X로의 일대일대응의 개수 ➡ $3\times2\times1=6$

③ X에서 X로의 상수함수의 개수 ➡ 3

유형 08 여러 가지 함수의 개수

정답과 풀이 020쪽

15 다음 두 집합 X, Y에 대하여 X에서 Y로의 함수의 개수를 구하여라.

(1) $X=\{a, b\}$, $Y=\{1, 2, 3\}$

> 풀이 a의 함숫값이 될 수 있는 것은 1, 2, 3의 3개
> b의 함숫값이 될 수 있는 것은 1, 2, 3의 3개
> 따라서 함수의 개수는 $3\times3=3^2=$___

(2) $X=\{a, b\}$, $Y=\{1, 2, 3, 4\}$

(3) $X=\{1, 2, 3\}$, $Y=\{a, b, c\}$

16 다음 두 집합 X, Y에 대하여 X에서 Y로의 일대일함수의 개수를 구하여라.

(1) $X=\{a, b, c\}$, $Y=\{1, 2, 3, 4\}$

> 풀이 a의 함숫값이 될 수 있는 것은 1, 2, 3, 4의 4개
> b의 함숫값이 될 수 있는 것은 a의 함숫값을 제외한 3개
> c의 함숫값이 될 수 있는 것은 a, b의 함숫값을 제외한 2개
> 따라서 일대일함수의 개수는 $4\times3\times2=$___

(2) $X=\{1, 2\}$, $Y=\{s, t, u, v, w\}$

(3) $X=\{a, b, c, d\}$, $Y=\{e, f, g, h\}$

17 다음 두 집합 X, Y에 대하여 X에서 Y로의 일대일대응의 개수를 구하여라.

(1) $X=\{a, b, c\}$, $Y=\{1, 2, 3\}$

> 풀이 a의 함숫값이 될 수 있는 것은 1, 2, 3의 3개
> b의 함숫값이 될 수 있는 것은 a의 함숫값을 제외한 2개
> c의 함숫값이 될 수 있는 것은 a, b의 함숫값을 제외한 1개
> 따라서 일대일대응의 개수는 $3\times2\times1=$___

(2) $X=\{a, b, c, d\}$, $Y=\{1, 2, 3, 4\}$

(3) $X=\{1, 2, 3, 4, 5\}$, $Y=\{6, 7, 8, 9, 10\}$

18 다음 두 집합 X, Y에 대하여 X에서 Y로의 상수함수의 개수를 구하여라.

(1) $X=\{a, b, c\}$, $Y=\{d, e, f\}$

> 풀이 집합 Y의 원소의 개수가 3이므로 상수함수의 개수는 ___이다.

(2) $X=\{1, 2, 3, 4\}$, $Y=\{1, 2, 3\}$

(3) $X=\{p, q, r\}$, $Y=\{2, 4, 6, 8\}$

풍쌤 POINT

함수의 개수 ➡ 정의역의 각 원소에 대응할 수 있는 공역의 원소의 개수를 생각한다.

합성함수

1 합성함수

두 함수 $f : X \longrightarrow Y$, $g : Y \longrightarrow Z$가 주어졌을 때, 집합 X의 임의의 원소 x에 집합 Z의 원소 $g(f(x))$를 대응시키는 함수를 f와 g의 합성함수라고 하며, 기호 $g \circ f$로 나타낸다.

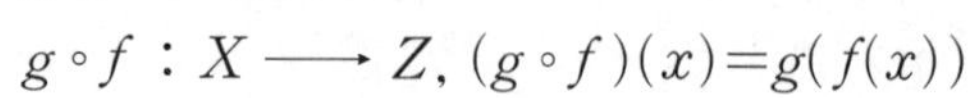
$g \circ f : X \longrightarrow Z$, $(g \circ f)(x) = g(f(x))$

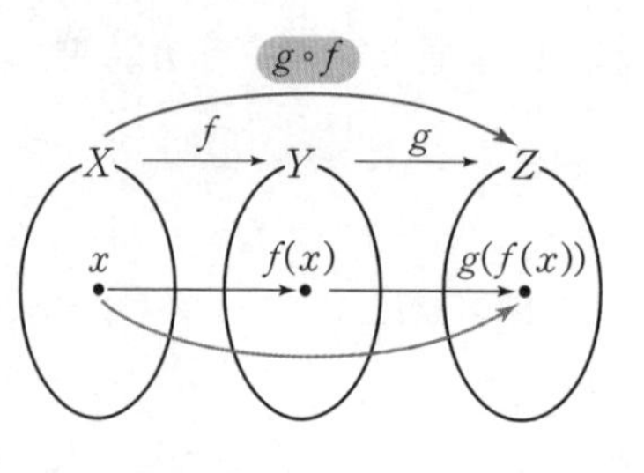

> 함수 f의 치역이 함수 g의 정의역과 같을 때만 합성함수 $g \circ f$가 정의된다.

유형 09 합성함수의 함숫값(1)

19 다음 함수 $f : X \longrightarrow Y$, $g : Y \longrightarrow X$가 그림과 같을 때, 다음 값을 구하여라.

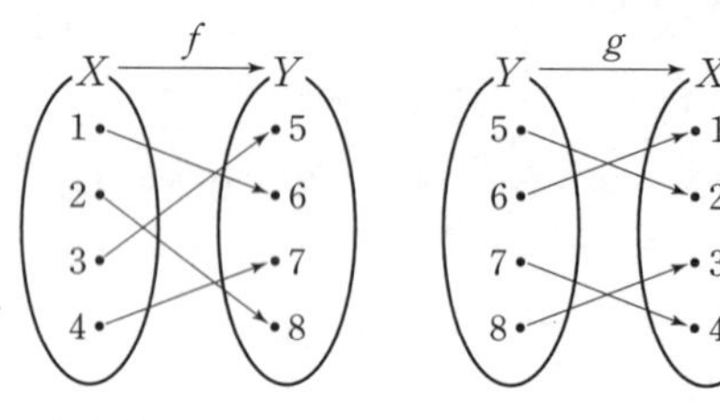

(1) $(g \circ f)(1)$

> 풀이 $(g \circ f)(1) = g(f(1)) = g(\_\_) = \_\_$

(2) $(g \circ f)(2)$

(3) $(g \circ f)(3)$

(4) $(g \circ f)(4)$

(5) $(f \circ g)(5)$

(6) $(f \circ g)(6)$

(7) $(f \circ g)(7)$

(8) $(f \circ g)(8)$

20 두 함수 $y=f(x)$, $y=g(x)$의 그래프가 그림과 같을 때, 다음 값을 구하여라.

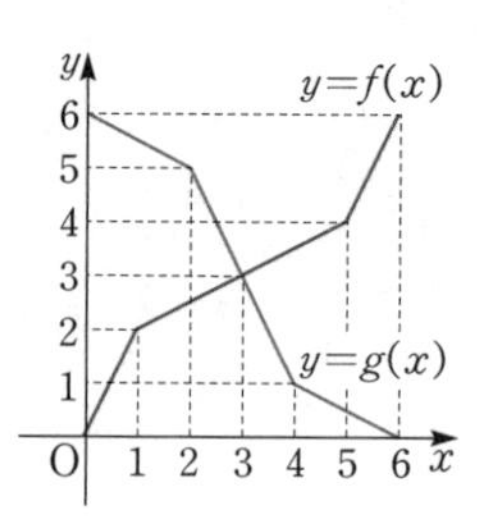

(1) $(g \circ f)(1)$

> 풀이 $(g \circ f)(1) = g(f(1)) = g(\_\_) = \_\_$

(2) $(g \circ f)(3)$

(3) $(g \circ f)(5)$

(4) $(f \circ g)(0)$

(5) $(f \circ g)(4)$

(6) $(f \circ g)(6)$

21 두 함수 $f(x)=x^2-1$, $g(x)=3x+2$에 대하여 다음 값을 구하여라.

(1) $(g\circ f)(1)$

> 풀이 $(g\circ f)(1)=g(f(1))=g(\_\_\_)=\_\_\_$

(2) $(g\circ f)(-2)$

(3) $(g\circ f)(0)$

(4) $(f\circ g)(2)$

(5) $(f\circ g)\left(\frac{1}{3}\right)$

(6) $(f\circ g)(-1)$

(7) $(f\circ f)(3)$

(8) $(g\circ g)(1)$

22 함수 $f(x)=\begin{cases} x+2 & (x<0) \\ x^2+2 & (x\geq 0) \end{cases}$에 대하여 다음 값을 구하여라.

(1) $(f\circ f)(0)$

> 풀이 $f(0)=0+2=2$이므로
> $(f\circ f)(0)=f(f(0))=f(2)=2^2+2=\_\_\_$

(2) $(f\circ f)(-1)$

(3) $(f\circ f)(-2)$

23 함수 $f(x)=\begin{cases} 2x-1 & (x\text{는 유리수}) \\ x^2 & (x\text{는 무리수}) \end{cases}$에 대하여 다음 값을 구하여라.

(1) $(f\circ f)(\sqrt{2})$

> 풀이 $f(\sqrt{2})=(\sqrt{2})^2=2$이므로
> $(f\circ f)(\sqrt{2})=f(f(\sqrt{2}))=f(2)=2\times 2-1=\_\_\_$

(2) $(f\circ f)(0)$

(3) $(f\circ f)(\sqrt{3})$

풍쌤 POINT

$f(a)=b$이면

$(g\circ f)(a)=g(f(a))=g(b)$

유형 10 합성함수 구하기(1)

24 두 함수 $f(x)=6x+5$, $g(x)=-2x+3$에 대하여 다음을 구하여라.

(1) $(g\circ f)(x)$

> 풀이 $(g\circ f)(x)=g(f(x))=g(6x+5)$
$=-2(6x+5)+3$
$=$________

(2) $(f\circ g)(x)$

(3) $(f\circ f)(x)$

25 두 함수 $f(x)=3x-1$, $g(x)=x^2-x$에 대하여 다음을 구하여라.

(1) $(g\circ f)(x)$

> 풀이 $(g\circ f)=g(f(x))=g(3x-1)$
$=(3x-1)^2-(3x-1)$
$=(9x^2-6x+1)-(3x-1)$
$=$________

(2) $(f\circ g)(x)$

(3) $(g\circ g)(x)$

풍쌤 POINT
① $(g\circ f)(x)=g(f(x))$
② $(f\circ g)(x)=f(g(x))$

유형 11 $f\circ g=h$에서 f 또는 g 구하기

26 다음 두 함수 $f(x)$, $g(x)$에 대하여 $(g\circ h)(x)=f(x)$를 만족시키는 함수 $h(x)$를 구하여라.

(1) $f(x)=3x+1$, $g(x)=x+4$

> 풀이 $(g\circ h)(x)=g(h(x))=h(x)+4$이므로
$h(x)+4=3x+1$
$\therefore h(x)=$______

(2) $f(x)=x-2$, $g(x)=2x+1$

(3) $f(x)=x-5$, $g(x)=-2x+7$

(4) $f(x)=x^2-4$, $g(x)=x+2$

27 다음 두 함수 $f(x)$, $g(x)$에 대하여 $(h \circ g)(x)=f(x)$를 만족시키는 함수 $h(x)$를 구하여라.

(1) $f(x)=3x+1$, $g(x)=x+4$

> 풀이 $(h \circ g)(x)=h(g(x))=h(x+4)$이므로
> $h(x+4)=3x+1$
> $x+4=t$로 놓으면 $x=t-4$
> $h(t)=3(t-4)+1=3t-11$
> $\therefore h(x)=$_______

(2) $f(x)=x-2$, $g(x)=2x+1$

(3) $f(x)=x-5$, $g(x)=-2x+7$

(4) $f(x)=x^2-4$, $g(x)=x+2$

풍쌤 POINT

① $f \circ h=g$를 만족시키는 h ➡ $f(h(x))=g(x)$
➡ $f(x)$의 x 대신 $h(x)$ 대입

② $h \circ f=g$를 만족시키는 h ➡ $h(f(x))=g(x)$
➡ $f(x)=t$로 치환

유형· 12 합성함수의 함숫값(2)

28 다음 함수 f에 대하여 $f(2)$의 값을 구하여라.

(1) $f(x-4)=2x+4$

> 풀이 $x-4=2$에서 $x=6$
> $f(x-4)=2x+4$에 $x=6$을 대입하면
> $f(2)=2\times6+4=$____

(2) $f(2x-6)=3x+5$

(3) $f(3x-1)=-x+10$

(4) $f\left(\frac{4x+2}{9}\right)=x+1$

(5) $f\left(\frac{2x+6}{5}\right)=3x^2-7$

(6) $f\left(\frac{8-2x}{5}\right)=x^2+x+1$

풍쌤 POINT

$f(ax+b)$에서 $f(k)$의 값 구하기
➡ $ax+b=k$를 만족시키는 x의 값을 구하여 $f(ax+b)$에 대입한다.

합성함수의 성질

1 합성함수의 성질

세 함수 f, g, h에 대하여

① $f \circ g \neq g \circ f$ ➡ 교환법칙이 성립하지 않는다.

② $(f \circ g) \circ h = f \circ (g \circ h)$ ➡ 결합법칙이 성립한다.

③ $f \circ I = I \circ f = f$ (단, I는 항등함수)

› 결합법칙이 성립하므로 괄호를 생략하여 $f \circ g \circ h$로 나타낼 수 있다.

유형 13 합성함수의 성질

29 함수 $f : X \longrightarrow X$가 [그림 1]과 같이 정의되고 함수 $y=g(x)$의 그래프가 [그림 2]와 같을 때, 다음 값을 구하여라.

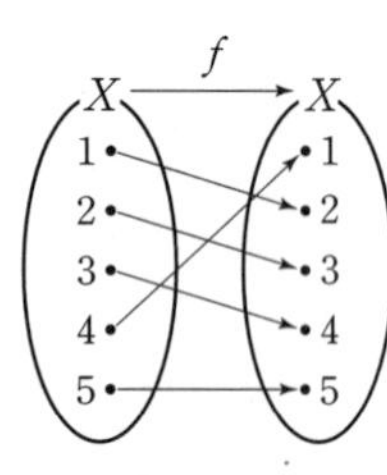

[그림 1]

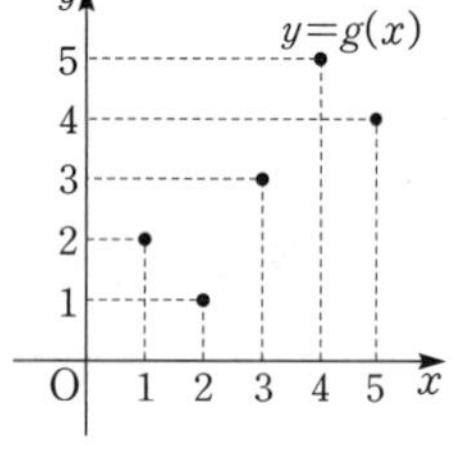

[그림 2]

(1) $(f \circ g \circ f)(1)$

› 풀이 $(f \circ g \circ f)(1) = f(g(f(1))) = f(g(2)) = f(1)$
$= \_\_\_$

(2) $(g \circ f \circ g)(2)$

(3) $(f \circ g \circ g)(3)$

(4) $(g \circ f \circ f)(4)$

(5) $(f \circ f \circ g)(5)$

(6) $(g \circ g \circ f)(5)$

30 세 함수 $f(x)=2x^2$, $g(x)=4x-3$, $h(x)=x+2$에 대하여 다음 값을 구하여라.

(1) $(h \circ g \circ f)(1)$

› 풀이 $(h \circ g \circ f)(1) = h(g(f(1)))$
$= h(g(2)) = h(5)$
$= \_\_\_$

(2) $(h \circ f \circ g)(2)$

(3) $(g \circ h \circ f)(-1)$

(4) $(g \circ f \circ h)(-2)$

(5) $(f \circ h \circ g)(3)$

(6) $(f \circ g \circ h)(-3)$

(7) $(h \circ f \circ f)\left(\frac{1}{2}\right)$

(8) $(g \circ g \circ h)\left(-\frac{3}{2}\right)$

유형 14 합성함수를 이용한 미정계수의 결정

31 함수 $y=f(x)$의 그래프와 직선 $y=x$가 그림과 같을 때, 다음 값을 구하여라. (단, 모든 점선은 x축 또는 y축에 평행하다.)

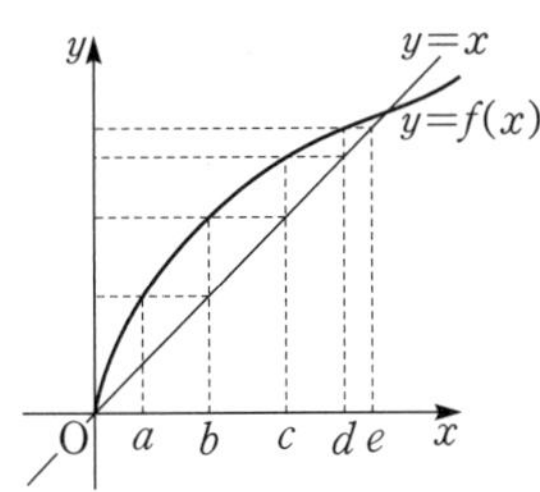

(1) $(f\circ f)(a)$

> 풀이 $(f\circ f)(a)=f(f(a))=f(b)=$___

(2) $(f\circ f)(b)$

(3) $(f\circ f)(c)$

(4) $(f\circ f\circ f)(a)$

(5) $(f\circ f\circ f)(b)$

(6) $(f\circ f\circ f\circ f)(a)$

32 다음 두 함수 f, g에 대하여 $f\circ g=g\circ f$가 성립할 때, 상수 a의 값을 구하여라.

(1) $f(x)=ax+2,\ g(x)=3x-2$

> 풀이 $(f\circ g)(x)=f(g(x))=f(3x-2)$
> $=a(3x-2)+2=3ax-2a+2$
> $(g\circ f)(x)=g(f(x))=g(ax+2)$
> $=3(ax+2)-2=3ax+4$
> $(f\circ g)(x)=(g\circ f)(x)$이므로
> $3ax-2a+2=3ax+4 \quad \therefore a=$___

(2) $f(x)=2x+1,\ g(x)=3x+a$

(3) $f(x)=-\frac{1}{2}x+a,\ g(x)=-x+4$

(4) $f(x)=-2x+a,\ g(x)=2ax-1$ (단, $f\neq g$)

풍쌤 POINT

$f\circ g=g\circ f$에서 미정계수의 결정

➡ $f\circ g$, $g\circ f$를 각각 구하여 동류항끼리 계수를 비교한다.

정답과 풀이 022쪽

유형 15 합성함수 구하기(2)

33 세 함수 $f(x)=2x$, $g(x)=x-1$, $h(x)=x^2$에 대하여 다음을 구하여라.

(1) $(h\circ(g\circ f))(x)$

> 풀이 $(g\circ f)(x)=g(f(x))=g(2x)=2x-1$이므로
> $(h\circ(g\circ f))(x)=h((g\circ f)(x))=h(2x-1)$
> $=(2x-1)^2=$ ______

(2) $((h\circ g)\circ f)(x)$

(3) $(f\circ g\circ h)(x)$

(4) $(g\circ h\circ f)(x)$

(5) $(h\circ f\circ g)(x)$

(6) $(g\circ f\circ f)(x)$

유형 16 함수에서 규칙성 찾기

34 다음 함수 $f(x)$에 대하여

$f^1(x)=f(x)$,

$f^{n+1}(x)=(f\circ f^n)(x)$ (n은 자연수)

로 정의할 때, $f^{10}(1)$의 값을 구하여라.

(1) $f(x)=x+1$

> 풀이 $f^1(x)=x+1$
> $f^2(x)=(f\circ f)(x)=f(f(x))$
> $=f(x+1)=(x+1)+1=x+2$
> $f^3(x)=(f\circ f^2)(x)=f(f^2(x))$
> $=f(x+2)=(x+2)+1=x+3$
> $f^4(x)=(f\circ f^3)(x)=f(f^3(x))$
> $=f(x+3)=(x+3)+1=x+4$
> $\vdots$
> 따라서 $f^n(x)=x+n$이므로 $f^{10}(1)=1+10=$ ______

(2) $f(x)=x-1$

(3) $f(x)=2x$

(4) $f(x)=\frac{x}{2}$

풍쌤 POINT

$f^n(a)$의 값 구하기

➡ $f(a)$, $f^2(a)$, $f^3(a)$, …에서 규칙성을 찾는다.

역함수의 정의

1 역함수의 정의

함수 $f: X \longrightarrow Y$가 일대일대응일 때, Y의 각 원소 y에 대하여 $f(x)=y$인 X의 원소 x를 대응시키는 함수를 f의 역함수라 하고, 기호 f^{-1}로 나타낸다.

즉, $f^{-1}: Y \longrightarrow X$, $f^{-1}(y)=x$

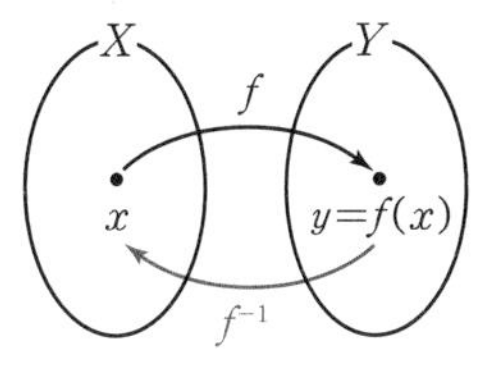

참고 역함수가 존재하는 함수 $f(x)$에 대하여 $f(a)=b$이면 $f^{-1}(b)=a$이다.

2 역함수 구하기

① 주어진 함수 $y=f(x)$가 일대일대응인지 확인한다.

② $y=f(x)$에서 x와 y를 바꾸어 $x=f(y)$의 꼴로 나타낸다.

③ y를 x에 대한 식으로 나타내어 $y=g(x)$의 꼴로 고친다.

④ 주어진 함수 $y=f(x)$의 치역을 역함수의 정의역으로 한다.

› 함수 f의 역함수 f^{-1}가 존재한다. $\Longleftrightarrow$ 함수 f는 일대일대응이다.

› 함수 f의 정의역 X는 역함수 f^{-1}의 치역이고, 함수 f의 치역 Y는 역함수 f^{-1}의 정의역이다.

› $y=f(x)$에서 x를 y에 대한 식으로 나타낸 후, x와 y를 서로 바꾸어 역함수를 구할 수도 있다.

유형 17 역함수가 존재하기 위한 조건

정답과 풀이 023쪽

35 다음 함수 $f: X \longrightarrow Y$에 대하여 ( ) 안에 역함수가 존재하는 것에는 ○표, 역함수가 존재하지 않는 것에는 ×표를 써넣어라.

(1)

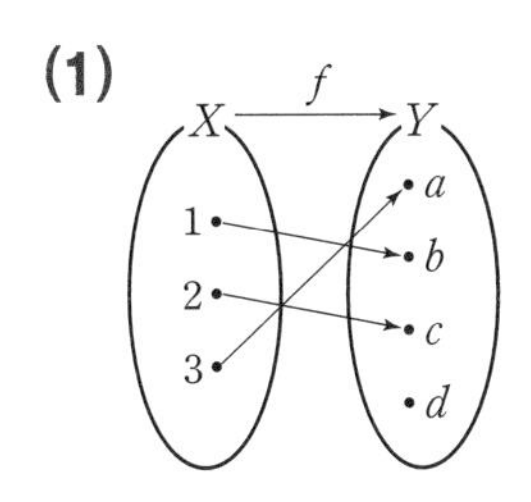

› 풀이 Y의 원소 d에 대응하는 X의 원소가 없으므로 함수 f는 ________이 아니다. 따라서 역함수가 존재하지 않는다.

( )

(2)

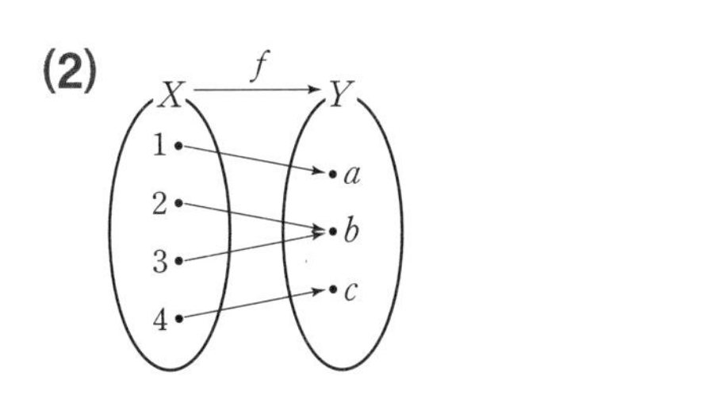

( )

(3)

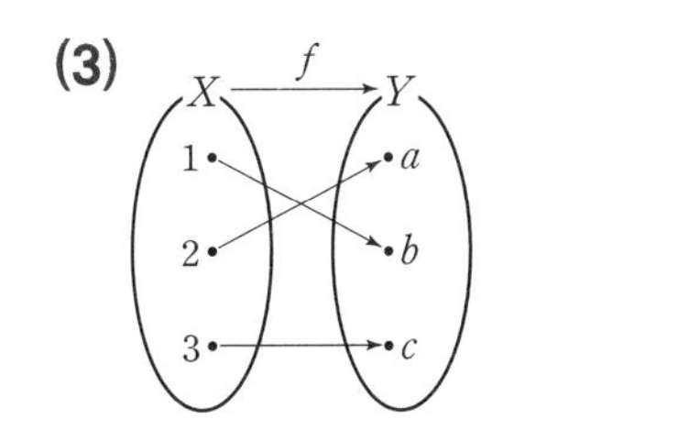

( )

36 다음 함수의 그래프에 대하여 ( ) 안에 역함수가 존재하는 것에는 ○표, 역함수가 존재하지 않는 것에는 ×표를 써넣어라.

(1)

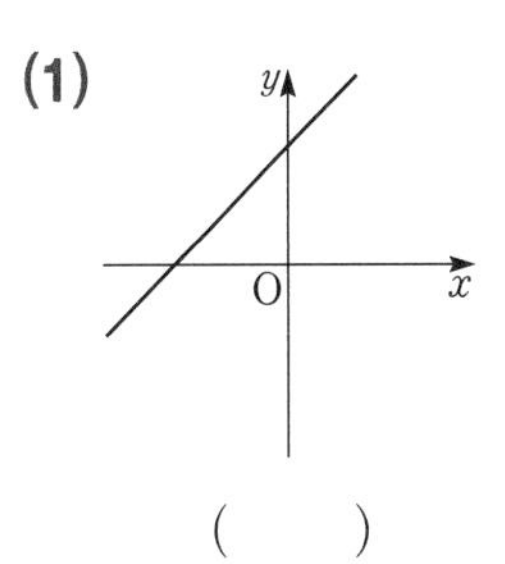

( )

(2)

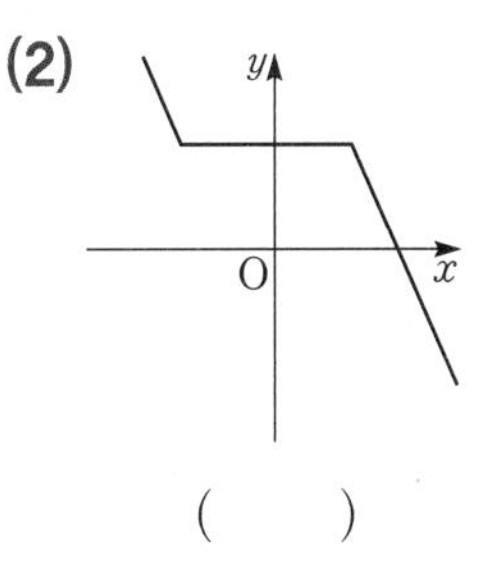

( )

(3)

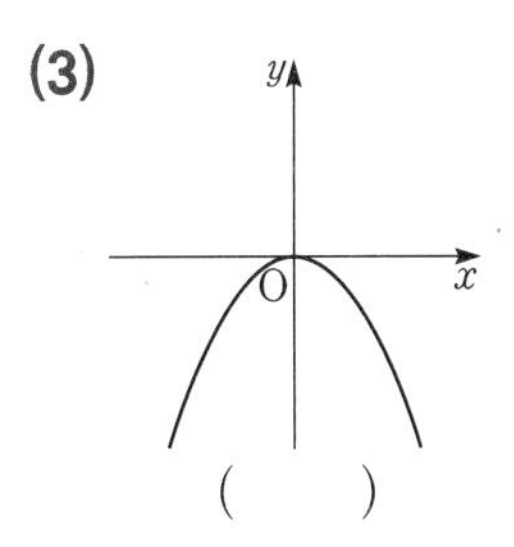

( )

(4)

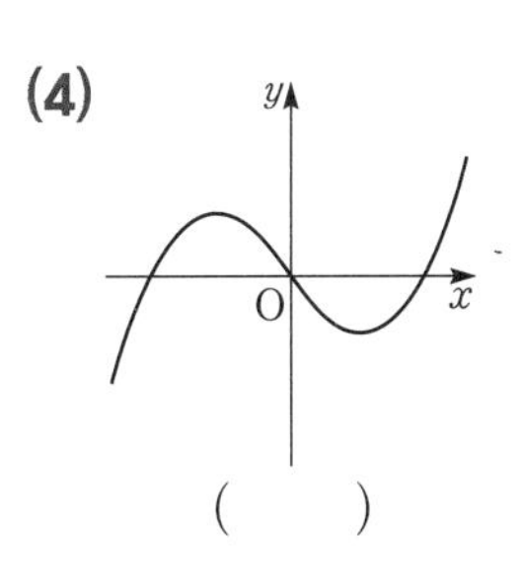

( )

풍쌤 POINT

함수 f의 역함수가 존재한다.

$\Longleftrightarrow$ 함수 f는 일대일대응이다.

$\Longleftrightarrow$ 함수 f는 직선 $y=k$ ($k\in$(치역))과 한 점에서 만난다.

유형 18 역함수의 함숫값

37 함수 $f : X \longrightarrow Y$가 그림과 같을 때, 다음 값을 구하여라.

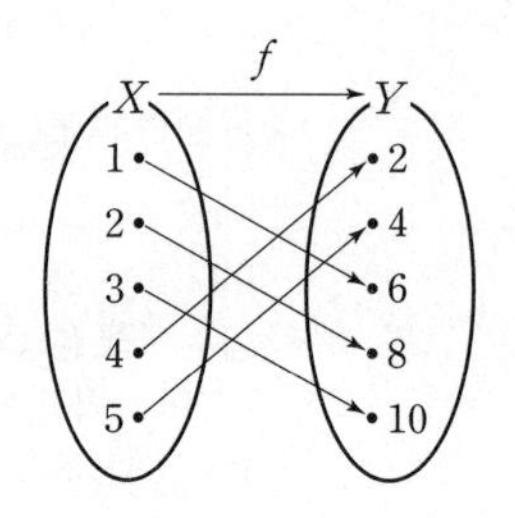

(1) $f^{-1}(2)$

> 풀이 그림에서 $f(4)=2$이므로 $f^{-1}(2)=$___

(2) $f^{-1}(4)$

(3) $f^{-1}(6)$

(4) $f^{-1}(8)$

(5) $f^{-1}(10)$

38 다음 함수 $f(x)$에 대하여 $f^{-1}(3)$의 값을 구하여라.

(1) $f(x)=4x-5$

> 풀이 $f^{-1}(3)=a$라고 하면 $f(a)=3$이므로
> $4a-5=3$, $a=2$ $\quad \therefore f^{-1}(3)=$___

(2) $f(x)=6x-3$

(3) $f(x)=-2x+7$

39 함수 $f(x)=5x-2$에 대하여 다음을 만족시키는 상수 a의 값을 구하여라.

(1) $f^{-1}(a)=1$

> 풀이 $f^{-1}(a)=1$에서 $f(1)=a$이므로
> $a=$___

(2) $f^{-1}(a)=-3$

(3) $f^{-1}(a)=0$

(4) $f^{-1}(a)=2$

40 함수 $f(x)=-2x+a$에 대하여 다음을 만족시키는 상수 a의 값을 구하여라.

(1) $f^{-1}(-1)=2$

> 풀이 $f^{-1}(-1)=2$에서 $f(2)=-1$이므로
> $-4+a=-1$ $\quad \therefore a=$___

(2) $f^{-1}(1)=-1$

(3) $f^{-1}(-2)=1$

(4) $f^{-1}(-1)=-2$

유형·19 역함수 구하기

41 함수 $f(x)=ax+b$에 대하여 다음을 만족시키는 상수 a, b의 값을 각각 구하여라.

(1) $f^{-1}(2)=1$, $f^{-1}(6)=2$

> 풀이 $f^{-1}(2)=1$에서 $f(1)=2$이므로
> $a+b=2$ ······ ㉠
> $f^{-1}(6)=2$에서 $f(2)=6$이므로
> $2a+b=6$ ······ ㉡
> ㉠, ㉡을 연립하여 풀면 $a=$___, $b=$____

(2) $f(2)=1$, $f^{-1}(-1)=3$

(3) $f(-3)=1$, $f^{-1}(3)=-2$

(4) $f^{-1}(1)=-2$, $f^{-1}(5)=2$

(5) $f^{-1}(2)=-\frac{1}{3}$, $f^{-1}(4)=\frac{1}{3}$

풍쌤 POINT

함수 f의 역함수 f^{-1}가 존재하고 $f^{-1}(b)=a$
➡ $f(a)=b$

42 다음 함수의 역함수를 구하여라.

(1) $y=\frac{1}{2}x-3$

> 풀이 $y=\frac{1}{2}x-3$의 x와 y를 바꾸면
> $x=\frac{1}{2}y-3$
> y를 x에 대한 식으로 나타내면
> $y=$______

(2) $y=2x-4$

(3) $y=-\frac{1}{3}x+2$

(4) $y=x^2$ $(x\geq 0,\ y\geq 0)$

(5) $y=2x^2+1$ $(x\geq 0,\ y\geq 1)$

풍쌤 POINT

함수 $y=f(x)$의 역함수 구하기
➡ x와 y를 바꾸고 y에 대하여 정리한다. 이때 역함수의 정의역은 함수 $y=f(x)$의 치역이다.

역함수의 성질과 그래프

1 역함수의 성질

두 함수 $f: X \longrightarrow Y$, $g: Y \longrightarrow Z$가 일대일대응이고, I는 항등함수일 때,

① $(f^{-1})^{-1}=f$

② $f^{-1}\circ f=I$, $f\circ f^{-1}=I$

③ $f\circ g=I \Longleftrightarrow f=g^{-1}$, $g\circ f=I \Longleftrightarrow g=f^{-1}$

④ $(g\circ f)^{-1}=f^{-1}\circ g^{-1}$

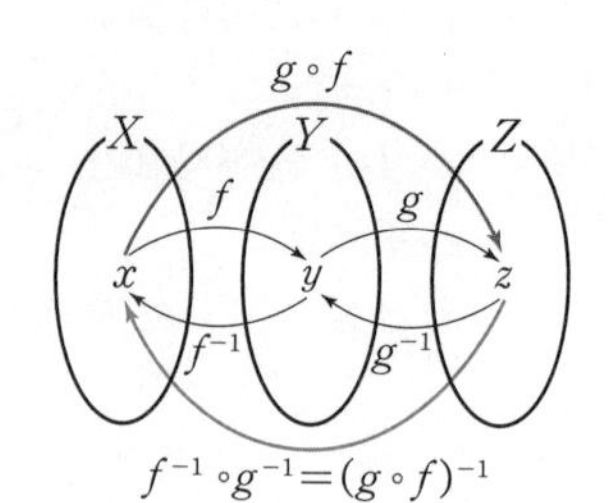

› $(h\circ g\circ f)^{-1}$
$=f^{-1}\circ g^{-1}\circ h^{-1}$

2 역함수의 그래프

함수 $y=f(x)$의 그래프와 그 역함수 $y=f^{-1}(x)$의 그래프는 직선 $y=x$에 대하여 대칭이다.

참고 함수 $y=f(x)$의 그래프 위의 임의의 점을 (a, b)라고 하면 $b=f(a)$, 즉 $a=f^{-1}(b)$이다. 따라서 점 (b, a)는 $y=f(x)$의 역함수 $y=f^{-1}(x)$의 그래프 위에 있다.

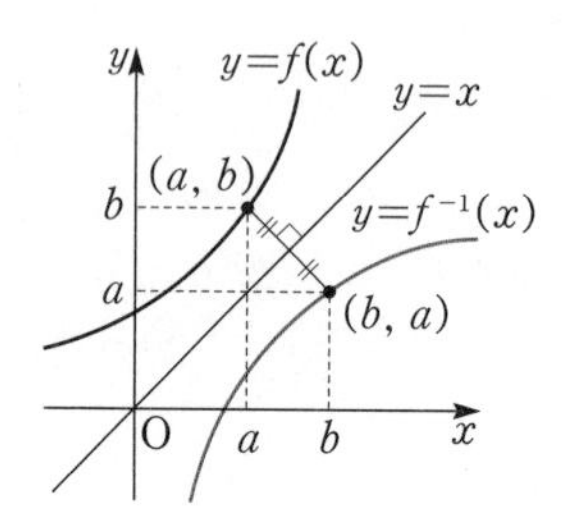

유형 20 역함수의 성질

43 두 함수 $f: X \longrightarrow X$, $g: X \longrightarrow X$가 그림과 같을 때, 다음 값을 구하여라.

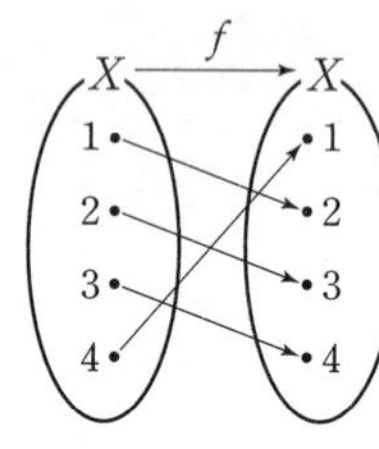

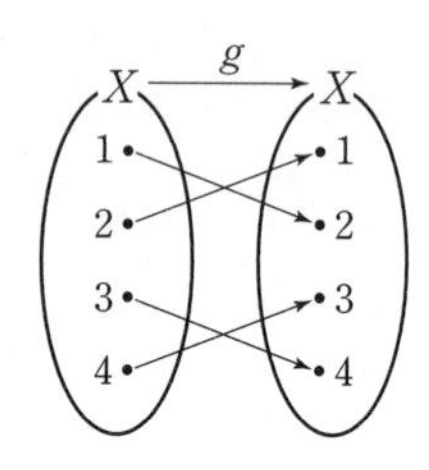

(1) $(g\circ f)^{-1}(1)$

› 풀이 $(g\circ f)^{-1}=f^{-1}\circ g^{-1}$이므로
$(g\circ f)^{-1}(1)=(f^{-1}\circ g^{-1})(1)=f^{-1}(g^{-1}(1))$
$=f^{-1}(2)=$ ___

(2) $(g\circ f)^{-1}(3)$

(3) $(f\circ g)^{-1}(2)$

(4) $(f\circ g)^{-1}(4)$

44 두 함수 $f(x)=x-3$, $g(x)=3x+5$에 대하여 다음 값을 구하여라.

(1) $(f^{-1}\circ f\circ g)(1)$

› 풀이 $f^{-1}\circ f=I$이므로
$(f^{-1}\circ f\circ g)(1)=(I\circ g)(1)=g(1)=$ ___

(2) $(g\circ f\circ f^{-1})(2)$

(3) $(f\circ g^{-1}\circ g)(5)$

(4) $(g\circ g^{-1}\circ f)(4)$

(5) $(f^{-1}\circ f\circ g\circ f)(3)$

(6) $(f\circ g\circ g^{-1}\circ g)(-1)$

45 두 함수 $f(x)=6x-5$, $g(x)=x-1$에 대하여 다음 값을 구하여라.

(1) $(f^{-1}\circ g)^{-1}(1)$

> 풀이 $(f^{-1}\circ g)^{-1}(1)=(g^{-1}\circ f)(1)=g^{-1}(f(1))$
> $=g^{-1}(1)$
> $g^{-1}(1)=k$로 놓으면 $g(k)=1$이므로
> $k-1=1$ $\therefore k=$___
> $\therefore (f^{-1}\circ g)^{-1}(1)=g^{-1}(1)=$___

(2) $(f\circ g^{-1})^{-1}(1)$

(3) $(g\circ f^{-1})^{-1}(2)$

(4) $(g^{-1}\circ f)^{-1}(-1)$

(5) $(g\circ g)^{-1}(3)$

46 두 함수 $f(x)=2x+3$, $g(x)=-x+2$에 대하여 다음 값을 구하여라.

(1) $(f\circ(g\circ f)^{-1}\circ f)(1)$

> 풀이 $(g\circ f)^{-1}=f^{-1}\circ g^{-1}$이므로
> $(f\circ(g\circ f)^{-1}\circ f)(1)$
> $=(f\circ f^{-1}\circ g^{-1}\circ f)(1)$
> $=(I\circ g^{-1}\circ f)(1)=(g^{-1}\circ f)(1)$
> $=g^{-1}(f(1))=g^{-1}(5)$
> $g^{-1}(5)=k$로 놓으면 $g(k)=5$이므로
> $-k+2=5$ $\therefore k=$____
> $\therefore (f\circ(g\circ f)^{-1}\circ f)(1)=g^{-1}(5)=$____

(2) $(f\circ(f\circ g)^{-1}\circ f)(3)$

(3) $(f\circ(f^{-1}\circ g)^{-1}\circ f^{-1})(-2)$

(4) $(g\circ(f^{-1}\circ g)^{-1}\circ g^{-1})(-4)$

(5) $(g^{-1}\circ(f\circ g^{-1})^{-1}\circ g)(-1)$

47 두 함수 $f(x)=4x-7$, $g(x)$에 대하여 $(g\circ f)(x)=x$를 만족시킬 때, 다음 값을 구하여라.

(1) $(f^{-1}\circ g^{-1}\circ f)(1)$

풀이 $(g\circ f)(x)=x$에서 $f^{-1}=g$이므로

$(f^{-1}\circ g^{-1}\circ f)(1)=(g\circ g^{-1}\circ f)(1)$

$=(I\circ f)(1)=f(1)=$____

(2) $(f\circ g^{-1}\circ f^{-1})(2)$

(3) $(g^{-1}\circ f^{-1}\circ g)(-3)$

풀이 $(g\circ f)(x)=x$에서 $g^{-1}=f$이므로

$(g^{-1}\circ f^{-1}\circ g)(-3)=(f\circ f^{-1}\circ g)(-3)$

$=(I\circ g)(-3)=g(-3)$

$g(-3)=k$로 놓으면 $f(k)=-3$이므로

$4k-7=-3$, $4k=4$ $\therefore k=$___

$\therefore (g^{-1}\circ f^{-1}\circ g)(-3)=g(-3)=$___

(4) $(g\circ f^{-1}\circ g^{-1})(5)$

풍쌤 POINT

① $f^{-1}\circ f=f\circ f^{-1}=I$

② $f\circ g=g\circ f=I$이면 $f=g^{-1}$, $g=f^{-1}$

③ $(g\circ f)^{-1}=f^{-1}\circ g^{-1}$

48 함수 $y=f(x)$의 그래프와 직선 $y=x$가 그림과 같을 때, 다음 값을 구하여라. (단, 모든 점선은 x축 또는 y축에 평행하다.)

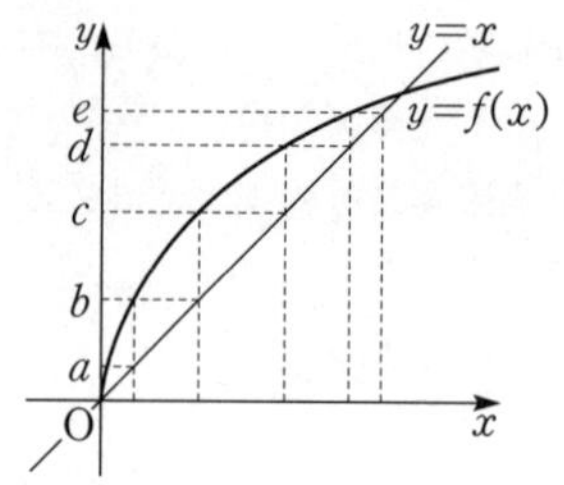

(1) $(f\circ f)^{-1}(c)$

풀이 $(f\circ f)^{-1}(c)=(f^{-1}\circ f^{-1})(c)=f^{-1}(f^{-1}(c))$

$=f^{-1}(b)=$___

(2) $(f\circ f)^{-1}(d)$

(3) $(f\circ f)^{-1}(e)$

(4) $(f\circ f\circ f)^{-1}(d)$

(5) $(f\circ f\circ f)^{-1}(e)$

49 다음 함수의 역함수의 그래프를 직선 $y=x$를 이용하여 그려라.

(1) $y=2x+1$

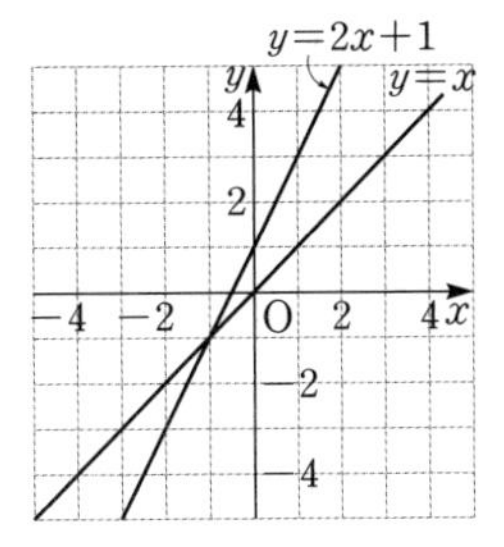

(2) $y=\frac{1}{2}x-1$

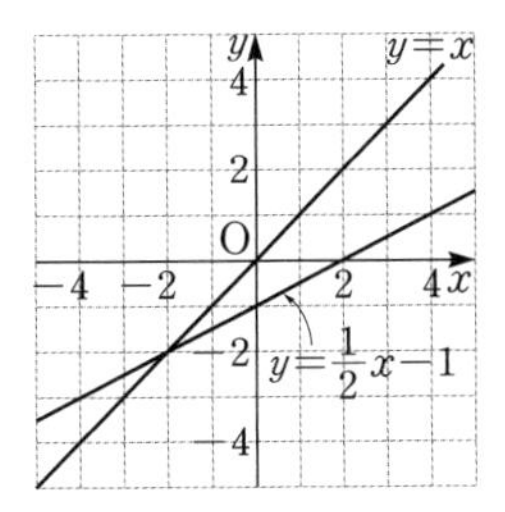

(3) $y=-\frac{1}{3}x$

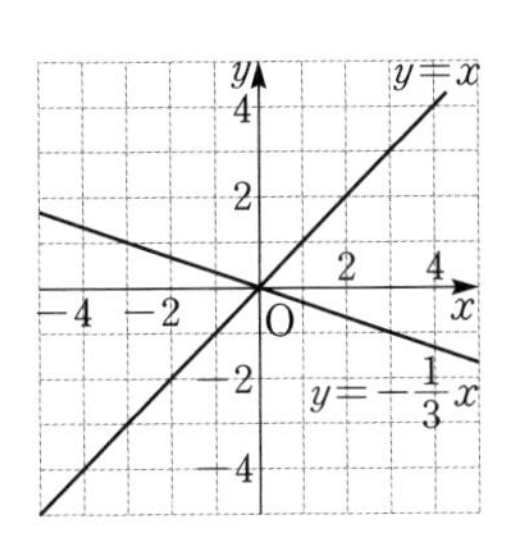

(4) $y=-2x+4$

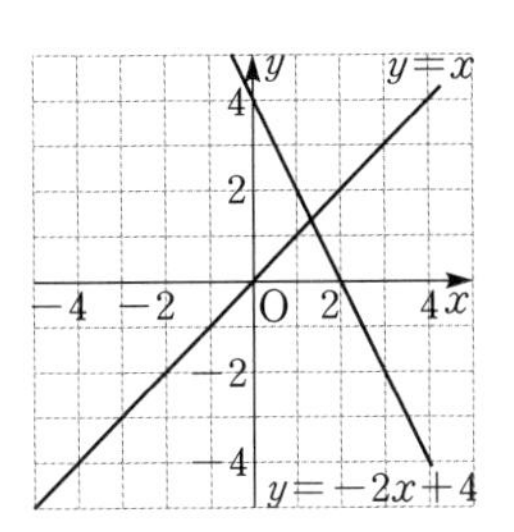

50 다음 함수 $y=f(x)$와 그 역함수 $y=f^{-1}(x)$의 그래프의 교점의 좌표를 구하여라.

(1) $f(x)=2x-4$

> **풀이** $y=f(x)$와 $y=f^{-1}(x)$의 그래프의 교점은 $y=f(x)$와 $y=x$의 그래프의 교점과 같으므로
> $2x-4=x \qquad \therefore x=4$
> 따라서 구하는 교점의 좌표는 (___, ___)이다.

(2) $f(x)=\frac{2}{3}x-1$

(3) $f(x)=-4x+5$

(4) $f(x)=x^2\ (x>0)$

(5) $f(x)=x^2-6\ (x\geq 0)$

풍쌤 POINT

① 함수 $y=f(x)$의 그래프와 그 역함수 $y=f^{-1}(x)$의 그래프
➡ 직선 $y=x$에 대하여 대칭

② 함수 $y=f(x)$의 그래프와 그 역함수 $y=f^{-1}(x)$의 그래프의 교점의 좌표
➡ 함수 $y=f(x)$의 그래프와 직선 $y=x$의 교점의 좌표와 같다.

·중단원 점검문제·

01

두 집합 $X=\{1, 2, 3\}$, $Y=\{-1, 0, 1, 2, 3\}$에 대하여 다음 대응 중 X에서 Y로의 함수가 아닌 것은?

① $x \longrightarrow |x|$　② $x \longrightarrow -x+2$
③ $x \longrightarrow 2x-3$　④ $x \longrightarrow x-1$
⑤ $x \longrightarrow x^2-x-1$

02

함수 $f(x)=\begin{cases} x+2 & (x>0) \\ -x^2+1 & (x \le 0) \end{cases}$에 대하여 $f(-2)+f(2)$의 값을 구하여라.

03

자연수 전체의 집합 N에 대하여 N에서 N으로의 함수 f를

$f(n)=(3^n$의 일의 자리의 숫자$)$

로 정의할 때, 함수 f의 치역의 모든 원소의 합을 구하여라.

04

집합 X를 정의역으로 하는 두 함수 $f(x)=2x^2-1$, $g(x)=2x+3$에 대하여 $f=g$가 되도록 하는 집합 X를 모두 구하여라. (단, $X \ne \varnothing$)

05

실수 전체의 집합 R에 대하여 다음 중 R에서 R로의 함수의 그래프인 것은?

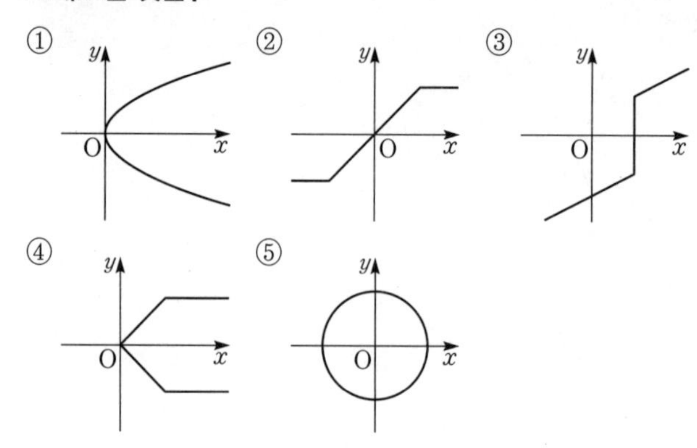

06

집합 $X=\{1, 2, 3, 4\}$에 대하여 X에서 X로의 함수 중 일대일대응의 개수를 a, 상수함수의 개수를 b라고 할 때, $a+b$의 값을 구하여라.

07

두 함수 $f(x)=x-a$, $g(x)=x^2+1$에 대하여 $(f \circ g)(1)=a$일 때, 상수 a의 값을 구하여라.

08

함수 f에 대하여 $f\left(\frac{3x+1}{2}\right)=x^2-6$일 때, $f(5)$의 값을 구하여라.

09

두 함수 $f(x)=ax+3$, $g(x)=-x+4$에 대하여 $f\circ g=g\circ f$가 성립할 때, $f(2)$의 값을 구하여라.

(단, a는 상수이다.)

10

함수 $f(x)=\frac{1}{1-x}$에 대하여

$f^1(x)=f(x)$, $f^{n+1}(x)=(f\circ f^n)(x)$로 정의할 때, $f^{200}(-1)$의 값을 구하여라. (단, n은 자연수이다.)

11

정의역이 $X=\{x\mid -1\le x\le 1\}$, 공역이 $Y=\{y\mid a\le y\le b\}$인 함수 $f(x)=-2x+1$의 역함수가 존재하도록 하는 상수 a, b에 대하여 $a+b$의 값을 구하여라.

12

집합 $X=\{1, 2, 3, 4\}$에 대하여 X에서 X로의 두 함수 f와 g가 다음 그림과 같을 때, $(f\circ g^{-1})(1)+(g\circ f)^{-1}(4)$의 값을 구하여라.

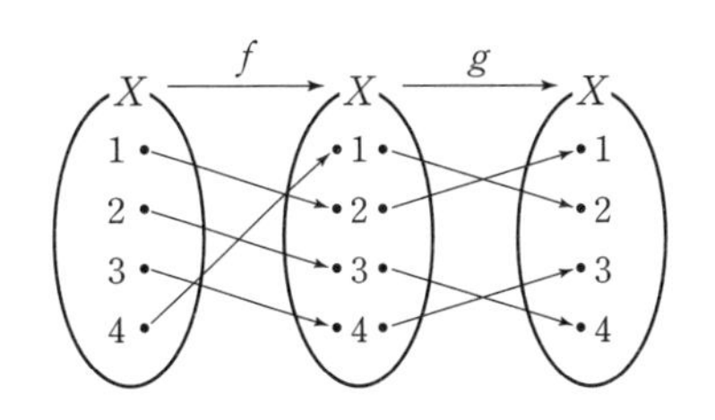

13

두 함수 $f(x)=x+1$, $g(x)=2x+6$에 대하여 $(f\circ(g\circ f)^{-1}\circ f)(1)$의 값을 구하여라.

14

함수 $y=f(x)$의 그래프와 직선 $y=x$가 다음 그림과 같을 때, $(f\circ f\circ f)^{-1}(b)$의 값은? (단, 모든 점선은 x축 또는 y축에 평행하다.)

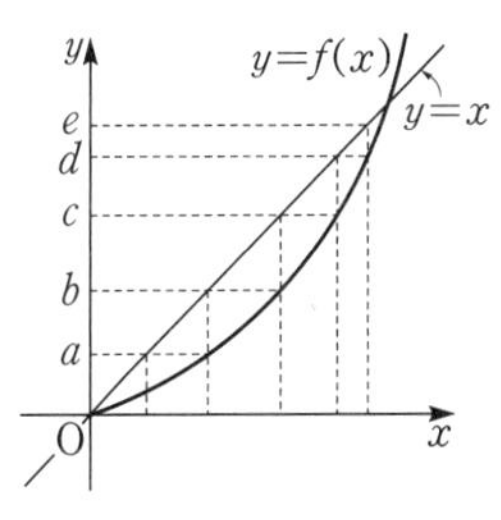

① a　② b　③ c　④ d　⑤ e

유리식의 뜻과 계산

1 유리식

두 다항식 A, $B(B\neq0)$에 대하여 $\frac{A}{B}$의 꼴로 나타낸 식을 유리식이라고 한다.

특히, B가 0이 아닌 상수이면 $\frac{A}{B}$는 다항식이 되므로 다항식도 유리식이다.

또, 유리식 중에서 다항식이 아닌 유리식을 분수식이라고 한다.

2 유리식의 계산

네 다항식 A, B, C, D에 대하여

① $\frac{A}{B}+\frac{C}{D}=\frac{AD+BC}{BD}$ (단, $BD\neq0$)

② $\frac{A}{B}-\frac{C}{D}=\frac{AD-BC}{BD}$ (단, $BD\neq0$)

③ $\frac{A}{B}\times\frac{C}{D}=\frac{AC}{BD}$ (단, $BD\neq0$)

④ $\frac{A}{B}\div\frac{C}{D}=\frac{A}{B}\times\frac{D}{C}=\frac{AD}{BC}$ (단, $BCD\neq0$)

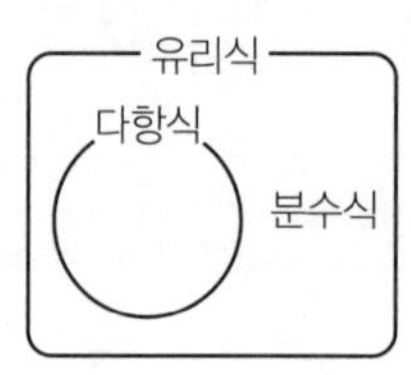

› 분모에 x가 없는 식을 다항식, 분모에 x가 있는 식을 분수식이라고 한다.
예를 들어 $\frac{1}{x}$, $\frac{1}{2x-1}$, $\frac{x-1}{x+2}$, $\frac{x+1}{3}$은 모두 유리식이며, 이 중에서 $\frac{1}{x}$, $\frac{1}{2x-1}$, $\frac{x-1}{x+2}$은 분수식이고, $\frac{x+1}{3}$은 다항식이다.

유형 01 유리식의 뜻

01 다음 ( ) 안에 다항식인 것은 '다', 분수식인 것은 '분'을 써넣어라.

(1) $\frac{x+1}{x}$ ( )

› 풀이 분모에 x가 있으므로 ______이다.

(2) $\frac{x}{3}+\frac{1}{2}$ ( )

(3) $\frac{x^2-x}{5}$ ( )

(4) $\frac{4}{x(x+1)}$ ( )

(5) $x+\frac{1}{x^2}$ ( )

풍쌤 POINT

① 다항식 ➡ 분모에 x가 없는 식

② 분수식 ➡ 분모에 x가 있는 식

유형 02 유리식의 계산

02 다음 식을 간단히 하여라.

(1) $\frac{2}{x+1}+\frac{1}{x+2}$

› 풀이 $\frac{2}{x+1}+\frac{1}{x+2}=\frac{2(x+2)+(x+1)}{(x+1)(x+2)}$

$=$ ______

(2) $\frac{1}{x}+\frac{3}{x-3}$

(3) $\frac{3}{x-1}-\frac{2}{x+1}$

(4) $\frac{1}{2+x}-\frac{1}{2-x}$

(5) $\frac{1}{x(x-5)}-\frac{1}{x(x+5)}$

03 다음 식을 간단히 하여라.

(1) $\frac{x-2}{x^2-x}\times\frac{x^2+x}{x^2-4}$

> 풀이 $\frac{x-2}{x^2-x}\times\frac{x^2+x}{x^2-4}=\frac{x-2}{x(x-1)}\times\frac{x(x+1)}{(x+2)(x-2)}$
> $=$ ______

(2) $\frac{x^2-25}{x^2+5x}\times\frac{x^2}{x-5}$

(3) $\frac{x-3}{x^2-x-2}\times\frac{x^2-3x+2}{x^2-9}$

04 다음 식을 간단히 하여라.

(1) $\frac{x-1}{x+4}\div\frac{x^2+x-2}{x^2-16}$

> 풀이 $\frac{x-1}{x+4}\div\frac{x^2+x-2}{x^2-16}=\frac{x-1}{x+4}\times\frac{(x+4)(x-4)}{(x+2)(x-1)}$
> $=$ ______

(2) $\frac{x^2+x-20}{x^2-x-20}\div\frac{x-4}{x+4}$

(3) $\frac{x^2+5x+4}{x^2-5x+6}\div\frac{x^2+3x-4}{x^2-4x+3}$

05 다음 식을 간단히 하여라.

(1) $\frac{1}{x+1}+\frac{1}{x^2-1}-\frac{x+1}{x^2+3x-4}$

> 풀이 $\frac{1}{x+1}+\frac{1}{x^2-1}-\frac{x+1}{x^2+3x-4}$
> $=\frac{1}{x+1}+\frac{1}{(x+1)(x-1)}-\frac{x+1}{(x+4)(x-1)}$
> $=\frac{(x+4)(x-1)+(x+4)-(x+1)^2}{(x+4)(x+1)(x-1)}$
> $=$ ______

(2) $\frac{x-1}{x^2-x-6}-\frac{2x}{2x^2+5x+2}+\frac{5}{2x^2-5x-3}$

(3) $\frac{x-3}{x^2-2x-8}\div\frac{2x+1}{x^2-3x-4}\times\frac{x+2}{x^2-2x-3}$

(4) $\frac{x^2+x}{x^2-x}\times\frac{x^2-4x+3}{x^2+3x+2}\div\frac{x-3}{x+2}$

(5) $\frac{3}{2x+1}\times\frac{4x^2-1}{5x+3}-\frac{x^2-2x}{x^2+2x}\div\frac{5x+3}{x+2}$

풍쌤 POINT

① 유리식의 덧셈과 뺄셈
➡ 분모를 통분하여 분자끼리 계산한다.

② 유리식의 곱셈
➡ 분모는 분모끼리, 분자는 분자끼리 곱하여 계산한다.

③ 유리식의 나눗셈
➡ 나누는 식의 분자와 분모를 바꾸어 곱하여 계산한다.

여러 가지 유리식의 계산

1 복잡한 유리식의 계산

① 분자의 차수가 분모의 차수보다 크거나 같을 때

➡ 분자에서 분모를 묶어 내어 분자의 차수를 낮춘다.

② 분모가 두 인수의 곱일 때 ➡ 부분분수로 변형한다.

$$\frac{1}{AB}=\frac{1}{B-A}\left(\frac{1}{A}-\frac{1}{B}\right)\ (\text{단, } AB\neq0,\ A\neq B)$$

정답과 풀이 028쪽

유형·03 (분자의 차수)≥(분모의 차수)인 유리식

06 다음 식을 간단히 하여라.

(1) $\frac{x-4}{x-5}-\frac{x-6}{x-7}$

> 풀이 $\frac{x-4}{x-5}-\frac{x-6}{x-7}=\frac{(x-5)+1}{x-5}-\frac{(x-7)+1}{x-7}$
>
> $=\left(1+\frac{1}{x-5}\right)-\left(1+\frac{1}{x-7}\right)$
>
> $=\frac{1}{x-5}-\frac{1}{x-7}=\frac{(x-7)-(x-5)}{(x-5)(x-7)}$
>
> $=$ ________

(2) $\frac{x-6}{x-4}-\frac{x-5}{x-2}$

(3) $\frac{2x-3}{x-1}-\frac{2x+5}{x+1}$

(4) $\frac{x^2+x+2}{x+1}-\frac{x^2-x-1}{x-1}$

풍쌤 POINT

(분자의 차수)≥(분모의 차수)일 때

➡ 분자를 분모로 나누어 (몫)$+\frac{(\text{나머지})}{(\text{분모})}$로 나타낸다.

유형·04 부분분수의 변형

07 다음 식을 부분분수로 변형하여라.

(1) $\frac{1}{(x+1)(x+2)}$

> 풀이 $\frac{1}{(x+1)(x+2)}$
>
> $=\frac{1}{(x+2)-(x+1)}\left(\frac{1}{x+1}-\frac{1}{x+2}\right)$
>
> $=\frac{1}{x+1}-$ ________

(2) $\frac{1}{(x+2)(x+4)}$

(3) $\frac{2}{(x+1)(x+3)}$

(4) $\frac{4}{(2x+3)(2x+5)}$

풍쌤 POINT

분모가 두 인수의 곱일 때

➡ $\frac{1}{AB}=\frac{1}{B-A}\left(\frac{1}{A}-\frac{1}{B}\right)$ (단, $AB\neq0$, $A\neq B$)

유리함수

1 유리함수

함수 $y=f(x)$에서 $f(x)$가 x에 대한 유리식일 때, 이 함수를 유리함수라고 한다. 특히, $f(x)$가 x에 대한 다항식일 때, 이 함수를 다항함수라고 한다.

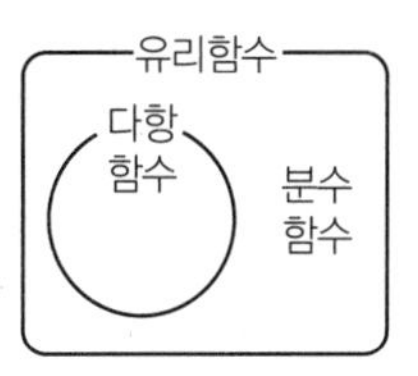

2 유리함수의 정의역

일반적으로 다항함수가 아닌 유리함수에서 정의역이 주어져 있지 않은 경우에는 분모가 0이 되지 않도록 하는 실수 전체의 집합을 정의역으로 한다.

참고 다항함수의 정의역은 실수 전체의 집합이다.

› 함수 $y=\frac{1}{x}$의 정의역
➡ $\{x|x\neq0$인 실수$\}$

정답과 풀이 029쪽

유형 05 유리함수의 뜻

08 다음 (　　) 안에 다항함수인 것은 '다', 분수함수인 것은 '분'을 써넣어라.

(1) $y=\frac{x+1}{x+2}$ (　　)

› 풀이 $y=$(분수식)이므로 ______이다.

(2) $y=\frac{2x-1}{3}$ (　　)

(3) $y=\frac{1}{5-x}$ (　　)

(4) $y=1-\frac{1}{x^2}$ (　　)

(5) $y=\frac{3x^2+x}{4}$ (　　)

풍쌤 POINT
① 다항함수 ➡ $y=$(다항식)
② 분수함수 ➡ $y=$(분수식)

유형 06 유리함수의 정의역

09 다음 유리함수의 정의역을 구하여라.

(1) $y=\frac{1}{2x}$

› 풀이 $\{x|$______인 실수$\}$

(2) $y=\frac{5}{x-4}$

(3) $y=\frac{1}{1-2x}$

(4) $y=\frac{1}{x^2-1}$

(5) $y=\frac{2x}{x^2+3}$

풍쌤 POINT
유리함수의 정의역
➡ (분모)$\neq0$인 실수 전체의 집합

유리함수 $y=\frac{k}{x}\,(k\neq0)$의 그래프

1 유리함수 $y=\frac{k}{x}\,(k\neq0)$의 그래프

① 정의역과 치역은 모두 0을 제외한 실수 전체의 집합이다.

② $k>0$이면 그래프는 제1사분면, 제3사분면에 있고, $k<0$이면 그래프는 제2사분면, 제4사분면에 있다.

③ 원점 및 두 직선 $y=x$, $y=-x$에 대하여 대칭이다.

④ 점근선은 x축, y축이다.

⑤ $|k|$의 값이 커질수록 그래프는 원점에서 멀어진다.

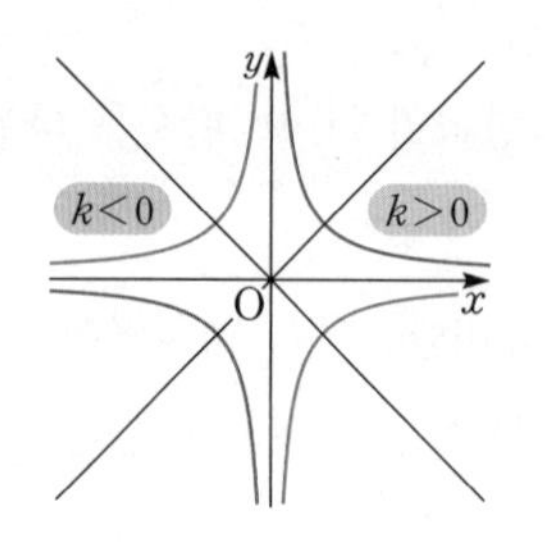

> **점근선**
> 곡선이 어떤 직선에 한없이 가까워질 때, 이 직선을 그 곡선의 점근선이라고 한다.

유형·07 유리함수 $y=\frac{k}{x}$의 그래프

정답과 풀이 029쪽

10 다음 함수의 그래프를 그려라.

(1) $y=\frac{1}{x}$

> 풀이

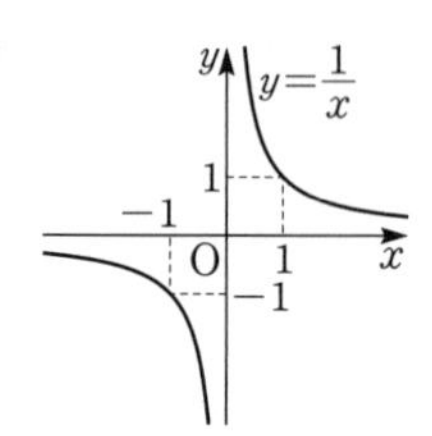

(2) $y=\frac{3}{x}$

(3) $y=\frac{1}{2x}$

(4) $y=-\frac{1}{x}$

(5) $y=-\frac{3}{x}$

(6) $y=-\frac{1}{2x}$

> **풍쌤 POINT**
> 유리함수 $y=\frac{k}{x}\,(k\neq0)$의 그래프
> ➡ 원점에 대하여 대칭인 쌍곡선이다.

유리함수 $y=\frac{k}{x-p}+q\ (k\neq0)$의 그래프

❶ 유리함수 $y=\frac{k}{x-p}+q\ (k\neq0)$의 그래프

① 유리함수 $y=\frac{k}{x}$의 그래프를 x축의 방향으로 p만큼, y축의 방향으로 q만큼 평행이동한 것이다.

② 정의역은 $\{x|x\neq p$인 실수$\}$, 치역은 $\{y|y\neq q$인 실수$\}$이다.

③ 점 (p, q)에 대하여 대칭이다.

④ 점 (p, q)를 지나고 기울기가 ±1인 두 직선에 대하여 대칭이다.

⑤ 점근선은 두 직선 $x=p$, $y=q$이다.

⑥ $|k|$의 값이 커질수록 그래프는 점 (p, q)에서 멀어진다.

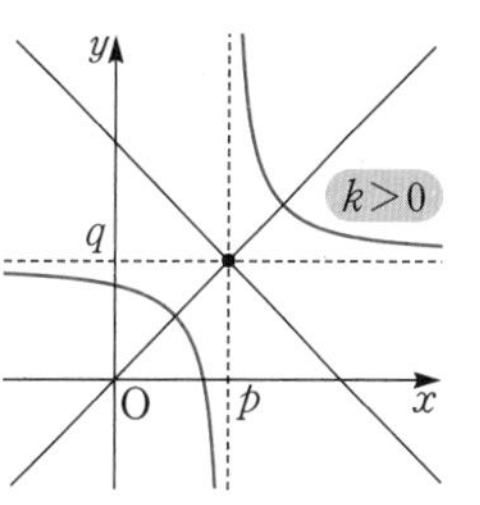

› 유리함수의 그래프가 평행이동한 만큼 점근선도 평행이동한다.

유형 08 유리함수 $y=\frac{k}{x-p}+q$의 그래프

정답과 풀이 029쪽

11 다음 함수의 그래프를 x축의 방향으로 p만큼, y축의 방향으로 q만큼 평행이동한 그래프의 식을 구하여라.

(1) $y=\frac{1}{x}$ $[p=2, q=3]$

› 풀이 함수 $y=\frac{1}{x}$의 그래프를 x축의 방향으로 2만큼, y축의 방향으로 3만큼 평행이동하면 $y-3=\frac{1}{x-2}$

$\therefore y=$ ________

(2) $y=\frac{2}{x}$ $[p=-5, q=6]$

(3) $y=-\frac{1}{x}$ $[p=3, q=-2]$

(4) $y=-\frac{3}{x}$ $[p=-4, q=-1]$

(5) $y=\frac{1}{3x}$ $[p=4, q=-4]$

(6) $y=\frac{2}{5x}$ $[p=-1, q=-2]$

(7) $y=-\frac{1}{2x}$ $[p=1, q=2]$

(8) $y=-\frac{1}{4x}$ $[p=-3, q=-5]$

12 다음은 함수 $y=\frac{1}{x}$의 그래프를 x축의 방향으로 p만큼, y축의 방향으로 q만큼 평행이동한 그래프의 식이다. 상수 p, q의 값을 각각 구하여라.

(1) $y=\frac{1}{x-4}+5$

> **풀이** 함수 $y=\frac{1}{x}$의 그래프를 x축의 방향으로 4만큼, y축의 방향으로 5만큼 평행이동하면 $y=\frac{1}{x-4}+5$이다.
> $\therefore p=$___, $q=$___

(2) $y=\frac{1}{x+2}-3$

(3) $y=\frac{1}{x+5}$

13 다음은 함수 $y=-\frac{1}{x}$의 그래프를 x축의 방향으로 p만큼, y축의 방향으로 q만큼 평행이동한 그래프의 식이다. 상수 p, q의 값을 각각 구하여라.

(1) $y=-\frac{1}{x-3}-5$

> **풀이** 함수 $y=-\frac{1}{x}$의 그래프를 x축의 방향으로 3만큼, y축의 방향으로 -5만큼 평행이동하면 $y=-\frac{1}{x-3}-5$이다.
> $\therefore p=$___, $q=$____

(2) $y=-\frac{1}{x+7}+9$

(3) $y=-\frac{1}{x}-4$

14 다음 함수의 그래프의 점근선의 방정식과 정의역, 치역을 각각 구하여라.

(1) $y=\frac{1}{x}+1$

> **풀이** 점근선의 방정식: $x=0$, $y=1$,
> 정의역: $\{x|$_____인 실수$\}$,
> 치역: $\{y|$_____인 실수$\}$

(2) $y=-\frac{3}{x-7}$

(3) $y=\frac{2}{x+4}+9$

(4) $y=-\frac{3}{x+8}-2$

(5) $y=\frac{1}{2x-4}-3$

(6) $y=\frac{-2}{3x+5}+1$

15 다음 함수의 그래프를 그려라.

(1) $y=\frac{2}{x-3}+2$

> 풀이 함수 $y=\frac{2}{x-3}+2$의 그래프는 $y=\frac{2}{x}$의 그래프를 x축의 방향으로 ___만큼, y축의 방향으로 ___만큼 평행이동한 것이다.

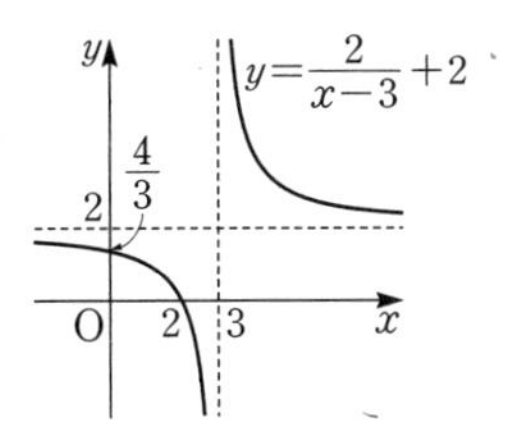

(2) $y=\frac{2}{3-x}$

(3) $y=\frac{1}{3x}-2$

(4) $y=-\frac{1}{x+5}-3$

(5) $y=\frac{1}{x-7}-6$

(6) $y=-\frac{2}{x+4}+1$

풍쌤 POINT

유리함수 $y=\frac{k}{x-p}+q$ $(k\neq0)$의 그래프

➡ 유리함수 $y=\frac{k}{x}$ $(k\neq0)$의 그래프를 x축의 방향으로 p만큼, y축의 방향으로 q만큼 평행이동한 그래프

16 함수 $y=\dfrac{k}{x-p}+q$의 그래프가 다음 그림과 같을 때, 상수 k, p, q의 값을 각각 구하여라.

(1)

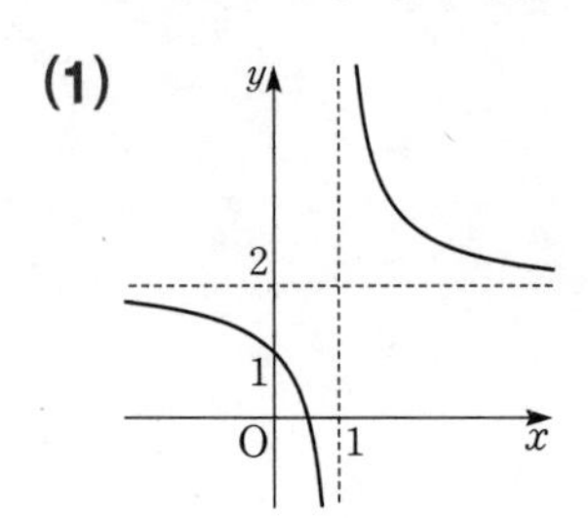

> 풀이 주어진 함수의 그래프의 점근선의 방정식이 $x=1$, $y=2$이므로

$y=\dfrac{k}{x-1}+2$ ……㉠

㉠의 그래프가 점 $(0, 1)$을 지나므로

$1=\dfrac{k}{0-1}+2$ $\therefore k=1$

$k=1$을 ㉠에 대입하면 $y=\dfrac{1}{x-1}+2$

$\therefore k=1$, $p=$___, $q=$___

(2)

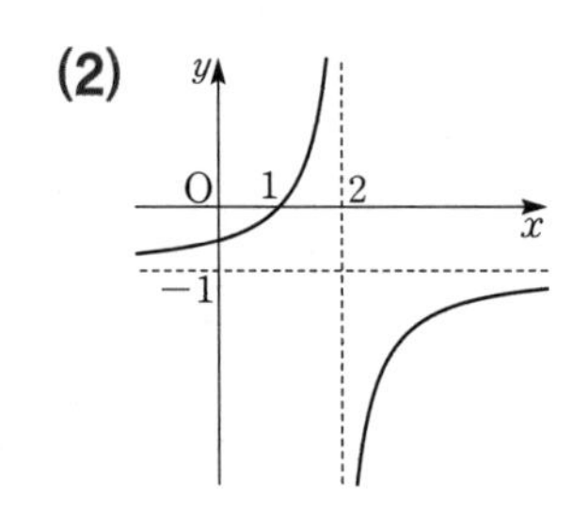

(3)

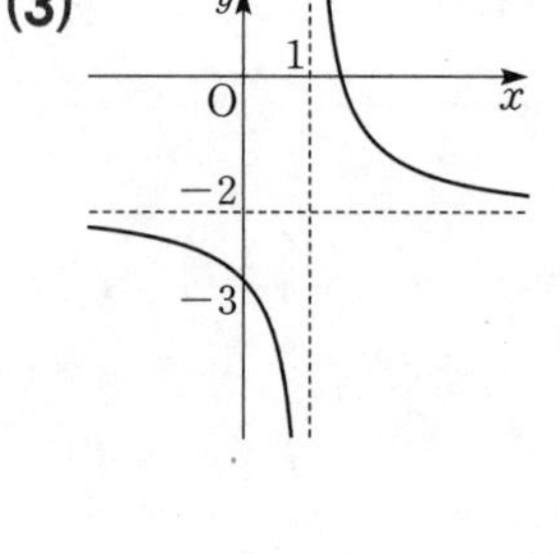

(4)

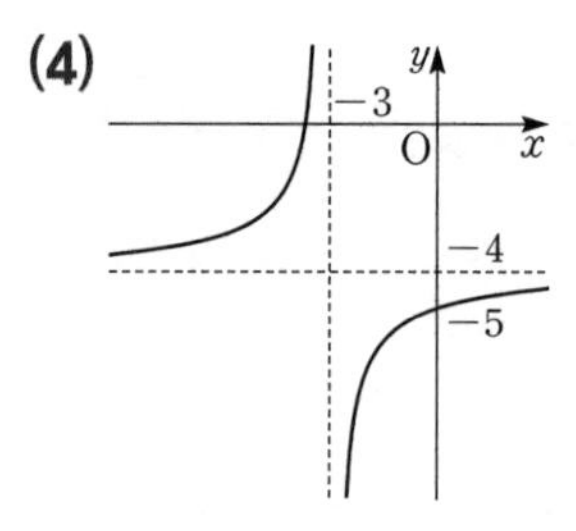

풍쌤 POINT

유리함수의 점근선의 방정식이 $x=p$, $y=q$이면

➡ 유리함수를 $y=\dfrac{k}{x-p}+q\,(k\neq0)$의 꼴로 놓는다.

유리함수의 일반형

1 유리함수 $y=\frac{ax+b}{cx+d}$ $(c\neq0,\ ad-bc\neq0)$의 그래프

① 유리함수 $y=\frac{ax+b}{cx+d}(c\neq0,\ ad-bc\neq0)$의 그래프는 $y=\frac{k}{x-p}+q(k\neq0)$의 꼴로 변형한다.

→ 변형하면 $y=\frac{a}{c}-\frac{ad-bc}{c(cx+d)}$

② 점근선의 방정식은 $x=-\frac{d}{c}$, $y=\frac{a}{c}$이다.

› 점근선의 방정식
- $x=-\frac{d}{c}$
➡ 분모를 0으로 하는 x의 값
- $y=\frac{a}{c}$
➡ x의 계수의 비

유형 10 유리함수 $y=\frac{ax+b}{cx+d}$의 그래프

정답과 풀이 031쪽

17 다음 함수의 그래프의 점근선의 방정식과 정의역, 치역을 각각 구하여라.

(1) $y=\frac{2x+1}{x-1}$

› 풀이 $y=\frac{2x+1}{x-1}=\frac{2(x-1)+3}{x-1}=\frac{3}{x-1}+2$이므로

점근선의 방정식: $x=1$, $y=2$

정의역: $\{x|$______인 실수$\}$

치역: $\{y|$______인 실수$\}$

(2) $y=\frac{3x-2}{x+1}$

(3) $y=\frac{4-x}{x-3}$

(4) $y=\frac{2x-5}{x-2}$

(5) $y=\frac{4x-7}{x-3}$

(6) $y=-\frac{x-1}{x+6}$

18 다음 함수의 그래프를 그려라.

(1) $y=\dfrac{2x-3}{x-1}$

> **풀이** $y=\dfrac{2x-3}{x-1}=\dfrac{2(x-1)-1}{x-1}=-\dfrac{1}{x-1}+2$
>
> 이므로 함수 $y=\dfrac{2x-3}{x-1}$의 그래프는 $y=-\dfrac{1}{x}$의 그래프를 x축의 방향으로 ___만큼, y축의 방향으로 ___만큼 평행이동한 것이다.

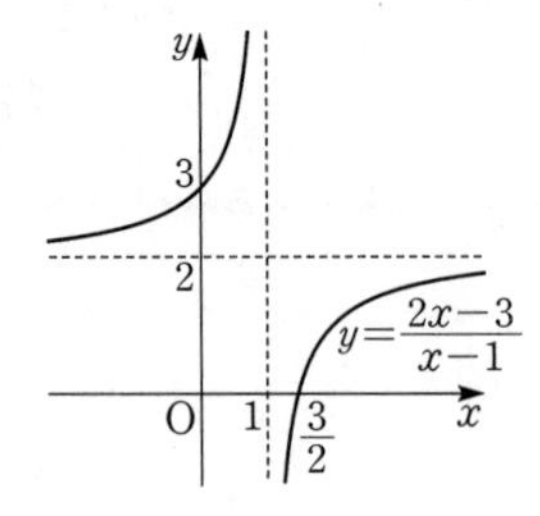

(2) $y=\dfrac{2x-4}{x-3}$

(3) $y=\dfrac{x}{x+1}$

(4) $y=\dfrac{5-2x}{x-2}$

(5) $y=\dfrac{-x+2}{2x-1}$

(6) $y=\dfrac{x+1}{2x+4}$

풍쌤 POINT

유리함수 $y=\dfrac{ax+b}{cx+d}$ $(c\neq0,\ ad-bc\neq0)$의 그래프

➡ $y=\dfrac{k}{x-p}+q$ $(k\neq0)$의 꼴로 변형하여 그린다.

유형·11 유리함수의 그래프를 이용하여 식 구하기(2)

19 함수 $y=\dfrac{ax+b}{x+c}$의 그래프가 다음 그림과 같을 때, 상수 a, b, c의 값을 각각 구하여라.

(1)

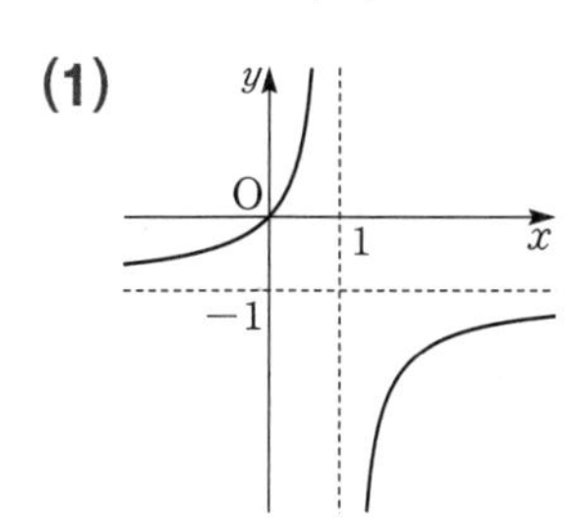

> 풀이 주어진 함수의 그래프의 점근선의 방정식이
$x=1$, $y=-1$이므로

$y=\dfrac{k}{x-1}-1$ ……㉠

㉠의 그래프가 점 $(0, 0)$을 지나므로

$0=\dfrac{k}{0-1}-1 \qquad \therefore k=-1$

$k=-1$을 ㉠에 대입하면

$y=\dfrac{-1}{x-1}-1=\dfrac{-1-(x-1)}{x-1}=\dfrac{-x}{x-1}$

$\therefore a=$____, $b=$__, $c=$____

(2)

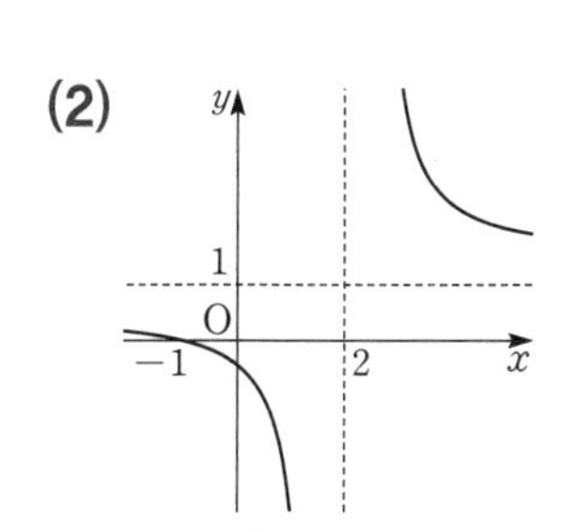

(3)

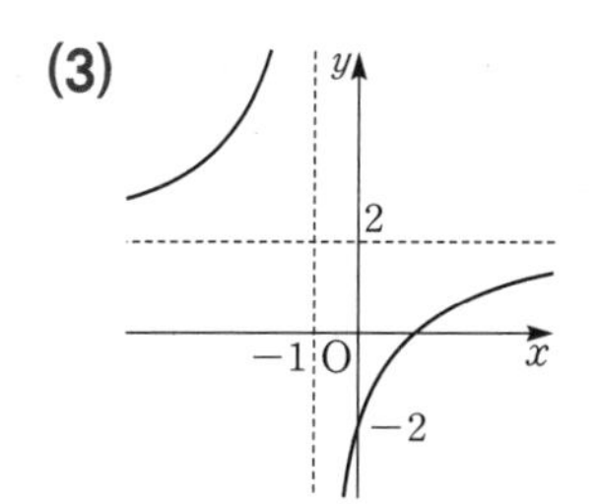

(4)

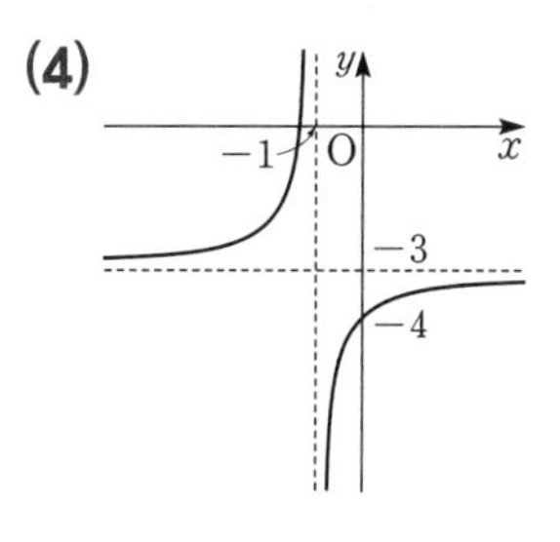

풍쌤 POINT

유리함수의 점근선의 방정식이 $x=p$, $y=q$이면

➡ 유리함수를 $y=\dfrac{k}{x-p}+q\ (k\neq0)$의 꼴로 놓는다.

유형 12 유리함수의 그래프의 평행이동

20 다음 함수의 그래프 중 그래프를 평행이동하여 $y=\frac{1}{x}$의 그래프와 겹쳐지는 것에는 ○표, 겹쳐지지 않는 것에는 ×표를 ( ) 안에 써넣어라.

(1) $y=\frac{x-4}{x-5}$ ( )

> 풀이 $y=\frac{x-4}{x-5}=\frac{(x-5)+1}{x-5}=\frac{1}{x-5}+1$
> 이므로 $y=\frac{1}{x}$의 그래프를 x축의 방향으로 ___만큼, y축의 방향으로 ___만큼 평행이동한 것이다.

(2) $y=\frac{-x}{x-1}$ ( )

(3) $y=\frac{-3x+7}{x-2}$ ( )

21 다음 함수의 그래프 중 그래프를 평행이동하여 $y=-\frac{1}{x}$의 그래프와 겹쳐지는 것에는 ○표, 겹쳐지지 않는것에는 ×표를 ( ) 안에 써넣어라.

(1) $y=-\frac{x+2}{x+3}$ ( )

> 풀이 $y=-\frac{x+2}{x+3}=\frac{-x-2}{x+3}=\frac{-(x+3)+1}{x+3}=\frac{1}{x+3}-1$
> 이므로 $y=\frac{1}{x}$의 그래프를 x축의 방향으로 ____만큼, y축의 방향으로 ____만큼 평행이동한 것이다.

(2) $y=\frac{x-1}{x}$ ( )

(3) $y=\frac{x-3}{x-1}$ ( )

풍쌤 POINT

두 함수 $y=\frac{k_1}{x-p}+q$, $y=\frac{k_2}{x-m}+n$의 그래프가 평행이동하여 겹쳐진다. ➡ $k_1=k_2$

유형 13 유리함수의 그래프의 대칭성

22 다음 함수의 그래프가 점 (a, b)에 대하여 대칭일 때, a, b의 값을 각각 구하여라.

(1) $y=\frac{2x}{x-1}$

> 풀이 $y=\frac{2x}{x-1}=\frac{2(x-1)+2}{x-1}=\frac{2}{x-1}+2$
> 이므로 주어진 함수의 그래프는 두 점근선 $x=1$, $y=2$의 교점 $(1, 2)$에 대하여 대칭이다.
> $\therefore a=$___, $b=$___

(2) $y=\frac{1-x}{x-2}$

(3) $y=\frac{2x+3}{2x-1}$

(4) $y=\frac{-2x+3}{2x+1}$

(5) $y=\frac{3x+2}{3x+1}$

(6) $y=\frac{8x-1}{4x}$

유형 14 제한된 정의역에서 유리함수의 치역

23 다음 함수의 그래프가 두 직선 $y=x+a$, $y=-x+b$에 대하여 대칭일 때, 상수 a, b의 값을 각각 구하여라.

(1) $y=\dfrac{3x}{x+1}$

> 풀이 $y=\dfrac{3x}{x+1}=\dfrac{3(x+1)-3}{x+1}=-\dfrac{3}{x+1}+3$
> 이므로 주어진 함수의 그래프는 점 $(-1,\ 3)$을 지나고 기울기가 ±1인 두 직선에 대하여 대칭이다.
> $x=-1$, $y=3$을 주어진 두 직선의 방정식에 대입하면
> $3=-1+a$, $3=1+b$
> $\therefore\ a=$___, $b=$___

(2) $y=\dfrac{2x-1}{x}$

(3) $y=\dfrac{2x-8}{x-3}$

(4) $y=\dfrac{x+2}{2x-4}$

풍쌤 POINT

함수 $y=\dfrac{k}{x-p}+q$의 그래프

➡ ① 점 $(p,\ q)$에 대하여 대칭이다.

② 점 $(p,\ q)$를 지나고 기울기가 ±1인 두 직선에 대하여 대칭이다.

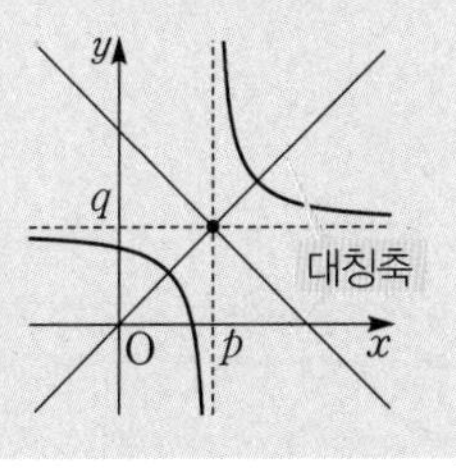

24 다음 함수의 주어진 정의역에서 치역을 구하여라.

(1) $y=\dfrac{x+1}{x-1}$,

정의역: $\{x\,|\,-1\le x<1$ 또는 $1<x\le3\}$

> 풀이 $y=\dfrac{x+1}{x-1}=\dfrac{(x-1)+2}{x-1}$
> $=\dfrac{2}{x-1}+1$
> 이므로 함수 $y=\dfrac{x+1}{x-1}$의 그래프는 그림과 같다.
> $x=-1$일 때 $y=$___,
> $x=3$일 때 $y=$___이므로
> 치역은 $\{y\,|\,y\le0$ 또는 $y\ge2\}$

(2) $y=\dfrac{2x+1}{x-2}$,

정의역: $\{x\,|\,-2\le x<2$ 또는 $2<x\le6\}$

(3) $y=\dfrac{3x-2}{x}$,

정의역: $\{x\,|\,-2\le x<0$ 또는 $0<x\le2\}$

(4) $y=-\dfrac{2x+5}{x+2}$,

정의역: $\{x\,|\,-5\le x<-2$ 또는 $-2<x\le1\}$

풍쌤 POINT

유리함수의 정의역과 치역

➡ 함수의 그래프를 그려 생각한다.

유리함수의 최대, 최소

1 정의역이 주어진 유리함수의 최대, 최소

정의역이 주어진 유리함수 $y=\frac{ax+b}{cx+d}$ $(c\neq0,\ ad-bc\neq0)$의 최댓값과 최솟값은 다음의 순서로 구한다.

(i) 주어진 함수를 $y=\frac{k}{x-p}+q$ $(k\neq0)$의 꼴로 변형한다.

(ii) 주어진 정의역에서 그래프를 그려 최댓값과 최솟값을 각각 구한다.

> **최댓값과 최솟값**
> 어떤 함수의 함숫값 중에서 가장 큰 값이 존재하면 그 값을 최댓값, 가장 작은 값이 존재하면 그 값을 최솟값이라고 한다.

유형 15 유리함수의 최대, 최소

정답과 풀이 034쪽

25 다음 함수의 주어진 정의역에서 최댓값과 최솟값을 구하여라.

(1) $y=\frac{x+1}{x+2}$, 정의역: $\{x\mid -1\leq x\leq 3\}$

> 풀이 $y=\frac{x+1}{x+2}=\frac{(x+2)-1}{x+2}$
> $=-\frac{1}{x+2}+1$
> 이므로 함수 $y=\frac{x+1}{x+2}$의 그래프는 그림과 같다.

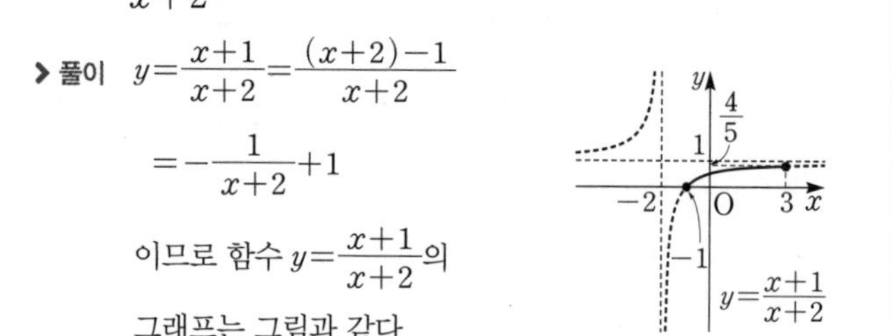

> $x=-1$일 때 $y=0$, $x=3$일 때 $y=\frac{4}{5}$이므로
> 최댓값은 ____, 최솟값은 ____이다.

(2) $y=\frac{2x+3}{x}$, 정의역: $\{x\mid 1\leq x\leq 9\}$

(3) $y=\frac{-2x-5}{x+3}$, 정의역: $\{x\mid -8\leq x\leq -4\}$

(4) $y=\frac{4x-9}{x-2}$, 정의역: $\{x\mid 3\leq x\leq 6\}$

(5) $y=\frac{3x}{x-1}$, 정의역: $\{x\mid -2\leq x\leq 0\}$

(6) $y=\frac{10-3x}{x-4}$, 정의역: $\{x\mid 5\leq x\leq 8\}$

> **풍쌤 POINT**
> 유리함수 $y=f(x)$의 정의역이 점근선 $x=k$의 왼쪽 또는 오른쪽에 위치하고 $\{x\mid \alpha\leq x\leq \beta\}$일 때
> ➡ $f(\alpha)$, $f(\beta)$ 중에서 큰 값이 최댓값이고, 작은 값이 최솟값이다.

유리함수의 역함수

1 유리함수의 역함수

유리함수 $y=\frac{ax+b}{cx+d}$ $(c\neq0,\ ad-bc\neq0)$의 역함수는 다음의 순서로 구한다.

(i) x와 y를 서로 바꾼다. ➡ $x=\frac{ay+b}{cy+d}$

(ii) y를 x에 대한 식으로 나타낸다.

➡ $x(cy+d)=ay+b$에서 $(cx-a)y=-dx+b$

$\therefore\ y=\frac{-dx+b}{cx-a}$

› 함수의 역함수를 구할 때, x를 y에 대한 식으로 나타낸 후 x와 y를 서로 바꾸어도 된다.

유형 15 유리함수의 역함수 구하기

정답과 풀이 035쪽

26 다음 유리함수의 역함수를 구하여라.

(1) $y=\frac{-x+3}{x+2}$

› 풀이 x와 y를 서로 바꾸면 $x=\frac{-y+3}{y+2}$

y를 x에 대한 식으로 나타내면

$x(y+2)=-y+3,\ xy+2x=-y+3$

$y(x+1)=-2x+3$

$\therefore\ y=$ ______

(2) $y=\frac{5x+4}{x+1}$

(3) $y=\frac{4x+1}{x-3}$

(4) $y=\frac{x-6}{2x-5}$

27 다음 함수 $f(x)$와 그 역함수 $f^{-1}(x)$에 대하여 $f(x)=f^{-1}(x)$를 만족시키는 상수 a의 값을 구하여라.

(1) $f(x)=\frac{3}{x+a}+2$

› 풀이 $y=\frac{3}{x+a}+2$로 놓고, x와 y를 서로 바꾸면

$x=\frac{3}{y+a}+2$

y를 x에 대한 식으로 나타내면

$x-2=\frac{3}{y+a},\ y+a=\frac{3}{x-2}$

$y=\frac{3}{x-2}-a \qquad \therefore\ f^{-1}(x)=\frac{3}{x-2}-a$

$f(x)=f^{-1}(x)$이므로

$\frac{3}{x+a}+2=\frac{3}{x-2}-a \qquad \therefore\ a=$ ______

(2) $f(x)=\frac{2}{x-5}+a$

(3) $f(x)=\frac{4x-3}{x+a}$

(4) $f(x)=1-\frac{1}{x+a}$

풍쌤 POINT

$f(x)=\frac{ax+b}{cx+d}$ ➡ $f^{-1}(x)=\frac{-dx+b}{cx-a}$

· 중단원 점검문제 ·

01

상수 a, b, c에 대하여

$$\frac{1}{x}+\frac{2}{x-1}-\frac{3}{x+1}=\frac{ax^2+bx+c}{x(x-1)(x+1)}$$

일 때, $a+b+c$의 값을 구하여라.

02

다음 식을 간단히 하여라.

$$\frac{x^2-y^2}{x^2-2xy+y^2}\times\frac{x^2+xy-2y^2}{x^2+xy}\div\frac{x^2-4y^2}{x^2-2xy}$$

03

다음 식을 간단히 하여라.

$$\frac{1}{x^2+x}+\frac{1}{x^2+3x+2}+\frac{1}{x^2+5x+6}$$

04

다음 보기의 유리함수 중 분수함수인 것만을 있는 대로 골라라.

보기

ㄱ. $y=\frac{x+1}{2}$　　ㄴ. $y=\frac{2}{x+1}$

ㄷ. $y=\frac{3}{4}x$　　ㄹ. $y=\frac{1}{1-x}$

05

유리함수 $y=\frac{b}{x-a}+c$의 그래프가 오른쪽 그림과 같을 때, 상수 a, b, c에 대하여 $a+b+c$의 값을 구하여라.

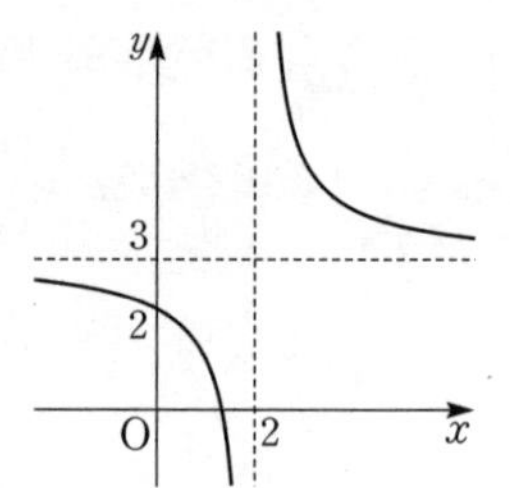

06

유리함수 $y=\frac{1}{x+1}-3$의 그래프를 y축의 방향으로 a만큼 평행이동한 그래프가 원점을 지날 때, 상수 a의 값을 구하여라.

07

유리함수 $y=\frac{ax-2}{x+b}$의 그래프의 점근선의 방정식이 $x=1$, $y=-2$일 때, 상수 a, b에 대하여 $a+b$의 값을 구하여라.

08

유리함수 $y=\frac{-3x-4}{x+1}$의 그래프가 지나지 않는 사분면을 구하여라.

09

유리함수 $y=\frac{-x+5}{x-2}$의 그래프는 $y=\frac{a}{x}$의 그래프를 x축의 방향으로 b만큼, y축의 방향으로 c만큼 평행이동한 것이다. 상수 a, b, c에 대하여 $a+b+c$의 값을 구하여라.

10

유리함수 $y=\frac{x+k}{x+1}$의 그래프를 평행이동한 그래프가 $y=\frac{3}{x}$의 그래프와 겹쳐질 때, 상수 k의 값을 구하여라.

11

유리함수 $y=\frac{4x-5}{x-1}$의 그래프가 점 $(p,\ q)$에 대하여 대칭일 때, $p+q$의 값을 구하여라.

12

유리함수 $y=\frac{4-2x}{x-1}$의 정의역이 $\{x|-1\leq x<1\}$ 또는 $\{1<x\leq 2\}$일 때, 치역을 구하여라.

13

정의역이 $\{x|-2\leq x\leq a\}$인 유리함수 $y=\frac{4}{x}$의 최솟값이 -8, 최댓값이 b일 때, 음수 a, b에 대하여 ab의 값을 구하여라.

14

유리함수 $f(x)=\frac{2x+a}{x+2}$의 역함수가 $f^{-1}(x)=\frac{3-2x}{x-b}$일 때, 상수 a, b에 대하여 $a+b$의 값을 구하여라.

무리식

1 무리식

근호 안에 문자가 포함되어 있는 식 중에서 유리식으로 나타낼 수 없는 식

2 무리식의 값이 실수가 될 조건

무리식의 값이 실수가 되려면 근호 안의 식의 값이 양수 또는 0이어야 한다.
따라서 무리식의 계산을 할 때는

(근호 안의 식의 값)≥ 0, (분모의 값)$\neq 0$

인 범위에서 생각한다.

> $\sqrt{x}$, $\sqrt{x-1}$, $\dfrac{1}{\sqrt{x}+1}$ 등은 모두 무리식이다.

정답과 풀이 038쪽

유형 01 무리식의 뜻

01 다음 ( ) 안에 유리식인 것은 '유', 무리식인 것은 '무'를 써넣어라.

(1) $\sqrt{2x+1}$ ( )

> 풀이 근호 안에 문자가 있고, 유리식으로 나타낼 수 없으므로 ______이다.

(2) $\sqrt{2}x-1$ ( )

(3) $\dfrac{\sqrt{3}}{x}$ ( )

(4) $\dfrac{x}{x+\sqrt{5}}$ ( )

(5) $\dfrac{x}{\sqrt{2-x}}$ ( )

(6) $\dfrac{\sqrt{x}-4}{\sqrt{x}+4}$ ( )

풍쌤 POINT

- 유리식
  - 다항식 → $\dfrac{x+1}{2}$, $2x^2-3x$, $\sqrt{2}x$, $x+\sqrt{3}$ ⋯
  - 분수식 → $\dfrac{1}{x-1}$, $\dfrac{2x+1}{(x-1)(x-3)}$, ⋯
- 무리식 → $\sqrt{x}$, $\sqrt{x-1}$, $\dfrac{2}{\sqrt{x-1}}$, ⋯

유형 02 무리식의 값이 실수가 될 조건

02 다음 무리식의 값이 실수가 되도록 하는 x의 값의 범위를 구하여라.

(1) $\sqrt{2x-4}$

> 풀이 $\sqrt{2x-4}$에서 $2x-4\geq 0$이어야 하므로
> $x\geq$ ___

(2) $\sqrt{3-x}+\sqrt{x+1}$

(3) $\sqrt{3x-12}-\sqrt{10-2x}$

(4) $\dfrac{1}{\sqrt{4x+1}}$

(5) $\sqrt{7-x}+\dfrac{1}{\sqrt{x-5}}$

(6) $\dfrac{\sqrt{6-x}}{\sqrt{x-3}}$

풍쌤 POINT

① $\sqrt{A}$의 값이 실수 ➡ $A\geq 0$

② $\dfrac{1}{\sqrt{A}}$의 값이 실수 ➡ $A>0$

분모의 유리화

1 제곱근의 성질

두 실수 a, b에 대하여

① $\sqrt{a^2}=|a|=\begin{cases} a & (a\geq 0) \\ -a & (a<0) \end{cases}$　② $(\sqrt{a})^2=a\ (a\geq 0)$

③ $\sqrt{a}\sqrt{b}=\sqrt{ab}\ (a>0,\ b>0)$　④ $\dfrac{\sqrt{a}}{\sqrt{b}}=\sqrt{\dfrac{a}{b}}\ (a>0,\ b>0)$

2 분모의 유리화

$a>0$, $b>0$일 때

① $\dfrac{1}{\sqrt{a}}=\dfrac{\sqrt{a}}{\sqrt{a}\sqrt{a}}=\dfrac{\sqrt{a}}{a}$

② $\dfrac{1}{\sqrt{a}-\sqrt{b}}=\dfrac{\sqrt{a}+\sqrt{b}}{(\sqrt{a}-\sqrt{b})(\sqrt{a}+\sqrt{b})}=\dfrac{\sqrt{a}+\sqrt{b}}{a-b}$

③ $\dfrac{1}{\sqrt{a}+\sqrt{b}}=\dfrac{\sqrt{a}-\sqrt{b}}{(\sqrt{a}+\sqrt{b})(\sqrt{a}-\sqrt{b})}=\dfrac{\sqrt{a}-\sqrt{b}}{a-b}$

› 음수의 제곱근의 성질

① $a<0$, $b<0$이면
$\sqrt{a}\sqrt{b}=-\sqrt{ab}$

② $a>0$, $b<0$이면
$\dfrac{\sqrt{a}}{\sqrt{b}}=-\sqrt{\dfrac{a}{b}}$

› 분모의 유리화

분모에 근호가 포함되어 있는 수 또는 식의 분모, 분자에 적당한 수 또는 식을 곱하여 분모에 근호가 포함되어 있지 않도록 변형하는 것

유형·03 제곱근의 성질

정답과 풀이 038쪽

03 $a<0$일 때, 다음 식의 값이 양수인 것은 '양', 음수인 것은 '음'을 (　　) 안에 써넣어라.

(1) $\sqrt{a^2}$ (　　)

› 풀이 $a<0$일 때, $-a>0$
$\sqrt{a^2}=|a|=-a$이므로 ______이다.

(2) $-\sqrt{a^2}$ (　　)

(3) $\sqrt{(-a)^2}$ (　　)

(4) $-\sqrt{(-a)^2}$ (　　)

(5) $(-\sqrt{-a})^2$ (　　)

04 다음 식을 간단히 하여라.

(1) $\sqrt{a^2-2a+1}+\sqrt{a^2-4a+4}$ (단, $1<a<2$)

› 풀이 $1<a<2$일 때
$\sqrt{a^2-2a+1}+\sqrt{a^2-4a+4}=\sqrt{(a-1)^2}+\sqrt{(a-2)^2}$
$=|a-1|+|a-2|$
$=(a-1)-(a-2)=$ ___

(2) $\sqrt{9-6a+a^2}+\sqrt{a^2+2a+1}$ (단, $-1<a<3$)

(3) $\sqrt{a^2+a+\dfrac{1}{4}}+\sqrt{a^2-a+\dfrac{1}{4}}$ $\left(단,\ -\dfrac{1}{2}<a<\dfrac{1}{2}\right)$

풍쌤 POINT

① $\sqrt{a^2}=|a|=\begin{cases} a & (a\geq 0) \\ -a & (a<0) \end{cases}$　② $\sqrt{(a-b)^2}=|a-b|$

정답과 풀이 038쪽

유형 04 분모의 유리화

05 다음 식의 분모를 유리화하여라.

(1) $\dfrac{x}{\sqrt{x+1}+1}$

> 풀이 $\dfrac{x}{\sqrt{x+1}+1}=\dfrac{x(\sqrt{x+1}-1)}{(\sqrt{x+1}+1)(\sqrt{x+1}-1)}$
> $=\dfrac{x(\sqrt{x+1}-1)}{x+1-1}=$ ______

(2) $\dfrac{1}{\sqrt{x}+\sqrt{x-1}}$

(3) $\dfrac{4}{\sqrt{x+2}-\sqrt{x-2}}$

(4) $\dfrac{\sqrt{x}-\sqrt{y}}{\sqrt{x}+\sqrt{y}}$

(5) $\dfrac{x}{\sqrt{1+x}+\sqrt{1-x}}$

(6) $\dfrac{\sqrt{x-1}+\sqrt{x}}{\sqrt{x-1}-\sqrt{x}}$

풍쌤 POINT

$a>0$, $b>0$, $a\neq b$일 때

$\dfrac{c}{\sqrt{a}+\sqrt{b}}=\dfrac{c(\sqrt{a}-\sqrt{b})}{(\sqrt{a}+\sqrt{b})(\sqrt{a}-\sqrt{b})}=\dfrac{c(\sqrt{a}-\sqrt{b})}{a-b}$

유형 05 무리식의 계산

06 다음 식을 간단히 하여라.

(1) $\dfrac{1}{\sqrt{x}+\sqrt{y}}+\dfrac{1}{\sqrt{x}-\sqrt{y}}$

> 풀이 $\dfrac{1}{\sqrt{x}+\sqrt{y}}+\dfrac{1}{\sqrt{x}-\sqrt{y}}=\dfrac{\sqrt{x}-\sqrt{y}+\sqrt{x}+\sqrt{y}}{(\sqrt{x}+\sqrt{y})(\sqrt{x}-\sqrt{y})}$
> $=$ ______

(2) $\dfrac{1}{\sqrt{x}+1}+\dfrac{1}{\sqrt{x}-1}$

(3) $\dfrac{1}{\sqrt{x+1}+\sqrt{x}}-\sqrt{x+1}+\sqrt{x}$

(4) $\dfrac{1}{1+\sqrt{1+x}}+\dfrac{1}{1-\sqrt{1+x}}$

(5) $\dfrac{\sqrt{x}}{\sqrt{x-1}+\sqrt{x}}-\dfrac{\sqrt{x}}{\sqrt{x-1}-\sqrt{x}}$

(6) $\dfrac{\sqrt{x+y}-\sqrt{x-y}}{\sqrt{x+y}+\sqrt{x-y}}+\dfrac{\sqrt{x+y}+\sqrt{x-y}}{\sqrt{x+y}-\sqrt{x-y}}$

풍쌤 POINT

분모에 근호를 포함한 식

➡ $(\sqrt{A}+\sqrt{B})(\sqrt{A}-\sqrt{B})=A-B$임을 이용하여 분모를 유리화한다.

무리함수

1 무리함수

함수 $y=f(x)$에서 $f(x)$가 x에 대한 무리식일 때, 이 함수를 무리함수라고 한다.

2 무리함수의 정의역

무리함수에서 정의역이 주어져 있지 않은 경우에는 근호 안의 식의 값이 양수 또는 0이 되도록 하는 실수의 집합을 정의역으로 한다.

› 함수 $y=\sqrt{x}$의 정의역
➡ $\{x|x\geq0\}$

정답과 풀이 039쪽

유형·06 무리함수의 뜻

07 다음 (   ) 안에 무리함수인 것은 ○표, 무리함수가 아닌 것은 ×표를 써넣어라.

(1) $y=\sqrt{2x}$ (   )

› 풀이 $\sqrt{2x}$가 무리식이므로 $y=\sqrt{2x}$는 ____함수이다.

(2) $y=-\sqrt{2}x$ (   )

(3) $y=\sqrt{1-3x}$ (   )

(4) $y=\sqrt{(x-1)^2}$ (   )

(5) $y=\sqrt{1-x^2}$ (   )

(6) $y=\frac{1}{\sqrt{x}+1}$ (   )

풍쌤 POINT
$y=$(무리식) ➡ 무리함수

유형·07 무리함수의 정의역

08 다음 무리함수의 정의역을 구하여라.

(1) $y=\sqrt{x-2}$

› 풀이 $x-2\geq0$에서 $x\geq2$
따라서 주어진 함수의 정의역은 $\{x|x\geq$ __ $\}$이다.

(2) $y=\sqrt{3-x}$

(3) $y=\sqrt{2x-5}$

(4) $y=-\sqrt{-x}$

(5) $y=-\sqrt{15-3x}$

(6) $y=\sqrt{4-x^2}$

풍쌤 POINT
무리함수의 정의역
➡ $y=\sqrt{f(x)}$에서 $\{x|f(x)\geq0\}$

$y=\sqrt{ax}\,(a\neq0)$의 그래프

❶ 무리함수 $y=\sqrt{ax}\,(a\neq0)$의 그래프

① $a>0$일 때,

정의역은 $\{x\mid x\geq0\}$, 치역은 $\{y\mid y\geq0\}$이다.

② $a<0$일 때,

정의역은 $\{x\mid x\leq0\}$, 치역은 $\{y\mid y\geq0\}$이다.

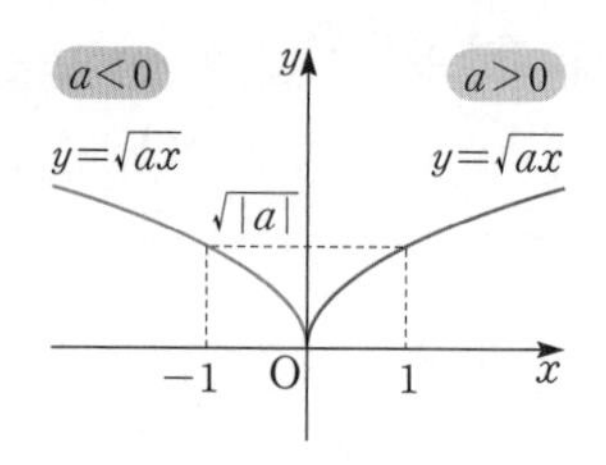

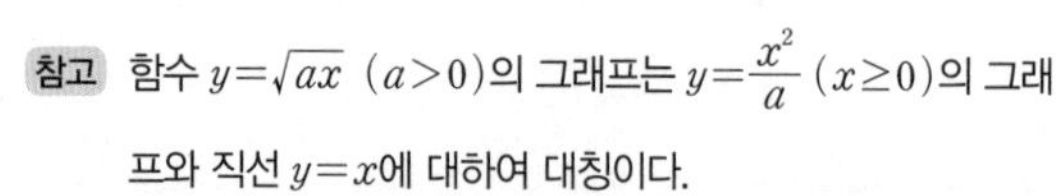

참고 함수 $y=\sqrt{ax}$ $(a>0)$의 그래프는 $y=\dfrac{x^2}{a}$ $(x\geq0)$의 그래프와 직선 $y=x$에 대하여 대칭이다.

❷ 무리함수 $y=-\sqrt{ax}\,(a\neq0)$의 그래프

① $a>0$일 때,

정의역은 $\{x\mid x\geq0\}$, 치역은 $\{y\mid y\leq0\}$이다.

② $a<0$일 때,

정의역은 $\{x\mid x\leq0\}$, 치역은 $\{y\mid y\leq0\}$이다.

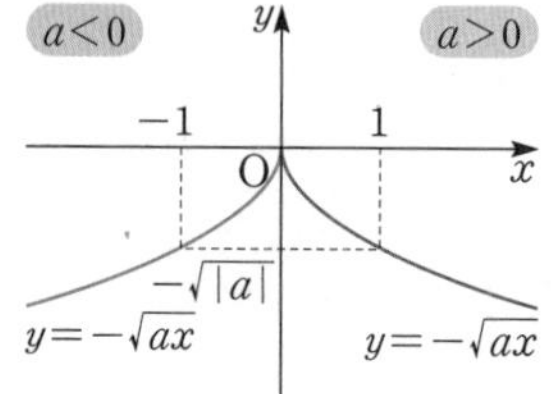

참고 $y=-\sqrt{ax}\,(a>0)$의 그래프는 $y=\sqrt{ax}\,(a>0)$의 그래프를 x축에 대하여 대칭이동한 것이고, $y=-\sqrt{ax}\,(a<0)$의 그래프는 $y=\sqrt{ax}\,(a<0)$의 그래프를 x축에 대하여 대칭이동한 것이다.

› 무리함수 $y=\sqrt{x}$의 그래프는 그 역함수 $y=x^2\,(x\geq0)$의 그래프와 직선 $y=x$에 대하여 대칭이다.

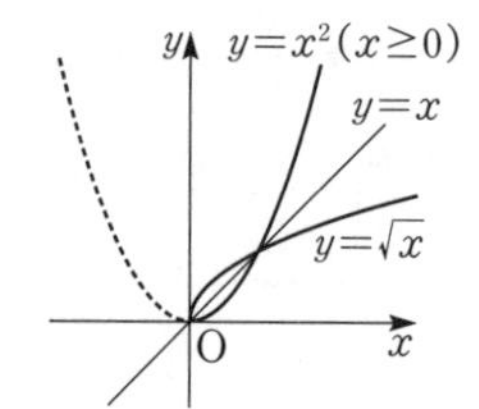

› 무리함수 $y=\sqrt{ax}$ $(a\neq0)$의 그래프를 x축, y축, 원점에 대하여 대칭이동하면 각각 $y=-\sqrt{ax}$, $y=\sqrt{-ax}$, $y=-\sqrt{-ax}$의 그래프가 된다.

› 무리함수 $y=\pm\sqrt{ax}\,(a\neq0)$의 그래프는 $|a|$의 값이 커질수록 x축에서 멀어진다.

유형 08 무리함수 $y=\sqrt{ax}$의 그래프

09 다음 함수의 그래프를 그려라.

(1) $y=\sqrt{x}$

› 풀이

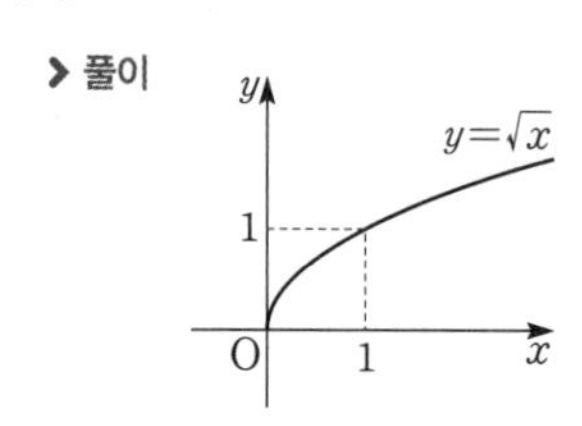

(2) $y=\sqrt{2x}$

(3) $y=\sqrt{3x}$

(4) $y=\sqrt{-x}$

(5) $y=\sqrt{-2x}$

(6) $y=\sqrt{-3x}$

유형·09 무리함수 $y=-\sqrt{ax}$의 그래프

10 다음 함수의 그래프를 그려라.

(1) $y=-\sqrt{x}$

> 풀이

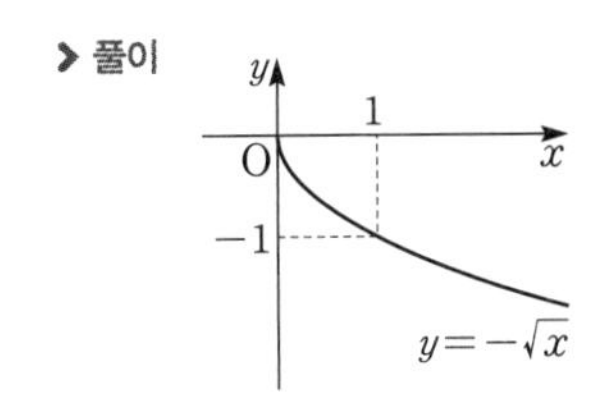

(2) $y=-\sqrt{2x}$

(3) $y=-\sqrt{3x}$

(4) $y=-\sqrt{-x}$

(5) $y=-\sqrt{-2x}$

(6) $y=-\sqrt{-3x}$

유형·10 대칭이동을 이용한 무리함수의 그래프

11 무리함수 $y=\sqrt{2x}$의 그래프를 다음과 같이 대칭이동한 그래프를 그리고, 그 그래프의 식을 구하여라.

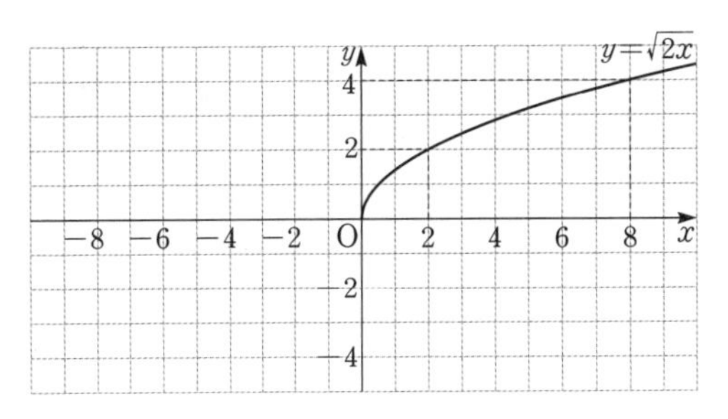

(1) x축에 대하여 대칭이동

(2) y축에 대하여 대칭이동

(3) 원점에 대하여 대칭이동

12 무리함수 $y=\sqrt{-x}$의 그래프를 다음과 같이 대칭이동한 그래프를 그리고, 그 그래프의 식을 구하여라.

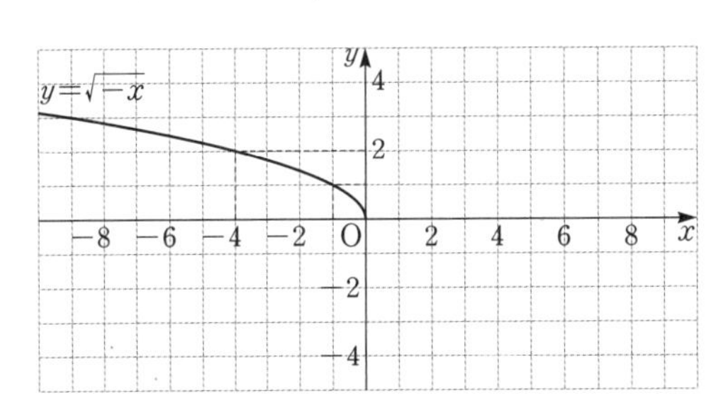

(1) x축에 대하여 대칭이동

(2) y축에 대하여 대칭이동

(3) 원점에 대하여 대칭이동

풍쌤 POINT

무리함수 $y=\sqrt{ax}$의 그래프를
① x축에 대하여 대칭이동 ➡ $y=-\sqrt{ax}$
② y축에 대하여 대칭이동 ➡ $y=\sqrt{-ax}$
③ 원점에 대하여 대칭이동 ➡ $y=-\sqrt{-ax}$

무리함수 $y=\sqrt{a(x-p)}+q\ (a\neq0)$의 그래프

1 무리함수 $y=\sqrt{a(x-p)}+q\ (a\neq0)$의 그래프

① 무리함수 $y=\sqrt{ax}$의 그래프를 x축의 방향으로 p만큼, y축의 방향으로 q만큼 평행이동한 것이다.

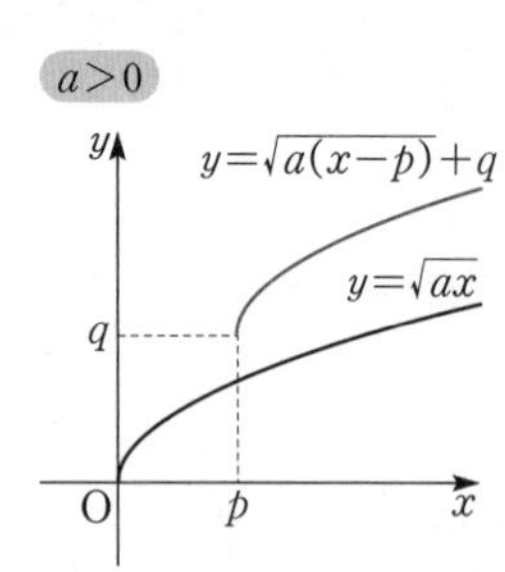

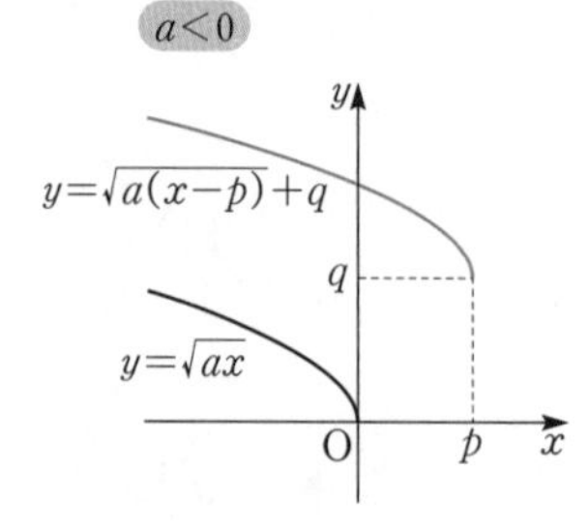

② $a>0$일 때, 정의역은 $\{x|x\geq p\}$, 치역은 $\{y|y\geq q\}$이다.
$a<0$일 때, 정의역은 $\{x|x\leq p\}$, 치역은 $\{y|y\geq q\}$이다.

› $y=\sqrt{a(x-p)}+q\ (a\neq0)$의 그래프는 $y=\sqrt{ax}$의 그래프와 뻗어가는 방향이 같다. 출발점만 $(p,\ q)$로 옮겨 같은 방법으로 그래프를 그리면 된다.

유형 11 무리함수 $y=\sqrt{a(x-p)}+q$의 그래프

13 다음 함수의 그래프를 x축의 방향으로 p만큼, y축의 방향으로 q만큼 평행이동한 그래프의 식을 구하여라.

(1) $y=\sqrt{x}$ $[p=2,\ q=3]$

› 풀이 함수 $y=\sqrt{x}$의 그래프를 x축의 방향으로 2만큼, y축의 방향으로 3만큼 평행이동하면 $y-3=\sqrt{x-2}$
$\therefore y=$________

(2) $y=-\sqrt{2x}$ $[p=-5,\ q=4]$

(3) $y=\sqrt{-x}$ $[p=3,\ q=-2]$

(4) $y=-\sqrt{-3x}$ $[p=-4,\ q=-4]$

(5) $y=\sqrt{x+1}$ $[p=-1,\ q=-2]$

(6) $y=-\sqrt{2x-4}$ $[p=1,\ q=2]$

14 다음 함수의 정의역과 치역을 각각 구하여라.

(1) $y=\sqrt{x+2}+4$

› 풀이 정의역: $\{x|x\geq$____$\}$, 치역: $\{y|y\geq$___$\}$

(2) $y=\sqrt{2(x+1)}+2$

(3) $y=-\sqrt{2(x-3)}-4$

(4) $y=\sqrt{-(x-5)}+5$

(5) $y=\sqrt{-3(x+2)}+3$

(6) $y=-\sqrt{-3(x-1)}+\frac{1}{2}$

15 **다음 함수의 그래프를 그려라.**

(1) $y=\sqrt{2(x-1)}+1$

> **풀이** $y=\sqrt{2(x-1)}+1$의 그래프는 $y=\sqrt{2x}$의 그래프를 x축의 방향으로 ___만큼, y축의 방향으로 ___만큼 평행이동한 것이다.

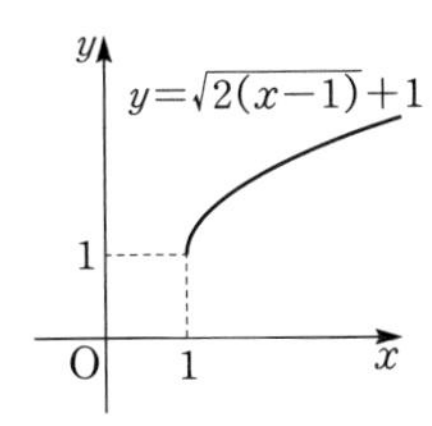

(2) $y=\sqrt{x+3}$

(3) $y=-\sqrt{x}+2$

(4) $y=-\sqrt{3(x+2)}-1$

(5) $y=-\sqrt{-x}-3$

(6) $y=-\sqrt{-2(x-2)}+2$

풍쌤 POINT

무리함수 $y=\sqrt{a(x-p)}+q\,(a\neq0)$의 그래프

➡ 무리함수 $y=\sqrt{ax}\,(a\neq0)$의 그래프를 x축의 방향으로 p만큼, y축의 방향으로 q만큼 평행이동한 그래프

06 무리함수의 일반형

1 무리함수 $y=\sqrt{ax+b}+c\,(a\neq0)$의 그래프

① 무리함수 $y=\sqrt{ax+b}+c\,(a\neq0)$의 그래프는 $y=\sqrt{a(x-p)}+q\,(a\neq0)$의 꼴로 변형한다. → 변형하면 $y=\sqrt{a\left(x+\frac{b}{a}\right)}+c$

② $a>0$일 때, 정의역은 $\left\{x\,\middle|\,x\geq-\frac{b}{a}\right\}$, 치역은 $\{y\,|\,y\geq c\}$이다.

$a<0$일 때, 정의역은 $\left\{x\,\middle|\,x\leq-\frac{b}{a}\right\}$, 치역은 $\{y\,|\,y\geq c\}$이다.

› 무리함수 $y=\sqrt{ax+b}+c$ $(a\neq0)$의 그래프는 함수 $y=\sqrt{ax}$의 그래프를 x축의 방향으로 $-\frac{b}{a}$만큼, y축의 방향으로 c만큼 평행이동한 것이다.

유형 12 무리함수 $y=\sqrt{ax+b}+c$의 그래프

16 다음 함수의 그래프를 그려라.

(1) $y=\sqrt{2x+4}+2$

› 풀이 $y=\sqrt{2x+4}+2$
$=\sqrt{2(x+2)}+2$
이므로 $y=\sqrt{2x+4}+2$의 그래프는 $y=\sqrt{2x}$의 그래프를 x축의 방향으로 ____만큼, y축의 방향으로 ___만큼 평행이동한 것이다.

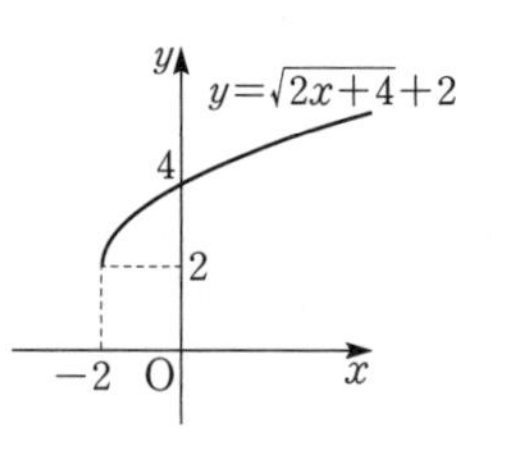

(2) $y=\sqrt{2-x}-1$

(3) $y=-\sqrt{3x+6}+3$

(4) $y=\sqrt{-x+\frac{1}{2}}+\frac{1}{2}$

(5) $y=-\sqrt{2-2x}-2$

(6) $y=1-\sqrt{8-4x}$

풍쌤 POINT

무리함수 $y=\bigstar\sqrt{\bigcirc x}$의 그래프의 방향
➡ ① ★의 부호가 (+)이면 위쪽
② ★의 부호가 (−)이면 아래쪽
③ ○의 부호가 (+)이면 오른쪽
④ ○의 부호가 (−)이면 왼쪽

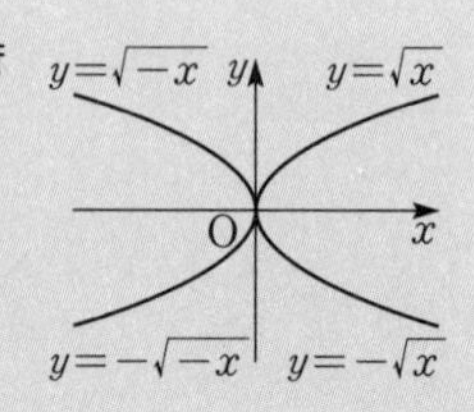

유형 13 무리함수의 그래프를 이용하여 식 구하기

정답과 풀이 040쪽

17 주어진 무리함수의 그래프가 다음 그림과 같을 때, 상수 a, b, c의 값을 각각 구하여라.

(1) $y=\sqrt{ax+b}+c$

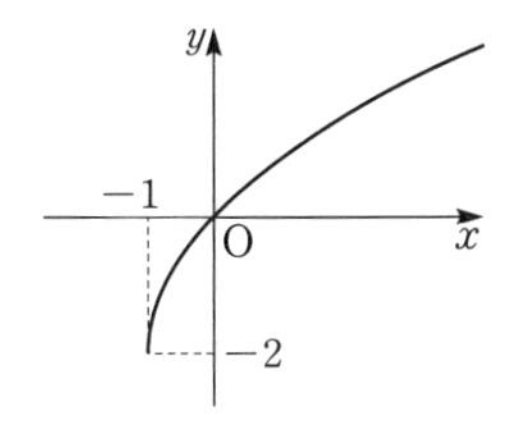

풀이 주어진 함수의 그래프는 $y=\sqrt{ax}\,(a>0)$의 그래프를 x축의 방향으로 -1만큼, y축의 방향으로 -2만큼 평행이동한 것이므로 함수의 식을

$y=\sqrt{a(x+1)}-2$ …… ㉠

로 놓을 수 있다.

㉠의 그래프가 점 $(0,\ 0)$을 지나므로

$0=\sqrt{a}-2$, $\sqrt{a}=2$ $\quad\therefore a=4$

$a=4$를 ㉠에 대입하면

$y=\sqrt{4(x+1)}-2$ $\quad\therefore y=\sqrt{4x+4}-2$

$\therefore a=$__, $b=$__, $c=$___

(2) $y=\sqrt{ax+b}+c$

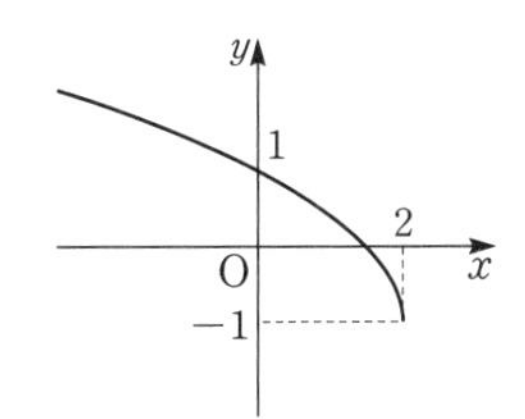

(3) $y=-\sqrt{ax+b}+c$

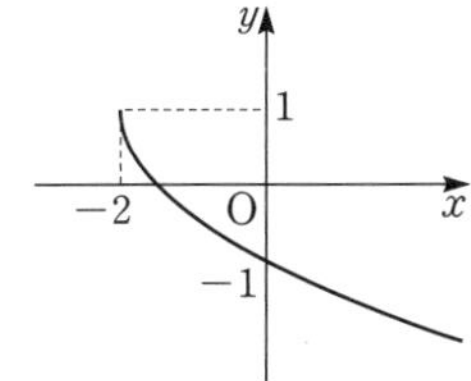

(4) $y=-\sqrt{ax+b}+c$

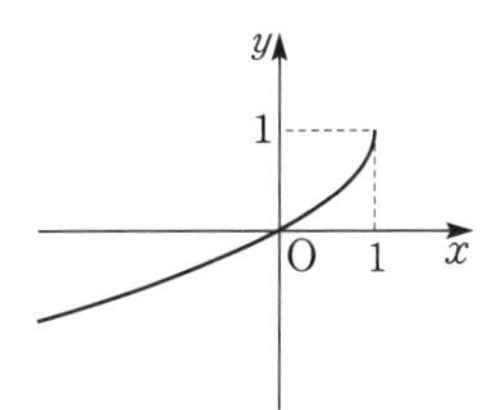

풍쌤 POINT

무리함수의 그래프가 시작하는 점의 좌표가 $(p,\ q)$이면

➡ 무리함수의 식을 $y=\pm\sqrt{a(x-p)}+q$의 꼴로 놓는다.

유형 14 정의역 또는 치역이 주어진 무리함수

정답과 풀이 041쪽

18 다음 함수의 주어진 정의역에서 치역을 구하여라.

(1) $y=\sqrt{2x-2}+1$, 정의역: $\{x|3\le x\le 9\}$

> 풀이 $y=\sqrt{2x-2}+1=\sqrt{2(x-1)}+1$이므로 그래프는 그림과 같다.

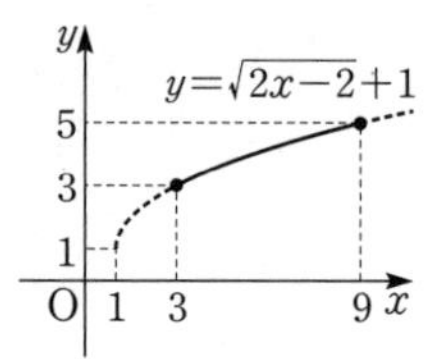

$x=3$일 때 $y=3$, $x=9$일 때 $y=5$이므로 치역은 ______

(2) $y=-\sqrt{x+3}-1$, 정의역: $\{x|-3\le x\le 1\}$

(3) $y=\sqrt{4-2x}+2$, 정의역: $\{x|-6\le x\le 0\}$

(4) $y=-\sqrt{1-x}$, 정의역: $\{x|-8\le x\le -3\}$

19 주어진 무리함수의 정의역과 치역이 다음과 같을 때, 상수 a, b의 값을 각각 구하여라.

(1) $y=\sqrt{-2x+a}+b$,
정의역: $\{x|x\le 1\}$, 치역: $\{y|y\ge 1\}$

> 풀이 $y=\sqrt{-2x+a}+b$에서 $y-b=\sqrt{-2x+a}$이므로
> $-2x+a\ge 0$, $y-b\ge 0$ $\quad\therefore x\le \frac{a}{2}$, $y\ge b$
> 따라서 정의역은 $\left\{x \middle| x\le \frac{a}{2}\right\}$이고, 치역은 $\{y|y\ge b\}$이므로 $\frac{a}{2}=1$, $b=1$ $\quad\therefore a=$___, $b=$___

(2) $y=\sqrt{-x+a}+b$,
정의역: $\{x|x\le -3\}$, 치역: $\{y|y\ge -3\}$

(3) $y=-\sqrt{-4x+a}+b$,
정의역: $\{x|x\le 1\}$, 치역: $\{y|y\le 4\}$

풍쌤 POINT

① 무리함수의 정의역 ➡ $\{x|$근호 안이 0 이상인 범위$\}$
② 무리함수의 치역
$y=\sqrt{\square}+b$일 때 ➡ $\{y|y\ge b\}$
$y=-\sqrt{\square}+b$일 때 ➡ $\{y|y\le b\}$

07

무리함수의 최대, 최소

1 정의역이 주어진 무리함수의 최대, 최소

정의역이 주어진 무리함수 $y=\sqrt{ax+b}+c\,(a\neq0)$의 최댓값과 최솟값은 다음의 순서로 구한다.

(i) 주어진 함수를 $y=\sqrt{a(x-p)}+q\ (a\neq0)$의 꼴로 변형한다.

(ii) 주어진 정의역에서 그래프를 그려 최댓값과 최솟값을 각각 구한다.

› 무리함수의 그래프는 x의 값이 증가할 때, y의 값이 계속 증가하거나 계속 감소하므로 최댓값과 최솟값은 양 끝점에서 찾는다.

유형 15 무리함수의 최대, 최소

정답과 풀이 042쪽

20 다음 함수의 주어진 정의역에서 최댓값과 최솟값을 각각 구하여라.

(1) $y=\sqrt{x+1}-1$, 정의역: $\{x|0\leq x\leq3\}$

› 풀이 함수 $y=\sqrt{x+1}-1$의 그래프는 그림과 같다.

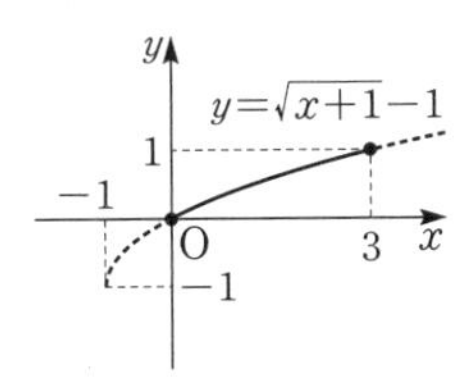

$x=0$일 때 $y=0$, $x=3$일 때 $y=1$이므로 최댓값은 ___, 최솟값은 ___이다.

(2) $y=\sqrt{6-2x}$, 정의역: $\{x|-5\leq x\leq3\}$

(3) $y=-\sqrt{3x-6}+2$, 정의역: $\{x|2\leq x\leq5\}$

(4) $y=-\sqrt{2x+8}+1$, 정의역: $\{x|-2\leq x\leq4\}$

(5) $y=\sqrt{1-4x}+5$, 정의역: $\{x|-2\leq x\leq0\}$

(6) $y=5-\sqrt{3-2x}$, 정의역: $\{x|-3\leq x\leq1\}$

풍쌤 POINT

무리함수 $y=f(x)$의 정의역이 $\{x|\alpha\leq x\leq\beta\}$일 때

➡ $f(\alpha)$, $f(\beta)$ 중에서 큰 값이 최댓값이고, 작은 값이 최솟값이다.

무리함수의 역함수

1 무리함수의 역함수

무리함수 $y=\sqrt{ax+b}+c\,(a\neq0)$의 역함수는 다음의 순서로 구한다.

(ⅰ) 주어진 무리함수의 정의역과 치역을 구한다.

(ⅱ) x와 y를 서로 바꾼다. ➡ $x=\sqrt{ay+b}+c$

(ⅲ) y를 x에 대한 식으로 나타낸다. ➡ $x-c=\sqrt{ay+b}$에서 $ay+b=(x-c)^2$

$$\therefore y=\frac{1}{a}\{(x-c)^2-b\}$$

이때 $y=\sqrt{ax+b}+c$의 치역이 $\{y\,|\,y\geq c\}$이므로 역함수의 정의역은 $\{x\,|\,x\geq c\}$이다.

› 함수의 역함수를 구할 때, x는 y에 대한 식으로 나타낸 후 x와 y를 서로 바꾸어도 된다.

유형 16 무리함수의 역함수

21 다음 무리함수의 역함수를 구하여라.

(1) $y=\sqrt{x-1}+2$

› 풀이 $y=\sqrt{x-1}+2$에서 $y-2=\sqrt{x-1}$이므로

$x-1\geq0,\ y-2\geq0 \qquad \therefore x\geq1,\ y\geq2$

$\therefore y-2=\sqrt{x-1}\ (x\geq1,\ y\geq2)$ …… ㉠

㉠에서 x와 y를 서로 바꾸면

$x-2=\sqrt{y-1}\ (y\geq1,\ x\geq2)$

양변을 제곱하면 $x^2-4x+4=y-1$

$\therefore y=$ ________ $(x\geq$ ___ $)$

(2) $y=\sqrt{1-x}$

(3) $y=-\sqrt{x-3}+4$

(4) $y=\sqrt{2x-1}+3$

(5) $y=-\sqrt{x-4}+1$

(6) $y=-\sqrt{10-2x}-1$

풍쌤 POINT

무리함수의 역함수 구하기

➡ 정의역과 치역을 먼저 구하고, x와 y를 서로 바꿀 때 정의역과 치역도 바꾼다.

유형 17 무리함수의 역함수의 성질

22 주어진 함수 $f(x)$와 그 역함수 $g(x)$의 그래프의 교점의 좌표를 구하여라.

(1) $f(x)=\sqrt{x+2}$

> 풀이 두 함수 $f(x)$와 $g(x)$의 그래프의 교점은 함수 $y=\sqrt{x+2}$의 그래프와 직선 $y=x$의 교점과 같다.
> $\sqrt{x+2}=x$의 양변을 제곱하면
> $x+2=x^2$, $x^2-x-2=0$
> $(x+1)(x-2)=0$
> 주어진 함수 $y=\sqrt{x+2}$에서 $y\geq 0$이므로 역함수의 정의역은 $\{x\mid x\geq 0\}$이다. $\therefore x=2$
> 따라서 교점의 좌표는 (___, ___)이다.

(2) $y=\sqrt{x+4}+2$

23 주어진 두 함수의 그래프의 교점의 좌표를 구하여라.

(1) $y=\sqrt{2x+3}$, $x=\sqrt{2y+3}$

> 풀이 함수 $y=\sqrt{2x+3}$에서 x와 y를 서로 바꾸면 $x=\sqrt{2y+3}$이므로 주어진 두 함수는 역함수 관계이다.
> 두 함수의 그래프의 교점은 함수 $y=\sqrt{2x+3}$의 그래프와 직선 $y=x$의 교점과 같다.
> $\sqrt{2x+3}=x$의 양변을 제곱하면
> $2x+3=x^2$, $x^2-2x-3=0$
> $(x+1)(x-3)=0$
> 주어진 함수 $y=\sqrt{2x+3}$에서 $y\geq 0$이므로 역함수의 정의역은 $\{x\mid x\geq 0\}$이다.
> $\therefore x=3$
> 따라서 교점의 좌표는 (___, ___)이다.

(2) $y=\sqrt{x+6}$, $x=\sqrt{y+6}$

풍쌤 POINT
무리함수와 그 역함수의 그래프의 교점
➡ 무리함수의 그래프와 직선 $y=x$의 교점과 같다.

유형 18 무리함수의 합성함수와 역함수

24 두 함수 $f(x)=\sqrt{x+1}$, $g(x)=\sqrt{2x-4}$에 대하여 다음 값을 구하여라.

(1) $(f^{-1}\circ g)^{-1}(0)$

> 풀이 $(f^{-1}\circ g)^{-1}(0)=(g^{-1}\circ f)(0)=g^{-1}(f(0))$
> $=g^{-1}(1)$
> $g^{-1}(1)=k$로 놓으면 $g(k)=1$이므로
> $\sqrt{2k-4}=1$, $2k-4=1$ $\therefore k=$___
> $\therefore (f^{-1}\circ g)^{-1}(0)=g^{-1}(1)=$___

(2) $(f\circ g^{-1})^{-1}(2)$

(3) $(g\circ f^{-1})^{-1}(4)$

(4) $(g^{-1}\circ f)^{-1}\left(\frac{13}{2}\right)$

풍쌤 POINT
① $f^{-1}(b)=a$이면 $f(a)=b$
② $(g\circ f)^{-1}(x)=(f^{-1}\circ g^{-1})(x)$

무리함수의 그래프와 직선의 위치 관계

1 무리함수의 그래프와 직선의 위치 관계

① 무리함수 $y=f(x)$의 그래프와 직선 $y=g(x)$를 직접 그려서 위치 관계를 구한다.

② 무리함수 $y=f(x)$의 그래프와 직선 $y=g(x)$가 접하는 경우

➡ 이차방정식 $\{f(x)\}^2=\{g(x)\}^2$의 판별식을 D라고 할 때, $D=0$임을 이용한다.

유형 19 무리함수의 그래프와 직선의 위치 관계

정답과 풀이 044쪽

25 주어진 무리함수의 그래프와 직선의 위치 관계가 다음과 같을 때, 실수 k의 값 또는 범위를 구하여라.

(1) $y=\sqrt{x+1}$, $y=x+k$

① 서로 다른 두 점에서 만난다.

② 한 점에서 만난다.

③ 만나지 않는다.

> 풀이 $y=\sqrt{x+1}$의 그래프와 직선 $y=x+k$의 교점의 개수가 바뀌는 경우는 그림에서 직선 $y=x+k$가 l 또는 m일 때이다.

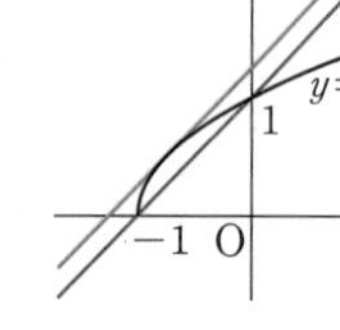

(i) l은 직선 $y=x+k$가 점 $(-1, 0)$을 지날 때이므로 $0=-1+k$

$\therefore k=$ ___

(ii) m은 $y=\sqrt{x+1}$의 그래프와 직선 $y=x+k$가 접할 때이므로 $\sqrt{x+1}=x+k$의 양변을 제곱하면

$x+1=x^2+2kx+k^2$

$x^2+(2k-1)x+k^2-1=0$

이 이차방정식의 판별식을 D라고 하면

$D=(2k-1)^2-4(k^2-1)=0$

$-4k+5=0 \quad \therefore k=$ ___

① 서로 다른 두 점에서 만날 때는 직선 $y=x+k$가 l일 때부터 m의 아래쪽에 있을 때까지이므로 $1\le k<\frac{5}{4}$

② 한 점에서 만날 때는 직선 $y=x+k$가 l의 아래쪽에 있거나 m일 때이므로 $k<1$ 또는 $k=\frac{5}{4}$

③ 만나지 않을 때는 직선 $y=x+k$가 m의 위쪽에 있을 때이므로 $k>\frac{5}{4}$

(2) $y=\sqrt{4x-12}$, $y=\frac{1}{2}x+k$

① 서로 다른 두 점에서 만난다.

② 한 점에서 만난다.

③ 만나지 않는다.

(3) $y=\sqrt{2-x}$, $y=-x+k$

① 서로 다른 두 점에서 만난다.

② 한 점에서 만난다.

③ 만나지 않는다.

풍쌤 POINT

무리함수의 그래프와 직선의 위치 관계

➡ 그래프를 그려 조건을 만족시키는 범위를 구한다.

· 중단원 점검문제 ·

정답과 풀이 045쪽

01

무리식 $\sqrt{6-2x}+\dfrac{1}{\sqrt{3x-4}}$의 값이 실수가 되도록 하는 모든 정수 x의 값의 합을 구하여라.

02

$0<x\leq 1$일 때, $\sqrt{1+\dfrac{2x+1}{x^2}}-\sqrt{1-\dfrac{2x-1}{x^2}}$을 간단히 하여라.

03

$x\neq 0$일 때, $\dfrac{x}{\sqrt{2x+1}-1}-\dfrac{x}{\sqrt{2x+1}+1}$를 간단히 하여라.

04

다음 보기의 함수 중 무리함수인 것만을 있는 대로 골라라.

보기

ㄱ. $y=\sqrt{3}x$ ㄴ. $y=\sqrt{5x}$

ㄷ. $y=\sqrt{(x-2)^2}$ ㄹ. $y=\dfrac{1}{1-\sqrt{2x}}$

05

다음 보기의 함수의 그래프 중 평행이동하여 무리함수 $y=\sqrt{-3x}$의 그래프와 겹쳐지는 것만을 있는 대로 골라라.

보기

ㄱ. $y=-\sqrt{-3x}$ ㄴ. $y=-\sqrt{3x}+1$

ㄷ. $y=\sqrt{3x+1}-1$ ㄹ. $y=\sqrt{-3x-1}+1$

06

무리함수 $y=\sqrt{ax}$의 그래프를 x축의 방향으로 1만큼, y축의 방향으로 2만큼 평행이동한 그래프가 점 $(4, 5)$를 지날 때, 상수 a의 값을 구하여라.

07

무리함수 $y=\sqrt{-2x+4}-3$의 그래프는 무리함수 $y=\sqrt{ax}$의 그래프를 x축의 방향으로 b만큼, y축의 방향으로 c만큼 평행이동한 것이다. 상수 a, b, c에 대하여 $a+b+c$의 값을 구하여라.

08

무리함수 $y=-\sqrt{x-2}-1$의 그래프가 지나는 사분면을 구하여라.

09

무리함수 $f(x)=-\sqrt{ax+b}+c$의 그래프가 다음 그림과 같을 때, $f(-5)$의 값을 구하여라. (단, a, b, c는 상수이다.)

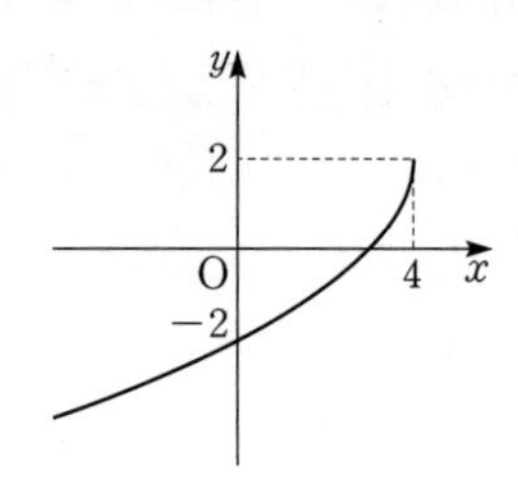

10

정의역이 $\{x|1\le x\le 5\}$인 무리함수 $y=-\sqrt{x-1}+1$의 치역이 $\{y|a\le y\le b\}$일 때, 상수 a, b에 대하여 $b-a$의 값을 구하여라.

11

정의역이 $\{x|0\le x\le 2\}$인 무리함수 $y=\sqrt{4x+a}+1$의 최솟값이 2이고 최댓값이 b일 때, 상수 a, b에 대하여 $a+b$의 값을 구하여라.

12

함수 $f(x)=x^2-4x+1\ (x\ge 2)$의 역함수가 $g(x)=\sqrt{x+a}+b\ (x\ge -3)$일 때, 상수 a, b에 대하여 ab의 값을 구하여라.

13

두 함수 $y=\sqrt{x}+2$, $x=\sqrt{y}+2$의 그래프의 교점의 좌표가 (a, b)일 때, $a+b$의 값을 구하여라.

14

두 함수 $f(x)=\dfrac{2x+1}{x-1}$, $g(x)=\sqrt{2x-1}$에 대하여 $(f^{-1}\circ g)^{-1}(4)$의 값을 구하여라.

15

무리함수 $y=\sqrt{2x}$의 그래프와 직선 $y=x+k$가 서로 다른 두 점에서 만날 때, 실수 k의 값의 범위를 구하여라.

VI
경우의 수

경우의 수

1 사건과 경우의 수

① 사건: 같은 조건에서 여러 번 반복할 수 있는 실험이나 관찰에 의하여 나타나는 결과

② 경우의 수: 사건이 일어나는 가짓수

③ 수형도: 사건이 일어나는 모든 경우를 나뭇가지 모양으로 나타낸 그림

› 1부터 9까지의 자연수가 각각 하나씩 적힌 카드에서 하나를 뽑을 때, 3의 배수가 나온다.
➡ 사건: 3의 배수가 나온다.
경우: 3, 6, 9
경우의 수: 3

유형·01 사건과 경우의 수

01 주사위를 한 번 던질 때, 다음 물음에 답하여라.

(1) 나올 수 있는 모든 경우의 수

› 풀이 나올 수 있는 모든 경우는 1, 2, 3, 4, 5, 6이므로 경우의 수는 ___이다.

(2) 2의 배수의 눈이 나오는 경우의 수

(3) 6의 약수의 눈이 나오는 경우의 수

02 1부터 9까지의 수가 각각 하나씩 적힌 공 9개가 들어 있는 주머니에서 한 개의 공을 꺼낼 때, 다음 물음에 답하여라.

(1) 나올 수 있는 모든 경우의 수

(2) 홀수가 적힌 공이 나오는 경우의 수

(3) 9의 약수가 적힌 공이 나오는 경우의 수

03 파란 공 3개, 빨간 공 2개, 흰 공 5개가 들어 있는 주머니에서 한 개의 공을 꺼낼 때, 다음 물음에 답하여라.

(1) 파란 공이 나오는 경우의 수

(2) 빨간 공이 나오는 경우의 수

(3) 흰 공이 나오는 경우의 수

04 100원짜리 동전 2개를 동시에 던질 때, 다음 물음에 답하여라.

(1) 같은 면이 나오는 경우의 수

(2) 서로 다른 면이 나오는 경우의 수

풍쌤 POINT
경우의 수
➡ 빠짐없이 중복되지 않게 가짓수를 센다.

정답과 풀이 047쪽

05 다음을 수형도를 이용하여 구하여라.

(1) 4개의 문자 A, A, B, C에서 3개를 골라 일렬로 배열하는 경우의 수

> 풀이

A — A — B
A — A — C
A — B — A
A — B — C
A — C — A
A — C — B
B — A — A
B — A — C
B — C — A
C — A — A
C — A — B
C — B — A

따라서 구하는 경우의 수는 ____이다.

(2) 3장의 카드 [1], [2], [3]을 사용하여 만들 수 있는 세 자리의 자연수의 개수

(3) 4명의 학생 A, B, C, D를 일렬로 세울 때, A를 가장 앞에 세우는 경우의 수

(4) 4개의 문자 A, B, B, C를 일렬로 배열하는 경우의 수

(5) 1부터 4까지의 숫자가 각각 하나씩 적힌 4장의 카드를 일렬로 배열하여 네 자리의 자연수 $a_1a_2a_3a_4$를 만들 때, $a_1 \neq 4$, $a_3=3$을 만족시키는 자연수의 개수

(6) 세 학생 A, B, C가 시험지를 하나씩 채점할 때, 자신의 것을 채점하지 않는 경우의 수

합의 법칙과 곱의 법칙

❶ 합의 법칙

두 사건 A, B가 동시에 일어나지 않을 때, 사건 A와 사건 B가 일어나는 경우의 수가 각각 m, n이면

(사건 A 또는 사건 B가 일어나는 경우의 수)$=m+n$

> 세 개 이상의 사건에서 어느 두 사건도 동시에 일어나지 않으면 합의 법칙이 성립한다.

❷ 곱의 법칙

사건 A가 일어나는 경우의 수가 m이고, 그 각각에 대하여 사건 B가 일어나는 경우의 수가 n이면

(두 사건 A, B가 동시에 일어나는 경우의 수)$=m\times n$

> 세 개 이상의 사건에 대해서도 곱의 법칙이 성립한다.

유형·03 합의 법칙과 곱의 법칙

06 커피 5종류와 과일음료 4종류가 있는 자동판매기가 있다. 이 자동판매기에서 다음과 같이 선택하는 경우의 수를 구하여라.

(1) 커피 또는 과일음료 중에서 한 병을 선택하는 경우의 수

> 풀이 합의 법칙에 의하여 구하는 경우의 수는 $5+4=$___

(2) 커피와 과일음료를 각각 한 병씩 선택하는 경우의 수

> 풀이 곱의 법칙에 의하여 구하는 경우의 수는 $5\times4=$___

07 동원이의 옷장에는 셔츠 6종류, 스웨터 4종류가 있다. 이 옷장에서 다음과 같이 선택하는 경우의 수를 구하여라.

(1) 셔츠 또는 스웨터 중에서 한 벌을 선택하는 경우의 수

(2) 셔츠와 스웨터를 각각 한 벌씩 짝을 지어 입는 경우의 수

08 남학생 7명과 여학생 8명이 있는 동아리에서 대표를 뽑으려고 할 때, 다음과 같이 선택하는 경우의 수를 구하여라.

(1) 남학생 또는 여학생 중에서 한 명을 뽑는 경우의 수

(2) 남학생과 여학생을 각각 한 명씩 뽑는 경우의 수

09 수지의 친구는 소설책 6권, 시집 5권, 만화책 3권을 갖고 있다. 수지가 친구에게 책을 빌리려고 할 때, 다음과 같이 선택하는 경우의 수를 구하여라.

(1) 소설책 또는 시집 또는 만화책 중에서 한 권을 선택하는 경우의 수

(2) 소설책, 시집, 만화책을 각각 한 권씩 선택하는 경우의 수

풍쌤 POINT

① A 또는 B, A이거나 B ➡ 합의 법칙

② A 그리고 B, A이고 B, A와 B가 동시에 ➡ 곱의 법칙

유형·04 도로망에서의 경우의 수

10 네 지점 A, B, C, D를 연결하는 도로망이 있다. 같은 지점을 두 번 이상 지나지 않고 A 지점에서 D 지점까지 가는 방법의 수를 구하여라.

(1)

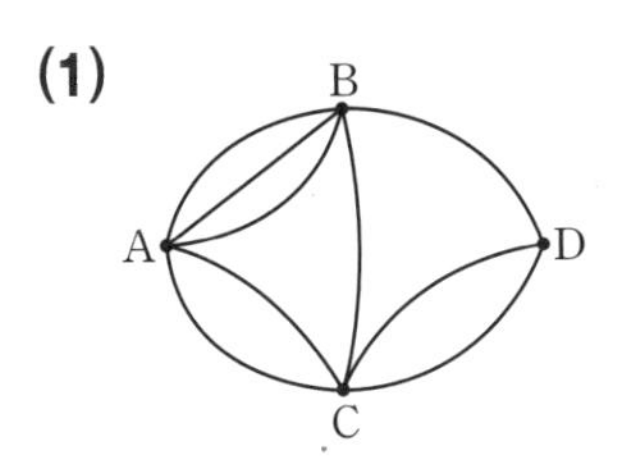

> 풀이 A→B→D의 경로로 가는 경우는 $3\times1=3$(가지)
> A→C→D의 경로로 가는 경우는 $2\times2=4$(가지)
> A→B→C→D의 경로로 가는 경우는
> $3\times1\times2=6$(가지)
> A→C→B→D의 경로로 가는 경우는
> $2\times1\times1=2$(가지)
> 따라서 합의 법칙에 의하여 구하는 방법의 수는
> $3+4+6+2=$___

(2)

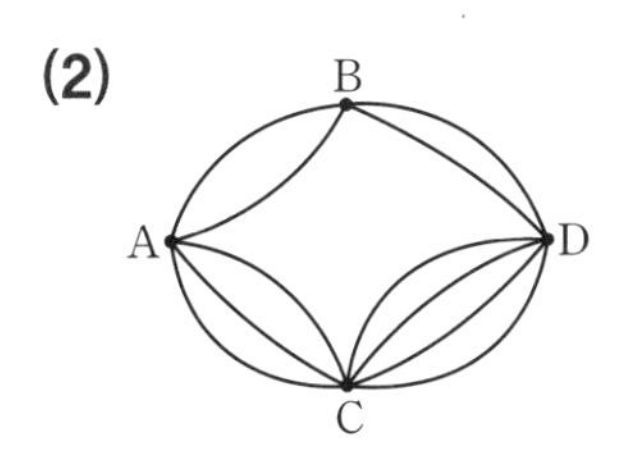

(3)

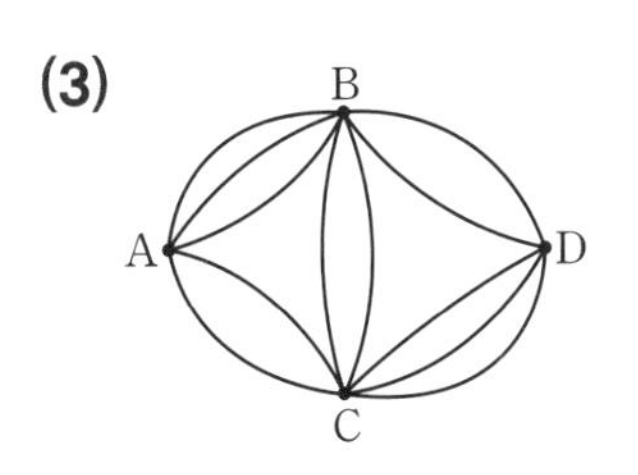

풍쌤 POINT
도로망에서의 경우의 수
① 동시에 갈 수 없는 도로 ➡ 합의 법칙
② 동시에 갈 수 있는 도로 ➡ 곱의 법칙

유형·05 주사위를 던지는 경우의 수

11 서로 다른 2개의 주사위를 동시에 던질 때, 다음 경우의 수를 구하여라.

(1) 나오는 눈의 수의 합이 4의 배수인 경우의 수

> 풀이 주사위의 눈의 수는 1, 2, 3, …, 6이므로 눈의 수의 합은 2, 3, 4, …, 12이다.
> 4의 배수가 될 때는 4 또는 8 또는 12이다.
> (i) 눈의 수의 합이 4가 되는 경우는
> (1, 3), (2, 2), (3, 1)의 3가지
> (ii) 눈의 수의 합이 8이 되는 경우는
> (2, 6), (3, 5), (4, 4), (5, 3), (6, 2)의 5가지
> (iii) 눈의 수의 합이 12가 되는 경우는 (6, 6)의 1가지
> 따라서 합의 법칙에 의하여 구하는 경우의 수는
> $3+5+1=$___

(2) 나오는 눈의 수의 합이 4 이하인 경우의 수

(3) 나오는 눈의 수의 합이 6의 배수인 경우의 수

풍쌤 POINT
주사위를 던지는 경우의 수
➡ 구체적인 경우를 나열해 본다.

유형 06 부정방정식의 해의 개수

12 다음 방정식을 만족시키는 자연수 x, y, z의 순서쌍 (x, y, z)의 개수를 구하여라.

(1) $x+2y+5z=15$

> **풀이** z의 계수가 가장 크므로 z를 기준으로 구한다.
> (i) $z=1$일 때, $x+2y=10$이므로
> $(x, y)=(8, 1), (6, 2), (4, 3), (2, 4)$의 4가지
> (ii) $z=2$일 때, $x+2y=5$이므로
> $(x, y)=(3, 1), (1, 2)$의 2가지
> 따라서 구하는 방법의 수는 $4+2=$___

(2) $x+2y+3z=11$

(3) $x+10y+2z=24$

(4) $4x+2y+z=20$

■ 풍쌤 POINT
방정식 $ax+by+cz=d$ (a, b, c, d는 상수)를 만족시키는 자연수 x, y, z의 순서쌍 (x, y, z)의 개수
➡ a, b, c 중 절댓값이 큰 것을 기준으로 구한다.

유형 07 전개식의 항의 개수

13 다음 식을 전개할 때, 서로 다른 항의 개수를 구하여라.

(1) $(a+b)(x+y+z)$

> **풀이** a, b 각각에 대하여 x, y, z 중 하나가 곱해진다.
> 따라서 구하는 항의 개수는
> $2\times$___$=$___

(2) $(a+b+c+d)(x+y)$

(3) $(1+x+x^2)(1+x^3+x^6)$

(4) $(a+b)(c+d+e)(f+g+h+i)$

■ 풍쌤 POINT
서로 다른 항의 개수에 주의하여 곱의 법칙을 적용한다.
예를 들어 $(1+x+x^2)(1+x+x^2)$의 서로 다른 항의 개수는 1, x, x^2, x^3, x^4의 5이다.

정답과 풀이 048쪽

유형·08 약수의 개수

14 다음 각 수의 양의 약수의 개수를 구하여라.

(1) 36

> 풀이 36을 소인수분해하면 $36=2^2\times3^2$이므로 36의 양의 약수는 2^2의 양의 약수인 1, 2, 2^2 중에서 하나의 수, 3^2의 양의 약수인 1, 3, 3^2 중에서 하나의 수를 각각 선택하여 곱한 수이다.

$\times$	1	2	2^2
1	1×1	1×2	1×2^2
3	3×1	3×2	3×2^2
3^2	$3^2\times1$	$3^2\times2$	$3^2\times2^2$

따라서 곱의 법칙에 의하여 36의 양의 약수의 개수는
$3\times$ ___ $=$ ___

(2) 100

(3) 108

(4) 360

■ 풍쌤 POINT
자연수 N이 $N=p^a\times q^b$ (p, q는 서로 다른 소수, a, b는 자연수)으로 소인수분해 될 때,
➡ N의 양의 약수는 1, p, p^2, $\cdots$, p^{a-1}, p^a 중에서 하나의 수, 1, q, q^2, $\cdots$, q^{b-1}, q^b 중에서 하나의 수를 각각 선택하여 곱한 수이다.

유형·09 도형에 색칠하는 방법의 수

15 다음 그림에서 A, B, C, D의 영역을 4가지 색으로 칠하려고 한다. 같은 색을 여러 번 사용해도 되지만 인접한 영역은 서로 다른 색으로 칠할 때, 칠하는 방법의 수를 구하여라.

(1)

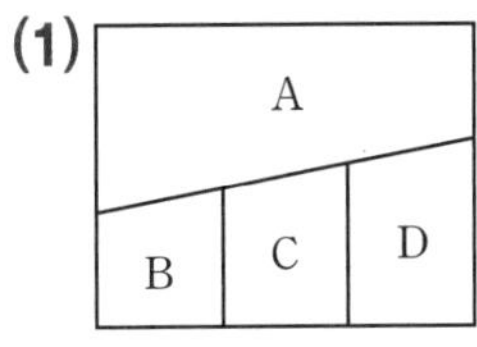

> 풀이 A에 칠할 수 있는 색은 4가지
> B에 칠할 수 있는 색은 A에 칠한 색을 제외한 3가지
> C에 칠할 수 있는 색은 A, B에 칠한 색을 제외한 2가지
> D에 칠할 수 있는 색은 A, C에 칠한 색을 제외한 2가지
> 따라서 구하는 방법의 수는
> $4\times3\times2\times2=$ ___

(2)

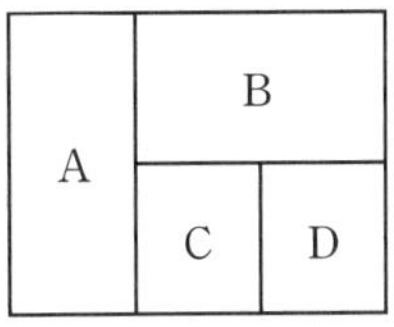

(3)

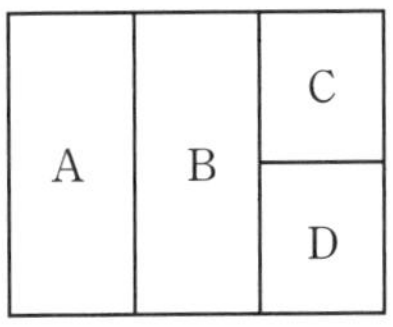

■ 풍쌤 POINT
도형에 색을 칠하는 방법의 수
➡ 한 곳을 먼저 정해서 칠하는 방법의 수를 구한 후, 나머지를 칠하는 방법을 생각한다.

유형 10 지불 방법과 지불 금액의 수

정답과 풀이 049쪽

16 다음 동전의 일부 또는 전부를 사용하여 거스름돈 없이 지불할 때, 지불할 수 있는 방법의 수와 지불할 수 있는 금액의 수를 각각 구하여라. (단, 0원을 지불하는 것은 제외한다.)

(1) 100원짜리 동전 1개, 50원짜리 동전 2개, 10원짜리 동전 3개

① 지불할 수 있는 방법의 수

② 지불할 수 있는 금액의 수

> **풀이** ① 100원짜리 1개로 지불할 수 있는 방법
> ➡ 0개, 1개의 2가지
> 50원짜리 2개로 지불할 수 있는 방법
> ➡ 0개, 1개, 2개의 3가지
> 10원짜리 3개로 지불할 수 있는 방법
> ➡ 0개, 1개, 2개, 3개의 4가지
> 모두 0개인 경우는 지불하는 방법이 아니다.
> 따라서 구하는 방법의 수는
> $2\times3\times4-$___$=$___
>
> ② 100원짜리 1개로 만들 수 있는 금액
> ➡ 0원, 100원 …… ㉠
> 50원짜리 2개로 만들 수 있는 금액
> ➡ 0원, 50원, 100원 …… ㉡
> 10원짜리 3개로 만들 수 있는 금액
> ➡ 0원, 10원, 20원, 30원
> 그런데 ㉠, ㉡에서 100원이 중복되므로 100원짜리 1개를 50원짜리 2개로 생각하면 구하는 금액의 수는 50원짜리 4개, 10원짜리 3개로 지불할 수 있는 방법의 수와 같다.
> 50원짜리 4개로 지불할 수 있는 방법
> ➡ 0개, 1개, 2개, 3개, 4개로 5가지
> 10원짜리 3개로 지불할 수 있는 방법
> ➡ 0개, 1개, 2개, 3개로 4가지
> 0원인 경우는 지불하는 금액이 아니다.
> 따라서 구하는 금액의 수는
> $5\times4-$___$=$___

(2) 500원짜리 동전 2개, 100원짜리 동전 2개, 50원짜리 동전 4개

① 지불할 수 있는 방법의 수

② 지불할 수 있는 금액의 수

(3) 1000원짜리 지폐 1장, 500원짜리 동전 2개, 100원짜리 동전 4개

① 지불할 수 있는 방법의 수

② 지불할 수 있는 금액의 수

풍쌤 POINT

① 지불 방법의 수
➡ 0원을 지불하는 것은 제외한다.

② 지불 금액의 수
➡ 금액이 중복되는 경우 큰 단위를 작은 단위로 바꾼다.

순열의 뜻

1 순열

서로 다른 n개에서 $r(0<r\le n)$개를 택하여 일렬로 나열하는 것을 n개에서 r개를 택하는 순열이라 하고, 기호 ${}_n\mathrm{P}_r$로 나타낸다.

2 계승

1부터 n까지의 자연수를 차례로 곱한 것을 n의 계승이라 하고, 기호 $n!$로 나타낸다.

3 순열의 수

서로 다른 n개에서 $r(0<r\le n)$개를 택하는 순열의 수는

$${}_n\mathrm{P}_r=\underbrace{n(n-1)(n-2)\cdots(n-r+1)}_{r\text{개}}$$

① ${}_n\mathrm{P}_n=n!$, $0!=1$, ${}_n\mathrm{P}_0=1$

② ${}_n\mathrm{P}_r=\dfrac{n!}{(n-r)!}$ $(0\le r\le n)$

› 순열

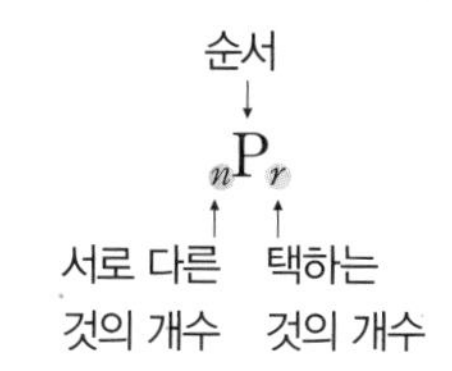

정답과 풀이 050쪽

유형·11 순열과 기호

17 다음을 기호로 나타내어라.

(1) 서로 다른 4개에서 3개를 택하여 일렬로 나열하는 방법의 수

› 풀이 서로 다른 4개에서 3개를 택하여 일렬로 나열하는 방법의 수는 ____

(2) 서로 다른 8개에서 4개를 택하여 일렬로 나열하는 방법의 수

(3) 서로 다른 5개에서 5개를 택하여 일렬로 나열하는 방법의 수

(4) 서로 다른 10개에서 1개를 택하여 일렬로 나열하는 방법의 수

풍쌤 POINT

서로 다른 n개에서 $r(0<r\le n)$개를 택하여 일렬로 나열한다.
➡ ${}_n\mathrm{P}_r$

유형·12 순열의 수의 계산

18 다음 값을 구하여라.

(1) ${}_{10}\mathrm{P}_2$

› 풀이 ${}_{10}\mathrm{P}_2=10\times9=$ ____

(2) ${}_7\mathrm{P}_3$

(3) ${}_6\mathrm{P}_6$

(4) ${}_5\mathrm{P}_1$

(5) $0!$

(6) $4!$

풍쌤 POINT

① ${}_n\mathrm{P}_r=n(n-1)(n-2)\cdots(n-r+1)$
② $n!=n(n-1)(n-2)\cdots3\cdot2\cdot1$

유형·13 순열의 수를 만족시키는 값 구하기

19 다음을 만족시키는 자연수 n의 값을 구하여라.

(1) ${}_{n}P_{2}=30$

> 풀이 ${}_{n}P_{2}=30$에서 $n(n-1)=6\times5$이므로 $n=$___

(2) ${}_{n}P_{n}=24$

(3) ${}_{n}P_{3}\times3!=360$

(4) ${}_{n}P_{2}=5n$

(5) ${}_{n}P_{4}=20{}_{n}P_{2}$

(6) ${}_{n}P_{3}:{}_{n}P_{2}=7:1$

20 다음을 만족시키는 자연수 r의 값을 구하여라.

(1) ${}_{5}P_{r}=60$

> 풀이 ${}_{5}P_{r}=60=5\times4\times3$이므로 $r=$___

(2) ${}_{8}P_{r}=56$

(3) ${}_{10}P_{r}=90$

(4) ${}_{r}P_{r}=720$

(5) ${}_{9}P_{r}\times5!=8640$

(6) ${}_{6}P_{r}=15{}_{4}P_{3}$

풍쌤 POINT

${}_{n}P_{r}=n(n-1)(n-2)\cdots(n-r+1)\ (0<r\le n)$

유형 14 순열을 이용한 경우의 수

정답과 풀이 050쪽

21 다음을 구하여라.

(1) 9명의 학생 중에서 2명을 뽑아 일렬로 세우는 방법의 수

> 풀이 서로 다른 9개에서 2개를 택하는 순열의 수와 같으므로 $_9\mathrm{P}_2=9\times8=$____

(2) 3명의 학생을 일렬로 세우는 방법의 수

(3) 10명의 학생 중에서 회장, 부회장을 각각 1명씩 뽑는 방법의 수

(4) 8명의 학생 중에서 회장, 부회장, 총무를 각각 1명씩 뽑는 방법의 수

(5) 다섯 개의 문자 a, b, c, d, e에서 두 개의 문자를 택하여 일렬로 나열하는 방법의 수

(6) 네 개의 문자 m, a, t, h를 일렬로 나열하는 방법의 수

(7) 서로 다른 20가지의 음료수 중에서 서로 다른 2가지를 선택하여 차례로 주문하는 방법의 수

(8) 서울, 대전, 대구, 부산의 네 곳 중에서 세 곳을 택한 후 순서를 정하여 관광하는 방법의 수

(9) 5명의 축구 선수가 승부차기를 하는 순서를 정하는 방법의 수

(10) 다섯 개의 숫자 1, 2, 3, 4, 5 중에서 서로 다른 세 개의 숫자를 사용하여 만들 수 있는 세 자리의 자연수의 개수

풍쌤 POINT

서로 다른 n개에서 순서를 생각하여 $r(0<r\le n)$개를 택한다.

➡ $_n\mathrm{P}_r$

특정 조건이 있는 순열

1 이웃하는 순열

① 이웃하는 것을 하나로 묶는다.

② (하나로 묶었을 때의 순열의 수)×(한 묶음 안에서의 순서를 바꾸는 순열의 수)를 구한다.

2 이웃하지 않는 순열

① 이웃해도 상관없는 것만 먼저 배열한다.

② (이웃해도 되는 것들의 순열의 수)×(그 양 끝과 사이사이에 이웃하지 않아야 할 것을 끼워 넣는 순열의 수)를 구한다.

3 '적어도'가 있는 경우의 순열

① 반대 경우의 수를 생각한다.

② (전체 경우의 수)−(반대 경우의 수)를 구한다.

4 교대로 배열하는 순열

① 두 개의 대상 중 하나를 일렬로 배열한다.

② 그 사이사이와 양 끝에 나머지 대상들을 일렬로 나열하여 구한다.

› 교대로 배열하는 순열

두 개의 대상 A, B의 개수가 같을 때, 어떤 대상이 맨 앞에 오느냐에 따라 두 가지 경우가 생긴다.

A B A B A B
B A B A B A

이 경우 각 경우의 수에 대하여 합의 법칙을 적용한다.

유형·15 이웃하는 순열

22 다음을 구하여라.

(1) 남학생 3명, 여학생 3명을 일렬로 세울 때, 여학생 3명이 이웃하여 서는 경우의 수

› 풀이 여학생 3명을 한 사람으로 생각하여 4명을 일렬로 세우는 경우의 수는 $4!=24$
여학생 3명이 자리를 바꾸는 경우의 수는 $3!=6$
따라서 구하는 경우의 수는 $24\times6=$ ____

(2) A, B를 포함한 6명을 일렬로 세울 때, A, B가 서로 이웃하여 서는 경우의 수

(3) 7개의 문자 a, b, c, d, e, f, g를 일렬로 나열할 때, a와 c가 이웃하는 경우의 수

(4) 5개의 문자 m, e, l, o, n을 일렬로 나열할 때, 모음끼리 이웃하는 경우의 수

(5) 중학생 4명, 고등학생 3명을 일렬로 세울 때, 중학생은 중학생끼리, 고등학생은 고등학생끼리 이웃하게 서는 경우의 수

(6) 서로 다른 국어책 3권, 영어책 2권, 수학책 3권을 책꽂이에 일렬로 꽂을 때, 국어책은 국어책끼리, 영어책은 영어책끼리 이웃하게 꽂는 경우의 수

풍쌤 POINT

'이웃한다.'

➡ 이웃하는 것을 한 묶음으로 생각하여 일렬로 세운 후, 묶음 안에서 일렬로 세우는 경우를 생각한다.

유형·16 이웃하지 않는 순열

23 다음을 구하여라.

(1) 남학생 4명과 여학생 3명을 일렬로 세울 때, 여자끼리 이웃하지 않도록 서는 경우의 수

> 풀이 남학생 4명을 일렬로 세우는 경우의 수는 $4!=24$
> ∨㉯∨㉯∨㉯∨㉯∨
> 남학생의 양 끝과 사이사이의 5개의 자리에 여학생 3명을 세우는 경우의 수는 ${}_5P_3=60$
> 따라서 구하는 경우의 수는 $24\times60=$_____

(2) A, B를 포함한 5명의 학생을 일렬로 세울 때, A, B끼리 이웃하지 않도록 서는 경우의 수

(3) 6개의 문자 a, b, c, d, e, f를 일렬로 나열할 때, 모음끼리 이웃하지 않도록 나열하는 경우의 수

(4) 1학년 학생 3명과 2학년 학생 5명을 일렬로 세울 때, 1학년 학생끼리 이웃하지 않도록 서는 경우의 수

(5) 서로 다른 과학책 3권, 수학책 3권을 책꽂이에 일렬로 꽂을 때, 수학책끼리 이웃하지 않도록 꽂는 경우의 수

풍쌤 POINT
'이웃하지 않는다.'
➡ 이웃해도 상관없는 것만 먼저 배열한 후, 그 양 끝과 사이사이에 이웃하지 않아야 할 것을 끼워 넣는다.

유형·17 제한이 있는 경우의 순열

24 다음을 구하여라.

(1) A를 포함한 학생 6명 중에서 5명을 택하여 일렬로 세울 때, A가 맨 앞에 서는 경우의 수

> 풀이 맨 앞에 A를 세우고 나머지 5명 중에서 4명을 택하여 일렬로 세우면 되므로 구하는 경우의 수는 ${}_5P_4=$_____

(2) 선생님 1명과 학생 7명 중에서 4명을 택하여 일렬로 세울 때, 선생님이 맨 뒤에 서는 경우의 수

(3) 6명의 학생 A, B, C, D, E, F 중에서 회장 1명, 부회장 1명, 총무 1명을 뽑을 때, F가 회장으로 뽑히는 경우의 수

(4) 7개의 문자 a, b, c, d, e, f, g 중에서 3개를 택하여 일렬로 나열할 때, g가 맨 뒤에 오는 경우의 수

(5) 5개의 문자 w, a, t, e, r 중에서 4개를 택하여 일렬로 나열할 때, a가 맨 앞에 오는 경우의 수

풍쌤 POINT
위치가 고정되어 있는 경우
➡ 고정된 것을 먼저 놓은 후, 나머지를 배열하는 방법을 생각한다.

유형 18 '적어도'가 있는 경우의 순열

25 다음을 구하여라.

(1) orange에 있는 6개의 문자를 일렬로 나열할 때, 적어도 한쪽 끝에 자음이 오도록 나열하는 경우의 수

> 풀이 (i) 6개의 문자를 일렬로 나열하는 경우의 수는
> $6!=720$
> (ii) 양 끝에 모두 모음이 오는 경우의 수는
> (o, a, e 중 2개를 양 끝에 나열하는 경우의 수)
> ×(나머지 4개를 나열하는 경우의 수)
> 이므로 ${}_3P_2\times4!=6\times24=144$
> (i), (ii)에서 구하는 경우의 수는 $720-144=$____

(2) 남학생 5명, 여학생 5명 중에서 회장 1명, 부회장 1명을 뽑을 때, 회장, 부회장 중에서 적어도 한 명은 남학생을 뽑는 경우의 수

(3) power에 있는 5개의 문자를 일렬로 나열할 때, 적어도 한쪽 끝에 모음이 오도록 나열하는 경우의 수

(4) 5개의 문자 a, b, c, d, e를 일렬로 나열할 때, a, b, c 중에서 적어도 2개가 이웃하도록 나열하는 경우의 수

(5) special에 있는 7개의 문자를 일렬로 나열할 때, 적어도 2개의 모음이 이웃하도록 나열하는 경우의 수

풍쌤 POINT

(사건 A가 적어도 한 번 일어나는 경우의 수)
=(전체 경우의 수)−(사건 A가 일어나지 않는 경우의 수)

유형 19 교대로 서는 경우의 순열

26 다음을 구하여라.

(1) 남학생 3명과 여학생 3명을 일렬로 세울 때, 교대로 서는 경우의 수

> 풀이 (i) 남 여 남 여 남 여로 서는 경우
> 남학생 자리에 3명을 일렬로 세우는 경우의 수는 3!
> 여학생 자리에 3명을 일렬로 세우는 경우의 수는 3!
> 이므로 $3!\times3!=36$
> (ii) 여 남 여 남 여 남으로 서는 경우
> 여학생 자리에 3명을 일렬로 세우는 경우의 수는 3!
> 남학생 자리에 3명을 일렬로 세우는 경우의 수는 3!
> 이므로 $3!\times3!=36$
> (i), (ii)에서 구하는 경우의 수는 $36+36=$____

(2) 서로 다른 영어책 4권과 중국어책 4권을 책꽂이에 일렬로 꽂을 때, 교대로 꽂는 경우의 수

27 다음을 구하여라.

(1) 중학생 3명과 고등학생 2명을 일렬로 세울 때, 교대로 서는 경우의 수

> 풀이 고등학생 2명을 일렬로 세우고 양 끝과 그 사이에 중학생 3명을 세우면 된다.
> 중 고 중 고 중
> 따라서 구하는 경우의 수는 $2!\times3!=$____

(2) justice에 있는 7개의 문자를 일렬로 나열할 때, 자음과 모음이 교대로 오는 경우의 수

풍쌤 POINT

교대로 배열
➡ 두 개의 대상 중 하나를 일렬로 배열하고, 다른 하나의 대상을 그 사이사이와 양 끝에 배열한다.

유형 20 사전식 배열법을 이용하는 경우의 순열

28 다음을 구하여라.

(1) 4개의 문자 a, b, c, d를 한 번씩만 사용하여 만든 문자열을 사전식으로 배열할 때, $bdac$는 몇 번째로 나타나는지 구하여라.

> 풀이 a□□□ 꼴인 문자열의 개수는 $3!=6$
> ba□□, bc□□ 꼴인 문자열의 개수는 $2\times2!=4$
> bd□□ 꼴인 문자열에서 $bdac$의 순서는 1번째
> 따라서 $bdac$가 나타나는 순서는 $6+4+$___$=$___

(2) 5개의 자음 ㄱ, ㄴ, ㄷ, ㄹ, ㅁ을 한 번씩만 사용하여 만든 문자열을 사전식으로 배열할 때, ㄷㅁㄱㄹㄴ은 몇 번째로 나타나는지 구하여라.

29 다음을 구하여라.

(1) 4개의 문자 a, b, c, d를 한 번씩만 사용하여 만든 문자열을 사전식으로 배열할 때, 20번째로 나타나는 문자열을 구하여라.

> 풀이 a□□□ 꼴인 문자열의 개수는 $3!=6$
> b□□□ 꼴인 문자열의 개수는 $3!=6$
> c□□□ 꼴인 문자열의 개수는 $3!=6$
> a 또는 b 또는 c를 시작으로 하는 문자열이 모두 18개이므로 20번째로 나타나는 문자열은 d□□□ 꼴인 문자열에서 2번째에 있다.
> d□□□ 꼴인 문자열의 순서는 $dabc$, $dacb$, ⋯
> 따라서 구하는 문자열은 ______이다.

(2) 5개의 자음 ㄱ, ㄴ, ㄷ, ㄹ, ㅁ을 한 번씩만 사용하여 만든 문자열을 사전식으로 배열할 때, 75번째로 나타나는 문자열을 구하여라.

풍쌤 POINT
문자를 사전식으로 배열
➡ 계승을 이용한다.

유형 21 자연수의 개수 (1)

30 다음을 구하여라.

(1) 5개의 숫자 0, 1, 2, 3, 4에서 서로 다른 3개의 숫자를 택하여 만들 수 있는 세 자리의 자연수의 개수를 구하여라.

> 풀이 백의 자리에는 0이 올 수 없으므로 백의 자리에 올 수 있는 숫자는 1, 2, 3, 4의 4가지이다.
> 십, 일의 자리에는 백의 자리에 온 숫자를 제외한 4개의 숫자 중에서 2개를 택하여 일렬로 배열하면 되므로
> ${}_4P_2=12$
> 따라서 구하는 자연수의 개수는 $4\times$___$=$___

(2) 5개의 숫자 1, 2, 3, 4, 5에서 서로 다른 4개의 숫자를 택하여 만들 수 있는 네 자리의 자연수의 개수를 구하여라.

(3) 6개의 숫자 0, 1, 2, 3, 4, 5에서 서로 다른 4개의 숫자를 택하여 만들 수 있는 네 자리의 자연수의 개수를 구하여라.

(4) 7개의 숫자 0, 1, 2, 3, 4, 5, 6에서 서로 다른 4개의 숫자를 택하여 만들 수 있는 네 자리의 자연수의 개수를 구하여라.

풍쌤 POINT
자연수를 만드는 문제
➡ 맨 앞자리에 0이 올 수 없다.

유형 22 자연수의 개수 (2)

31 다음을 구하여라.

(1) 5개의 숫자 0, 1, 2, 3, 4에서 서로 다른 3개의 숫자를 택하여 만들 수 있는 세 자리의 짝수의 개수를 구하여라.

> 풀이 (i) □□0 꼴
> 4개의 숫자 1, 2, 3, 4에서 서로 다른 2개의 숫자를 택하여 일렬로 배열하면 되므로 ${}_4P_2=$____
> (ii) □□2, □□4 꼴
> 백의 자리에는 0이 올 수 없으므로 3개의 숫자가 올 수 있고, 십의 자리에는 백의 자리와 일의 자리에 온 숫자를 제외한 3개의 숫자가 올 수 있으므로
> $3\times3\times2=18$
> (i), (ii)에서 구하는 짝수의 개수는 $12+18=$____

(2) 6개의 숫자 0, 1, 2, 3, 4, 5에서 서로 다른 4개의 숫자를 택하여 만들 수 있는 네 자리의 짝수의 개수를 구하여라.

32 다음을 구하여라.

(1) 5개의 숫자 0, 1, 2, 3, 4에서 서로 다른 3개의 숫자를 택하여 만들 수 있는 세 자리의 자연수 중 4의 배수의 개수를 구하여라.

> 풀이 (i) □04, □20, □40 꼴
> 3개의 숫자에서 1개의 숫자를 택하면 되므로
> ${}_3P_1\times3=3\times3=9$
> (ii) □12, □24, □32 꼴
> 백의 자리에는 0이 올 수 없으므로 2개의 숫자가 올 수 있다.
> $\therefore 2\times3=6$
> (i), (ii)에서 구하는 4의 배수의 개수는 $9+6=$____

(2) 6개의 숫자 0, 1, 2, 3, 4, 5에서 서로 다른 4개의 숫자를 택하여 만들 수 있는 네 자리의 자연수 중 4의 배수의 개수를 구하여라.

풍쌤 POINT

① 짝수 ➡ 일의 자리의 숫자가 0, 2, 4, 6, 8 중의 하나
② 4의 배수 ➡ 맨 끝 두 자리의 수가 4의 배수

유형 23 자연수의 개수 (3)

33 다음을 구하여라.

(1) 4개의 숫자 1, 2, 3, 4를 한 번씩만 사용하여 네 자리의 자연수를 만들 때, 3200보다 작은 자연수의 개수를 구하여라.

> 풀이 1□□□ 꼴인 자연수의 개수는 $3!=6$
> 2□□□ 꼴인 자연수의 개수는 $3!=6$
> 31□□ 꼴인 자연수의 개수는 $2!=2$
> 따라서 3200보다 작은 자연수의 개수는
> $6+6+$____$=$____

(2) 4개의 숫자 1, 2, 3, 4를 한 번씩만 사용하여 네 자리의 자연수를 만들 때, 2300보다 큰 자연수의 개수를 구하여라.

(3) 5개의 숫자 1, 2, 3, 4, 5를 한 번씩만 사용하여 다섯 자리의 자연수를 만들 때, 24000보다 작은 자연수의 개수를 구하여라.

(4) 5개의 숫자 1, 2, 3, 4, 5를 한 번씩만 사용하여 다섯 자리의 자연수를 만들 때, 34000보다 큰 자연수의 개수를 구하여라.

풍쌤 POINT

어떤 수 보다 큰(작은) 수
➡ 사전식 배열을 이용한다.

조합의 뜻

1 조합

서로 다른 n개에서 순서를 생각하지 않고 $r(0<r\le n)$개를 택하는 것을 n개에서 r개를 택하는 조합이라 하고, 기호 ${}_n\mathrm{C}_r$로 나타낸다.

2 조합의 수

서로 다른 n개에서 $r(0\le r\le n)$개를 택하는 조합의 수는

$${}_n\mathrm{C}_r=\frac{{}_n\mathrm{P}_r}{r!}=\frac{n!}{r!(n-r)!}$$

① ${}_n\mathrm{C}_0=1$, ${}_n\mathrm{C}_n=1$

② ${}_n\mathrm{C}_r={}_n\mathrm{C}_{n-r}$

> 조합의 수

순서 없음 → ${}_n\mathrm{C}_r$

n: 서로 다른 것의 개수, r: 택하는 것의 개수

> 순열과 조합

순열은 순서를 생각하여 일렬로 배열한 것이고, 조합은 순서를 생각하지 않고 그 일부를 뽑은 것이다.

정답과 풀이 053쪽

유형 24 조합과 기호

34 다음을 기호로 나타내어라.

(1) 서로 다른 5개에서 3개를 택하는 방법의 수

> 풀이 서로 다른 5개에서 3개를 택하는 방법의 수는 ____

(2) 서로 다른 8개에서 2개를 택하는 방법의 수

(3) 서로 다른 4개에서 4개를 택하는 방법의 수

(4) 서로 다른 7개에서 6개를 택하는 방법의 수

(5) 서로 다른 9개에서 1개를 택하는 방법의 수

풍쌤 POINT

서로 다른 n개에서 $r(0<r\le n)$개를 택한다.

➡ ${}_n\mathrm{C}_r$

유형 25 조합의 수의 계산

35 다음 값을 구하여라.

(1) ${}_{20}\mathrm{C}_2$

> 풀이 ${}_{20}\mathrm{C}_2=\frac{{}_{20}\mathrm{P}_2}{2!}=\frac{20\times19}{2\times1}=$ ____

(2) ${}_{10}\mathrm{C}_3$

(3) ${}_{10}\mathrm{C}_0$

(4) ${}_5\mathrm{C}_5$

(5) ${}_{15}\mathrm{C}_{13}$

(6) ${}_{30}\mathrm{C}_{29}$

풍쌤 POINT

① ${}_n\mathrm{C}_r=\frac{{}_n\mathrm{P}_r}{r!}=\frac{n!}{r!(n-r)!}$ ② ${}_n\mathrm{C}_r={}_n\mathrm{C}_{n-r}$

유형 26 조합의 수를 만족시키는 값 구하기

36 다음을 만족시키는 자연수 n의 값을 구하여라.

(1) ${}_{n}C_{3}=20$

> 풀이 ${}_{n}C_{3}=20$에서 $\frac{n(n-1)(n-2)}{3\times2\times1}=20$이므로
> $n(n-1)(n-2)=6\times5\times4$
> $\therefore n=$___

(2) ${}_{n}C_{2}=15$

(3) ${}_{n}C_{3}=35$

(4) ${}_{n}C_{3}={}_{n}C_{5}$

> 풀이 ${}_{n}C_{3}={}_{n}C_{n-3}$이므로 ${}_{n}C_{n-3}={}_{n}C_{5}$에서 $n-3=5$
> $\therefore n=$___

(5) ${}_{n}C_{4}={}_{n}C_{6}$

(6) ${}_{n}C_{7}={}_{n}C_{8}$

37 다음을 만족시키는 자연수 r의 값을 모두 구하여라.

(1) ${}_{7}C_{r}={}_{7}C_{4}$ (단, $r\neq4$)

> 풀이 ${}_{7}C_{3}={}_{7}C_{4}$이므로 $r=$___

(2) ${}_{12}C_{r}={}_{12}C_{5}$ (단, $r\neq5$)

(3) ${}_{8}C_{r}=28$

> 풀이 ${}_{8}C_{r}=28=\frac{8\times7}{2\times1}$이므로 $r=$___
> ${}_{8}C_{2}={}_{8}C_{6}$이므로 $r=6$
> $\therefore r=$___ 또는 $r=6$

(4) ${}_{10}C_{r}=120$

(5) ${}_{9}C_{r}={}_{9}C_{r-3}$

(6) ${}_{14}C_{r}={}_{14}C_{r-6}$

풍쌤 POINT

${}_{n}C_{r}={}_{n}C_{n-r}$이므로 ${}_{n}C_{r}={}_{n}C_{s}$이면

➡ $r=s$ 또는 $n-r=s$

정답과 풀이 054쪽

38 다음을 구하여라.

(1) 6명의 학생 중에서 대표 2명을 뽑는 방법의 수

> 풀이 서로 다른 6개에서 2개를 택하는 조합의 수와 같으므로
> $_6C_2=\frac{6\times5}{2\times1}=$____

(2) 5개의 문자 a, b, c, d, e 중에서 2개의 문자를 택하는 방법의 수

(3) 1부터 9까지의 자연수 중에서 3개의 수를 택하는 방법의 수

(4) 서로 다른 30개의 사탕 중에서 2개를 택하는 방법의 수

(5) 집합 $\{1, 2, 3, 4, 5, 6, 7, 8\}$의 부분집합 중에서 원소의 개수가 3인 집합의 개수

39 다음을 구하여라.

(1) 남학생 6명과 여학생 4명 중에서 남학생 2명과 여학생 2명을 뽑는 경우의 수

> 풀이 남학생 6명 중에서 2명을 뽑는 경우의 수는 $_6C_2=15$
> 여학생 4명 중에서 2명을 뽑는 경우의 수는 $_4C_2=6$
> 따라서 구하는 경우의 수는 $15\times6=$____

(2) 서로 다른 검은 공 5개와 흰 공 7개 중에서 검은 공 1개와 흰 공 2개를 뽑는 경우의 수

40 다음을 구하여라.

(1) 남학생 6명과 여학생 4명 중에서 3명을 뽑을 때, 뽑힌 학생의 성별이 모두 같은 경우의 수

> 풀이 남학생 6명 중에서 3명을 뽑는 경우의 수는 $_6C_3=20$
> 여학생 4명 중에서 3명을 뽑는 경우의 수는
> $_4C_3={}_4C_1=$___
> 따라서 구하는 경우의 수는 $20+4=$____

(2) 서로 다른 검은 공 8개와 흰 공 7개 중에서 5개의 공을 뽑을 때, 뽑힌 공의 색이 모두 같은 경우의 수

풍쌤 POINT

서로 다른 n개에서 순서를 생각하지 않고 $r(0<r\leq n)$개를 택한다. ➡ $_nC_r$

특정 조건이 있는 조합

1 특정한 것을 포함하거나 제외하는 조합

서로 다른 n개에서 r개를 뽑을 때,

① 특정한 k개를 반드시 포함하여 r개를 택하는 방법의 수

➡ $(n-k)$개에서 $(r-k)$개를 택하는 방법의 수

② 특정한 k개를 반드시 제외하고 r개를 택하는 방법의 수

➡ $(n-k)$개에서 r개를 택하는 방법의 수

2 '적어도'가 있는 경우의 조합

① 반대 경우의 수를 생각한다.

② (전체 경우의 수)$-$(반대 경우의 수)를 구한다.

3 뽑아서 나열하는 경우의 수

뽑을 때는 조합을 이용하고, 뽑은 것을 나열할 때는 순열을 이용한다.

› 특정한 k개를 포함하여 뽑는 방법의 수

➡ 특정한 k개를 먼저 뽑아 놓고 나머지를 뽑는다.

› 특정한 k개를 포함하지 않고 뽑는 방법의 수

➡ 전체에서 특정한 k개를 제외하고 뽑는다.

유형 28 특정한 것을 포함하거나 제외하는 조합

41 다음을 구하여라.

(1) 10명의 학생 중에서 3명의 대표를 뽑을 때, 특정한 학생 2명을 반드시 포함하여 뽑는 경우의 수

› 풀이 특정한 2명을 미리 뽑아 놓고 나머지 8명에서 ____명을 뽑으면 되므로 ${}_8C_1=$____

(2) 6개의 문자 A, B, C, D, E, F 중에서 4개를 뽑을 때, A를 반드시 포함하여 뽑는 경우의 수

(3) 1부터 9까지의 자연수가 각각 하나씩 적힌 9개의 구슬이 들어 있는 상자에서 4개의 구슬을 동시에 꺼낼 때, 9의 약수가 적힌 구슬은 모두 반드시 포함하여 뽑는 경우의 수

(4) 남학생 5명과 여학생 5명 중에서 4명을 뽑을 때, 특정한 남학생 1명을 반드시 포함하여 뽑는 경우의 수

(5) 축구 선수 8명과 야구 선수 12명 중에서 6명을 뽑을 때, 야구 선수 중 특정한 3명을 반드시 포함하여 뽑는 경우의 수

(6) 중학생 7명과 고등학생 10명 중에서 8명을 뽑을 때, 특정한 고등학생 4명을 반드시 포함하여 뽑는 경우의 수

유형 29 '적어도'가 있는 경우의 조합

42 다음을 구하여라.

(1) 10명의 학생 중에서 3명의 대표를 뽑을 때, 특정한 학생 2명을 모두 포함하지 않고 뽑는 경우의 수

> 풀이 특정한 2명을 제외한 나머지 8명에서 ___명을 뽑으면 되므로 ${}_{8}C_{3}=$___

(2) 6개의 문자 A, B, C, D, E, F 중에서 3개를 뽑을 때, F를 포함하지 않고 뽑는 경우의 수

(3) 남학생 6명과 여학생 5명 중에서 5명을 뽑을 때, 특정한 남학생 2명을 모두 포함하지 않고 뽑는 경우의 수

(4) 배구 선수 6명과 야구 선수 6명 중에서 4명을 뽑을 때, 특정한 야구 선수 1명을 포함하지 않고 뽑는 경우의 수

(5) 초등학생 8명과 중학생 6명 중에서 3명을 뽑을 때, 특정한 초등학생 2명을 모두 포함하지 않고 뽑는 경우의 수

43 다음을 구하여라.

(1) 남학생 7명과 여학생 6명 중에서 3명을 뽑을 때, 남학생을 적어도 1명 포함하여 뽑는 경우의 수

> 풀이 전체 13명 중에서 3명을 뽑는 경우의 수는
> ${}_{13}C_{3}=$___
> 여학생 6명 중에서 3명을 뽑는 경우의 수는
> ${}_{6}C_{3}=$___
> 따라서 구하는 경우의 수는 $286-20=$___

(2) 서로 다른 소설책 4권과 수필집 5권 중에서 3권을 뽑을 때, 수필집을 적어도 1권 포함하여 뽑는 경우의 수

(3) 수영 선수 6명과 체조 선수 6명 중에서 4명을 뽑을 때, 수영 선수와 체조 선수를 각각 적어도 1명씩 포함하여 뽑는 경우의 수

> 풀이 전체 12명 중에서 4명을 뽑는 경우의 수는
> ${}_{12}C_{4}=495$
> 수영 선수 6명 중에서 4명을 뽑는 경우의 수는
> ${}_{6}C_{4}={}_{6}C_{2}=15$
> 체조 선수 6명 중에서 4명을 뽑는 경우의 수는
> ${}_{6}C_{4}={}_{6}C_{2}=15$
> 따라서 구하는 경우의 수는
> $495-($___$+$___$)=$___

(4) 서로 다른 종류의 사인펜 8자루와 색연필 7자루 중에서 3자루를 뽑을 때, 사인펜과 색연필을 각각 적어도 1자루씩 포함하여 뽑는 경우의 수

풍쌤 POINT

(사건 A가 적어도 한 번 일어나는 경우의 수)
$=$(전체 경우의 수)$-$(사건 A가 일어나지 않는 경우의 수)

유형 · 30 뽑아서 나열하는 경우의 수

정답과 풀이 055쪽

44 다음을 구하여라.

(1) 남학생 6명과 여학생 5명 중에서 남학생 2명, 여학생 3명을 뽑아 일렬로 세우는 경우의 수

> **풀이** (i) 남학생 6명 중에서 2명, 여학생 5명 중에서 3명을 뽑는 경우의 수는 ${}_6C_2 \times {}_5C_3 = 15 \times 10 = 150$
> (ii) 뽑은 5명을 일렬로 세우는 경우의 수는 $5! =$ ____
> (i), (ii)에서 구하는 경우의 수는 $150 \times 120 =$ ____

(2) 중학생 4명과 고등학생 6명 중에서 중학생 1명, 고등학생 2명을 뽑아 일렬로 세우는 경우의 수

(3) 서로 다른 과학책 5권과 사회책 4권 중에서 과학책 2권, 사회책 2권을 뽑아 책꽂이에 일렬로 꽂는 경우의 수

45 다음을 구하여라.

(1) A, B를 포함한 8명 중에서 4명을 뽑아 일렬로 세울 때, A는 포함되고 B는 포함되지 않는 경우의 수

> **풀이** (i) 8명 중에서 4명을 뽑는데 A는 포함되고 B는 포함되지 않아야 하므로 6명 중 3명을 뽑는 경우의 수와 같다.
> $\therefore {}_6C_3 =$ ____
> (ii) 뽑은 4명을 일렬로 세우는 경우의 수는 $4! = 24$
> (i), (ii)에서 구하는 경우의 수는 $20 \times 24 =$ ____

(2) 학생 6명 중에서 4명을 뽑아 일렬로 세울 때, 특정한 2명을 반드시 포함하여 뽑는 경우의 수

(3) 학생 8명 중에서 5명을 뽑아 일렬로 세울 때, 특정한 학생 2명을 모두 포함하지 않고 뽑는 경우의 수

풍쌤 POINT

뽑아서 나열한다.

➡ 뽑는 단계(조합)와 나열 단계(순열)를 구분하여 생각한다.

조합과 도형의 개수

1 직선의 개수

일직선 위에 있지 않은 n개의 점 중에서 2개의 점을 이어 만들 수 있는 직선의 개수 ➡ ${}_nC_2$ (단, $n\geq2$)

참고 볼록 n각형의 대각선의 개수: ${}_nC_2-n$ (단, $n\geq3$)

› 일직선 위에 있는 점으로 만들 수 있는 직선은 1개뿐이다.

2 삼각형의 개수

일직선 위에 있지 않은 n개의 점 중에서 3개의 점을 이어 만들 수 있는 삼각형의 개수 ➡ ${}_nC_3$ (단, $n\geq3$)

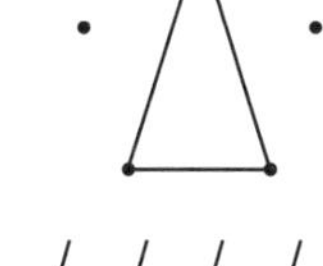

› 일직선 위에 있는 3개의 점을 이으면 삼각형이 생기지 않는다.

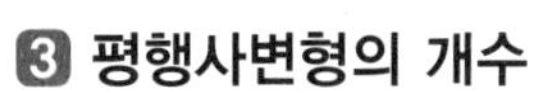

3 평행사변형의 개수

m개의 평행선과 n개의 평행선이 서로 만날 때 생기는 평행사변형의 개수

➡ ${}_mC_2\times{}_nC_2$ (단, $m\geq2$, $n\geq2$)

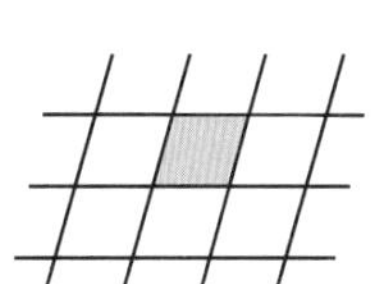

› 가로선 중에서 2개, 세로선 중에서 2개를 선택하면 하나의 평행사변형이 결정된다.

유형 31 직선의 개수

정답과 풀이 055쪽

46 다음을 구하여라.

(1) 오른쪽 그림과 같이 원 위에 8개의 점이 놓여 있을 때, 주어진 점을 이어서 만들 수 있는 서로 다른 직선의 개수

› 풀이 8개의 점 중에서 ___개를 택하는 조합의 수는 ${}_8C_2=$___

(2) 오른쪽 그림과 같이 원 위에 6개의 점이 놓여 있을 때, 주어진 점을 이어서 만들 수 있는 서로 다른 직선의 개수

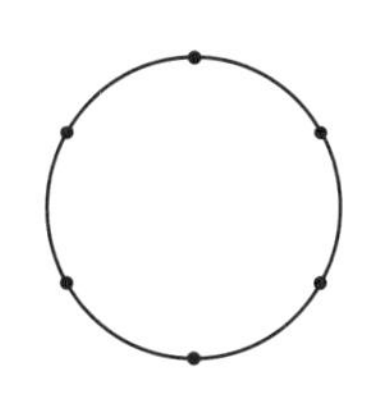

(3) 한 평면 위에 있는 서로 다른 9개의 점 중에서 어느 세 점도 한 직선 위에 있지 않을 때, 주어진 점을 이어서 만들 수 있는 서로 다른 직선의 개수

(4) 오른쪽 그림과 같이 두 평행선 위에 7개의 점이 놓여 있을 때, 주어진 점을 이어서 만들 수 있는 서로 다른 직선의 개수

› 풀이 두 평행선 위의 점을 하나씩 택하여 연결하면 한 개의 직선을 만들 수 있으므로 ${}_3C_1\times{}_4C_1=3\times4=12$
주어진 평행선 2개를 포함하면 구하는 직선의 개수는 $12+$___$=$___

(5) 오른쪽 그림과 같이 두 평행선 위에 9개의 점이 놓여 있을 때, 주어진 점을 이어서 만들 수 있는 서로 다른 직선의 개수

풍쌤 POINT

일직선 위에 있지 않은 n개의 점 중에서 2개의 점을 이어 만들 수 있는 직선의 개수 ➡ ${}_nC_2$ (단, $n\geq2$)

정답과 풀이 055쪽

유형·32 삼각형의 개수

47 다음을 구하여라.

(1) 오른쪽 그림과 같이 반원 위에 7개의 점이 있을 때, 이 중 3개의 점을 연결하여 만들 수 있는 삼각형의 개수

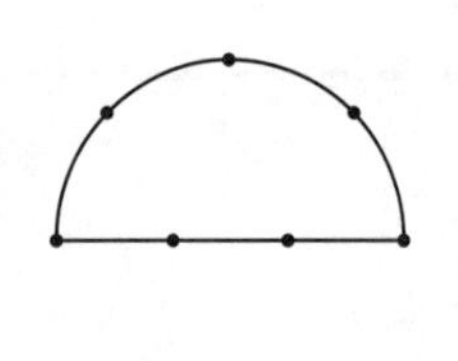

> 풀이 7개의 점 중에서 3개를 택하는 조합의 수는
> $_7C_3=35$
> 일직선 위에 있는 4개의 점 중에서 3개를 택하는 조합의 수는 $_4C_3={}_4C_1=4$
> 따라서 구하는 삼각형의 개수는 $35-4=$ ____

(2) 오른쪽 그림과 같이 반원 위에 10개의 점이 있을 때, 이 중 3개의 점을 연결하여 만들 수 있는 삼각형의 개수

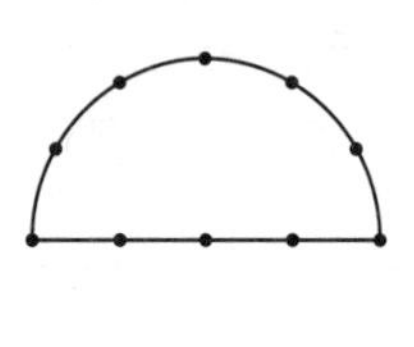

(3) 오른쪽 그림과 같은 정칠각형의 꼭짓점 중에서 3개의 점을 연결하여 만들 수 있는 삼각형의 개수

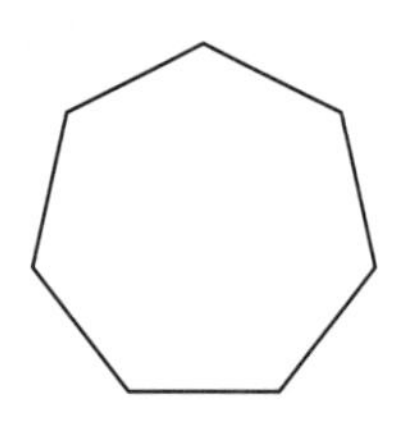

(4) 오른쪽 그림과 같이 정삼각형의 세 꼭짓점과 세 변의 삼등분점으로 이루어진 9개의 점이 있을 때, 이 중 3개의 점을 연결하여 만들 수 있는 삼각형의 개수

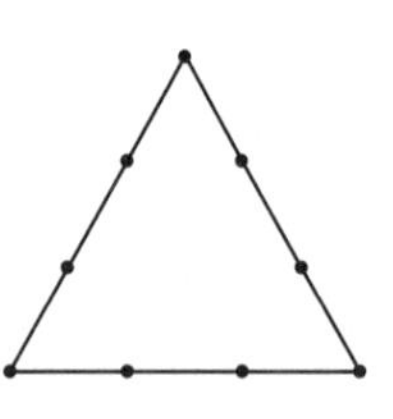

풍쌤 POINT

일직선 위에 있지 않은 n개의 점 중에서 3개의 점을 이어 만들 수 있는 삼각형의 개수 ➡ $_nC_3$ (단, $n\geq3$)

유형·33 사각형의 개수

48 다음을 구하여라.

(1) 오른쪽 그림과 같이 원 위에 같은 간격으로 놓인 8개의 점 중에서 4개를 꼭짓점으로 하는 사각형의 개수

> 풀이 8개의 점 중에서 ____개를 택하는 조합의 수는
> $_8C_4=$ ____

(2) 오른쪽 그림과 같이 원 위에 같은 간격으로 놓인 6개의 점 중에서 4개를 꼭짓점으로 하는 사각형의 개수

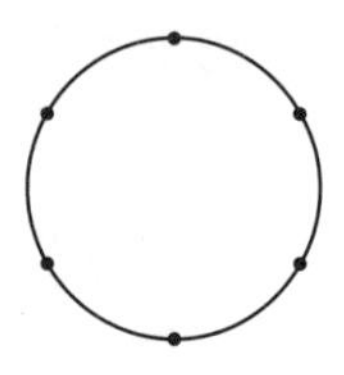

(3) 오른쪽 그림과 같이 5개의 평행선과 4개의 평행선이 만나서 만들어지는 사각형의 개수

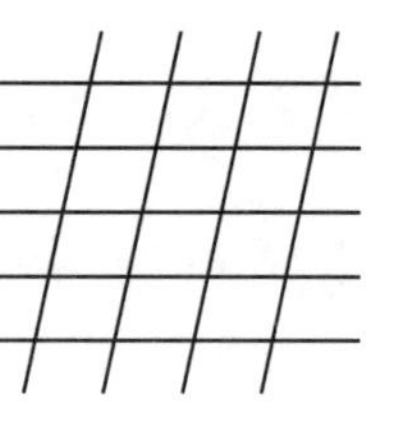

> 풀이 5개의 평행선 중에서 2개, 4개의 평행선 중에서 2개를 택하면 하나의 평행사변형이 결정되므로 구하는 평행사변형의 개수는
> $_5C_2\times{}_4C_2=10\times6=$ ____

(4) 오른쪽 그림과 같이 7개의 평행선과 6개의 평행선이 만나서 만들어지는 사각형의 개수

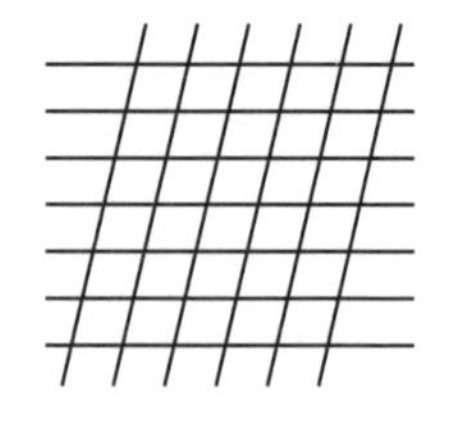

풍쌤 POINT

m개의 평행선과 n개의 평행선이 서로 만날 때 생기는 평행사변형의 개수 ➡ $_mC_2\times{}_nC_2$ (단, $m\geq2$, $n\geq2$)

·중단원 점검문제·

정답과 풀이 056쪽

01

1에서 20까지의 숫자가 각각 하나씩 적힌 20장의 카드 중에서 한 장의 카드를 뽑을 때, 4의 배수 또는 7의 배수가 적힌 카드를 뽑는 경우의 수를 구하여라.

02

두 집합 $A=\{1,\ 2,\ 3,\ 4,\ 5\}$, $B=\{1,\ 2,\ 3,\ 4\}$에 대하여 $x\in A$, $y\in B$인 순서쌍 $(x,\ y)$의 개수를 구하여라.

03

오른쪽 그림과 같이 네 지점 A, B, C, D를 연결하는 도로망이 있다. 같은 지점을 두 번 이상 지나지 않고 A 지점에서 D 지점까지 가는 방법의 수를 구하여라.

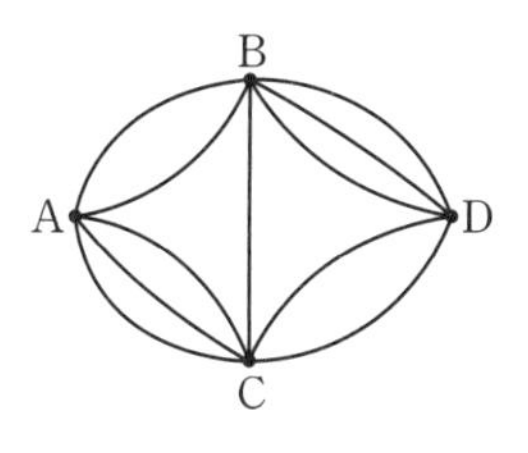

04

부등식 $x+2y<7$을 만족시키는 자연수 x, y의 순서쌍 $(x,\ y)$의 개수를 구하여라.

05

다항식

$$(a+b+c)(p+q+r)-(a+b)(s+t)$$

를 전개할 때, 서로 다른 항의 개수를 구하여라.

06

오른쪽 그림에서 A, B, C, D, E의 영역을 5가지 색으로 칠하려고 한다. 같은 색을 여러 번 사용해도 되지만 인접한 영역은 서로 다른 색으로 칠할 때, 칠하는 방법의 수를 구하여라.

<table>
<tr><td colspan="4">A</td></tr>
<tr><td>B</td><td>C</td><td>D</td><td>E</td></tr>
</table>

07

등식 ${}_n\mathrm{P}_2+3{}_n\mathrm{P}_1=24$를 만족시키는 자연수 n의 값을 구하여라.

08

A_1역부터 A_{10}역까지 10개의 역이 일렬로 연결되어 있는 철도선이 있다. 각 역에서 사용하는 차표에는 출발역과 도착역이 표기되어 있다. 왕복 차표는 없다고 할 때, 사용되는 차표는 모두 몇 종류인지 구하여라.

09

안경을 쓴 학생 3명과 쓰지 않은 학생 4명이 한 줄로 설 때, 안경을 쓴 학생끼리 이웃하고, 쓰지 않은 학생끼리 이웃하는 방법의 수를 구하여라.

10

6개의 문자 A, B, C, D, E, F를 일렬로 나열할 때, A가 맨 앞에, F가 맨 뒤에 오는 경우의 수를 구하여라.

11

5개의 숫자 0, 1, 2, 3, 4에서 서로 다른 4개의 숫자를 택하여 네 자리의 자연수를 만들 때, 2300보다 작은 자연수의 개수를 구하여라.

12

등식 ${}_8C_{r-1}={}_8C_{2r+6}$을 만족시키는 자연수 r의 값을 구하여라.

13

$0<a<b<c<10$을 만족시키는 세 자리의 자연수 abc의 개수를 구하여라.

14

1부터 10까지의 서로 다른 자연수가 각각 하나씩 적힌 10개의 공 중에서 3개의 공을 뽑을 때, 3 이하의 수가 적힌 공이 적어도 하나 이상 나오는 경우의 수를 구하여라.

15

남학생 4명과 여학생 6명 중에서 남학생 2명, 여학생 3명을 뽑아 일렬로 세우는 경우의 수를 구하여라.

16

오른쪽 그림과 같이 반원 위에 8개의 점이 있을 때, 이 중 2개의 점을 연결하여 만들 수 있는 직선의 개수를 구하여라.

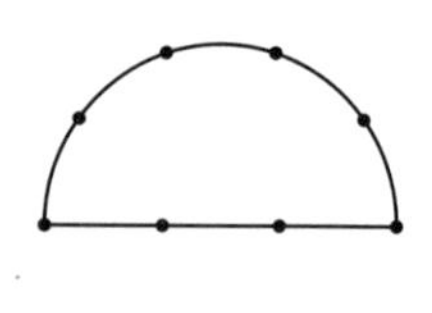

Ⅳ 집합과 명제

Ⅳ-1 | 집합 006~027쪽

01 (1) ○ (2) × (3) ○ (4) × (5) ×
(6) ○ (7) × (8) ○ (9) ○ (10) ○

02 (1) $\in$ (2) $\notin$ (3) $\in$ (4) $\notin$

03 (1) $\notin$ (2) $\in$ (3) $\in$ (4) $\notin$

04 (1) $\notin$ (2) $\in$ (3) $\in$ (4) $\notin$ (5) $\in$ (6) $\in$

05 (1) $A=\{2, 4, 6, 8\}$
(2) $B=\{2, 3, 5, 7, 11, 13, 17, 19\}$
(3) $C=\{1, 2, 3, 5, 6, 10, 15, 30\}$
(4) $D=\{-4, 5\}$
(5) $E=\{1, 2, 3, 4, 5, 6\}$

06 (1) (예) $A=\{x|x$는 20 이하의 홀수$\}$
(2) (예) $B=\{x|x$는 한 자리의 자연수$\}$
(3) (예) $C=\{x|x$는 12의 약수$\}$
(4) (예) $D=\{x|-5\le x\le -1, x$는 정수$\}$
(5) (예) $E=\{x|x$는 100보다 작은 4의 배수$\}$

07 풀이 참조

08 (1) 유 (2) 무 (3) 무 (4) 무 (5) 유

09 (1) $\varnothing$, $\{1\}$, $\{2\}$, $\{1, 2\}$
(2) $\varnothing$, $\{a\}$, $\{b\}$, $\{c\}$, $\{a, b\}$, $\{a, c\}$, $\{b, c\}$, $\{a, b, c\}$
(3) $\varnothing$, $\{2\}$, $\{4\}$, $\{8\}$, $\{2, 4\}$, $\{2, 8\}$, $\{4, 8\}$, $\{2, 4, 8\}$
(4) $\varnothing$, $\{\varnothing\}$, $\{0\}$, $\{\varnothing, 0\}$
(5) $\varnothing$, $\{\{0\}\}$, $\{\{1\}\}$, $\{\{0\}, \{1\}\}$
(6) $\varnothing$, $\{\varnothing\}$, $\{a\}$, $\{\{a\}\}$, $\{\varnothing, a\}$, $\{\varnothing, \{a\}\}$,
$\{a, \{a\}\}$, $\{\varnothing, a, \{a\}\}$

10 (1) $\subset$ (2) $\subset$ (3) $\not\subset$ (4) $\subset$ (5) $\not\subset$ (6) $\subset$

11 (1) $X\subset Y$ (2) $X\subset Y$ (3) $Y\subset X$
(4) $X\subset Y$ (5) $Y\subset X$ (6) $Y\subset X$

12 (1) ○ (2) × (3) × (4) ○
(5) ○ (6) ○ (7) ×

13 (1) $A=B$ (2) $A\neq B$ (3) $A=B$

14 (1) $a=3, b=5$ (2) $a=7, b=4$
(3) $a=5, b=3$

15 (1) $\varnothing$, $\{x\}$, $\{y\}$ (2) $\varnothing$
(3) $\varnothing$, $\{s\}$, $\{t\}$, $\{u\}$, $\{s, t\}$, $\{s, u\}$, $\{t, u\}$
(4) $\varnothing$, $\{-1\}$, $\{0\}$, $\{1\}$, $\{-1, 0\}$, $\{-1, 1\}$, $\{0, 1\}$
(5) $\varnothing$, $\{1\}$, $\{3\}$
(6) $\varnothing$, $\{2\}$, $\{3\}$, $\{5\}$, $\{7\}$, $\{2, 3\}$, $\{2, 5\}$, $\{2, 7\}$,
$\{3, 5\}$, $\{3, 7\}$, $\{5, 7\}$, $\{2, 3, 5\}$, $\{2, 3, 7\}$,
$\{2, 5, 7\}$, $\{3, 5, 7\}$

16 (1) 16 (2) 64 (3) 32 (4) 16 (5) 256

17 (1) 63 (2) 15 (3) 1023 (4) 31 (5) 511

18 (1) 32 (2) 16 (3) 8 (4) 16 (5) 4

19 (1) 256 (2) 128 (3) 32 (4) 64 (5) 128

20 (1) 4 (2) 4 (3) 16 (4) 64 (5) 8

21 (1) 28 (2) 24 (3) 28 (4) 24

22 (1) $\{a, b, c, d, e\}$ (2) $\{s, t, u\}$
(3) $\{3, 6, 9, 12, 15, 18, 21, 24, 27, 30\}$
(또는 $\{x|x$는 30 이하의 3의 배수$\}$)
(4) $\{-2, -1, 0, 1, 2, 3\}$
(또는 $\{x|x$는 $-2\le x<4$인 정수$\}$)
(5) $\{x|x$는 자연수$\}$

23 (1) $\{2, 4\}$ (2) $\varnothing$
(3) $\{1, 2, 3, 4, 6, 12\}$
(또는 $\{x|x$는 12의 양의 약수$\}$)
(4) $\{5, 6, 7, 8\}$
(또는 $\{x|x$는 $5\le x<9$인 자연수$\}$)

24 (1) ○ (2) × (3) ○ (4) ○
(5) ○ (6) ○ (7) ○ (8) ×

25 (1) $\{3, 5, 6, 7, 9\}$ (2) $\varnothing$
(3) $\{6, 7, 8, 9\}$ (4) $\{1, 3, 5, 7, 9\}$

26 (1) $\{a, b\}$ (2) $\{3, 6, 9, 12\}$ (3) $\{2\}$ (4) $\varnothing$

27 (1) $\{2, 3, 4, 6, 8, 9\}$ (2) $\{6\}$
(3) $\{1, 3, 5, 7, 9\}$ (4) $\{1, 2, 4, 5, 7, 8\}$
(5) $\{2, 4, 8\}$ (6) $\{3, 9\}$
(7) $\{1, 5, 7\}$ (8) $\{1, 2, 3, 4, 5, 7, 8, 9\}$
(9) $\{2, 4, 8\}$ (10) $\{1, 5, 7\}$

28 (1) $\{1, 3, 4, 5, 7, 9, 10\}$ (2) $\{1, 7\}$
(3) $\{2, 4, 6, 8, 10\}$ (4) $\{2, 3, 5, 6, 8, 9\}$
(5) $\{3, 5, 9\}$ (6) $\{4, 10\}$
(7) $\{2, 6, 8\}$ (8) $\{2, 3, 4, 5, 6, 8, 9, 10\}$

29 풀이 참조

30 (1) $\{8, 16\}$ (2) $\{8, 16\}$ (3) $\{8, 16\}$ (4) $\{8, 16\}$

31 (1) ○ (2) ○ (3) ○ (4) × (5) × (6) ○

32 (1) A (2) B (3) $\varnothing$ (4) A (5) $\varnothing$

33 (1) ○ (2) ○ (3) × (4) ○ (5) ×

34 풀이 참조

35 (1) ① $\{2, 4, 8\}$ ② $\{2, 4, 8\}$ ③ $=$
(2) ① $\{4, 8\}$ ② $\{4, 8\}$ ③ $=$
(3) ① $\{2, 4, 6, 8, 10, 16\}$
② $\{2, 4, 6, 8, 10, 16\}$ ③ $=$
(4) ① $\{2, 4, 6, 8, 10\}$ ② $\{2, 4, 6, 8, 10\}$ ③ $=$

36 풀이 참조

37 (1) ① $\{3, 5, 6, 7\}$ ② $\{3, 5, 6, 7\}$ ③ $=$
(2) ① $\{1, 3, 5, 6, 7, 8\}$ ② $\{1, 3, 5, 6, 7, 8\}$ ③ $=$

38 (1) ㄷ (2) ㄹ, ㄴ (3) ㄹ, ㄷ (4) ㄹ, ㄱ, ㄴ

39 풀이 참조

40 (1) ① 50 ② 36 ③ 18 ④ 10
⑤ 44 ⑥ 26 ⑦ 8
(2) ① 46 ② 22 ③ 28 ④ 7
⑤ 43 ⑥ 15 ⑦ 21

41 (1) 30 (2) 17 (3) 42 (4) 42

42 (1) 26 (2) 33 (3) 10 (4) 10

43 (1) 12 (2) 15 (3) 12 (4) 15

44 (1) 23 (2) 19 (3) 23 (4) 19

45 (1) 66 (2) 38 (3) 39 (4) 23 (5) 30 (6) 48

46 (1) 13 (2) 8 (3) 11 (4) 17 (5) 0 (6) 0

47 (1) 67 (2) 33 (3) 32 (4) 16

48 (1) 38 (2) 36 (3) 38 (4) 37 (5) 46

49 (1) 3 (2) 1 (3) 2 (4) 5 (5) 7

중단원 점검문제 | Ⅳ-1. 집합 028-029쪽

01 ④ **02** 3 **03** 6 **04** $A \subset C \subset B$
05 8 **06** 8 **07** 15 **08** ③
09 ⑤ **10** 2 **11** ② **12** $\{2, 4, 5\}$
13 A **14** 34 **15** 9

Ⅳ-2 | 명제 030~048쪽

01 (1) × (2) × (3) ○ (4) × (5) ○ (6) ○

02 (1) 조 (2) 명 (3) 조 (4) 명 (5) 조 (6) 명

03 (1) $\{1, 3, 5, 7\}$ (2) $\{1, 2, 4, 8\}$
(3) $\{5, 7, 8\}$ (4) $\{1, 2, 3, 4, 5, 6, 7, 8\}$
(5) $\{4, 5, 6, 7, 8\}$ (6) $\varnothing$
(7) $\{3, 4, 5\}$ (8) $\{2\}$

04 (1) $\{2, 3, 4, 5, 6, 7, 8\}$ (2) $\{2, 3, 5\}$
(3) $\{1, 2, 3, 4, 5, 6\}$

05 (1) $\{2, 3, 4, 5, 6\}$ (2) $\{7, 8, 9, 10\}$
(3) $\{5, 10\}$

06 (1) $0 \notin Q$ (2) $(-1)+1 \neq 0$
(3) $\sqrt{2}$는 무리수이다. (4) 5는 8의 약수이다.

07 (1) $x=2$ (2) $x \geq 5$ (3) $x<3$
(4) x는 정수가 아니다.

08 (1) $x<4$ 그리고 $x \geq 1$
(2) $x \neq 7$ 그리고 $x \neq 8$
(3) $x-5 \leq 0$ 그리고 $x-9>0$
(4) $x \neq 0$ 또는 $y \neq 1$
(5) $x \leq 10$ 또는 $x \geq 20$
(6) $x<6$ 또는 $x \geq 12$

09 (1) ① 참 ② 2는 3과 서로소가 아니다. ③ 거짓
(2) ① 거짓 ② 5는 2의 배수가 아니다. ③ 참
(3) ① 거짓 ② $\sqrt{4}$는 유리수이다. ③ 참
(4) ① 참 ② π는 유리수이다. ③ 거짓

10 (1) $\{1, 2, 3, 4\}$
(2) $\{6, 7, 8, 9, 10\}$
(3) $\{1, 2, 6, 7, 8, 9, 10\}$
(4) $\{1, 2, 4, 5, 6, 7, 8, 9, 10\}$
(5) $\{1, 4, 6, 8, 9, 10\}$
(6) $\{2, 4, 6, 8, 10\}$
(7) $\{1, 2, 4, 5, 7, 8, 10\}$
(8) $\{3, 4, 6, 7, 8, 9\}$

11 (1) 가정: 어떤 수는 6이다.
결론: 어떤 수는 12의 약수이다.
(2) 가정: $x=2$이다.
결론: $x^2=4$이다.
(3) 가정: $2<x<3$이다.
결론: $2 \leq x \leq 3$이다.
(4) 가정: a, b가 모두 홀수이다.
결론: ab는 홀수이다.
(5) 가정: a, b가 모두 자연수이다.
결론: $a+b$는 자연수이다.

12 (1) 참 (2) 거짓 (3) 참

13 (1) 거짓 (2) 거짓 (3) 참

14 (1) 거짓 (2) 참 (3) 참 (4) 거짓
(5) 거짓 (6) 참 (7) 거짓 (8) 거짓

15 (1) ○ (2) ○ (3) × (4) ○

16 (1) × (2) ○ (3) × (4) ○

17 (1) 참 (2) 거짓 (3) 참 (4) 참 (5) 거짓

18 (1) 어떤 자연수 x에 대하여 $x \le 0$이다. (거짓)
(2) 어떤 실수 x에 대하여 $x-1=0$이다. (참)
(3) 어떤 소수는 짝수이다. (참)
(4) 모든 실수 x에 대하여 $x^2+1 \ne 0$이다. (참)
(5) 모든 4의 약수는 8의 약수이다. (참)

19 (1) 역: $p \longrightarrow q$, 대우: $\sim p \longrightarrow \sim q$
(2) 역: $\sim q \longrightarrow p$, 대우: $q \longrightarrow \sim p$
(3) 역: $q \longrightarrow \sim p$, 대우: $\sim q \longrightarrow p$
(4) 역: $\sim q \longrightarrow \sim p$, 대우: $q \longrightarrow p$
(5) 역: $\sim p \longrightarrow \sim q$, 대우: $p \longrightarrow q$

20 (1) 역: $x=1$이면 $x^2=1$이다.
대우: $x \ne 1$이면 $x^2 \ne 1$이다.
(2) 역: $x>0$이면 $x>2$이다.
대우: $x \le 0$이면 $x \le 2$이다.
(3) 역: $x=0$ 또는 $y=0$이면 $xy=0$이다.
대우: $x \ne 0$이고 $y \ne 0$이면 $xy \ne 0$이다.
(4) 역: $x=1$이고 $y=1$이면 $x+y=2$이다.
대우: $x \ne 1$ 또는 $y \ne 1$이면 $x+y \ne 2$이다.
(5) 역: $a+b<0$이면 $a<0$ 또는 $b<0$이다.
대우: $a+b \ge 0$이면 $a \ge 0$이고 $b \ge 0$이다.

21 (1) 역: x가 2의 배수이면 x는 4의 배수이다. (거짓)
대우: x가 2의 배수가 아니면 x는 4의 배수가 아니다. (참)
(2) 역: x가 12의 양의 약수이면 x는 6의 약수이다. (거짓)
대우: x가 12의 양의 약수가 아니면 x는 6의 약수가 아니다. (참)
(3) 역: 이등변삼각형이면 정삼각형이다. (거짓)
대우: 이등변삼각형이 아니면 정삼각형이 아니다. (참)
(4) 역: $x \ge 1$이고 $y \ge 2$이면 $x+y \ge 3$이다. (참)
대우: $x<1$ 또는 $y<2$이면 $x+y<3$이다. (거짓)
(5) 역: x 또는 y가 짝수이면 xy가 짝수이다. (참)
대우: x, y가 모두 홀수이면 xy는 홀수이다. (참)
(6) 역: xy가 무리수이면 x, y는 모두 무리수이다. (거짓)
대우: xy가 유리수이면 x 또는 y는 유리수이다. (거짓)

22 (1) ㅁ (2) ㄷ (3) ㄹ (4) ㄴ (5) ㄱ

23 (1) $\sim r$ (2) q (3) r (4) r (5) p

24 (1) ○ (2) ○ (3) ○ (4) ○ (5) × (6) ×

25 (1) (가) 홀수 (나) $2k^2-2k+1$
(2) (가) 홀수 (나) $2kl-k-l$

26 (1) (가) $2m^2$ (나) 2
(2) (가) 유리수 (나) 3
(3) (가) 3 (나) 9
(4) (가) 2 (나) k^2+k

27 (1) ① 거짓 ② 참 ③ 필요조건
(2) ① 참 ② 거짓 ③ 충분조건
(3) ① 참 ② 참 ③ 필요충분조건

28 (1) ① $\{x \mid -1<x<0\}$ ② $\{x \mid x<3\}$ ③ 충분조건
(2) ① $\{-3, 2\}$ ② $\{2\}$ ③ 필요조건
(3) ① $\{-4, 4\}$ ② $\{-4, 4\}$ ③ 필요충분조건

29 (1) 필요조건 (2) 필요조건
(3) 필요충분조건 (4) 필요충분조건
(5) 충분조건 (6) 필요조건
(7) 충분조건 (8) 충분조건
(9) 필요충분조건 (10) 필요조건
(11) 필요조건 (12) 필요충분조건

30 (1) 5 (2) 6 (3) 7 (4) 3

31 (1) 4 (2) 2 (3) 3 (4) -5

32 (1) × (2) × (3) ○ (4) × (5) ○

33 (1) $A \ge B$ (2) $A>B$ (3) $A<B$

34 (1) (가) $\frac{1}{4}b^2$ (나) $\frac{1}{2}b$
(2) (가) $\frac{3}{4}b^2$ (나) $\ge$
(3) (가) $|ab|-ab$ (나) ab
(4) (가) $|a|-|b|$ (나) $|b|$

35 (1) 2 (2) 12 (3) 4 (4) 2 (5) 8

36 (1) 4 (2) 12

37 (1) 1 (2) 6

38 (1) 최댓값: $\sqrt{10}$, 최솟값: $-\sqrt{10}$
(2) 최댓값: 5, 최솟값: -5
(3) 최댓값: $5\sqrt{2}$, 최솟값: $-5\sqrt{2}$
(4) 최댓값: $5\sqrt{5}$, 최솟값: $-5\sqrt{5}$

39 (1) 8 (2) 5 (3) 13 (4) 4

중단원 점검문제 | Ⅳ-2. 명제 049-050쪽

01 ② **02** ① **03** ④ **04** 12
05 ⑤ **06** ② **07** ④ **08** 81
09 ⑤ **10** 2 **11** 2 **12** 3
13 18 **14** -13

V 함수와 그래프

V-1 함수 052~073쪽

01 풀이 참조

02 (1) × (2) ○ (3) ×

03 (1) ○ (2) × (3) ○ (4) ○ (5) × (6) ×

04 (1) 정의역: $\{1, 2, 3, 4\}$, 공역: $\{a, b, c, d\}$, 치역: $\{a, b, c\}$
(2) 정의역: $\{1, 2, 3, 4\}$, 공역: $\{1, 3, 5, 7\}$, 치역: $\{1, 3, 5, 7\}$
(3) 정의역: $\{1, 2, 3\}$, 공역: $\{5, 6, 7, 8\}$, 치역: $\{5, 6, 7\}$
(4) 정의역: $\{a, b, c, d\}$, 공역: $\{1, 2, 3, 4\}$, 치역: $\{1, 3\}$
(5) 정의역: $\{2, 4, 8\}$, 공역: $\{a, b, c\}$, 치역: $\{a\}$

05 (1) $\{-2, 0, 2\}$ (2) $\{-1, 0, 1\}$ (3) $\{-1, 0\}$
(4) $\{1, 2\}$ (5) $\{1, 2, 3\}$

06 (1) $\{1, 3, 5, 6, 7\}$ (2) $\{1, 2, 6, 13, 22\}$
(3) $\{-3, -1, 1, 3\}$

07 (1) $f=g$ (2) $f\neq g$ (3) $f=g$

08 (1) $f=g$ (2) $f\neq g$ (3) $f\neq g$

09 (1) $a=3, b=-1$ (2) $a=1, b=1$
(3) $a=1, b=-1$ (4) $a=-1, b=6$

10 (1) ○ (2) × (3) ○ (4) ○ (5) × (6) ×

11 (1) ㄴ, ㄷ (2) ㄴ, ㄷ (3) ㄷ (4) ㄱ

12 (1) ㄱ, ㄴ (2) ㄱ, ㄴ (3) ㄱ (4) ㄹ

13 (1) $a=1, b=3$ (2) $a=2, b=1$ (3) $a=3, b=-2$

14 (1) $a=-2, b=5$ (2) $a=-1, b=-2$ (3) $a=-3, b=4$

15 (1) 9 (2) 16 (3) 27

16 (1) 24 (2) 20 (3) 24

17 (1) 6 (2) 24 (3) 120

18 (1) 3 (2) 3 (3) 4

19 (1) 1 (2) 3 (3) 2 (4) 4
(5) 8 (6) 6 (7) 7 (8) 5

20 (1) 5 (2) 3 (3) 1 (4) 6 (5) 2 (6) 0

21 (1) 2 (2) 11 (3) -1 (4) 63
(5) 8 (6) 0 (7) 63 (8) 17

22 (1) 6 (2) 3 (3) 2

23 (1) 3 (2) -3 (3) 5

24 (1) $-12x-7$ (2) $-12x+23$ (3) $36x+35$

25 (1) $9x^2-9x+2$ (2) $3x^2-3x-1$ (3) x^4-2x^3+x

26 (1) $h(x)=3x-3$ (2) $h(x)=\frac{1}{2}x-\frac{3}{2}$
(3) $h(x)=-\frac{1}{2}x+6$ (4) $h(x)=x^2-6$

27 (1) $h(x)=3x-11$ (2) $h(x)=\frac{1}{2}x-\frac{5}{2}$
(3) $h(x)=-\frac{1}{2}x-\frac{3}{2}$ (4) $h(x)=x^2-4x$

28 (1) 16 (2) 17 (3) 9
(4) 5 (5) 5 (6) 1

29 (1) 2 (2) 1 (3) 4
(4) 1 (5) 2 (6) 5

30 (1) 7 (2) 52 (3) 13 (4) -3
(5) 242 (6) 98 (7) $\frac{5}{2}$ (8) -7

31 (1) c (2) d (3) e
(4) d (5) e (6) e

32 (1) -1 (2) 2 (3) 3 (4) $\frac{3}{2}$

33 (1) $4x^2-4x+1$ (2) $4x^2-4x+1$
(3) $2x^2-2$ (4) $4x^2-1$
(5) $4x^2-8x+4$ (6) $4x-1$

34 (1) 11 (2) -9 (3) 1024 (4) $\frac{1}{1024}$

35 (1) × (2) × (3) ○

36 (1) ○ (2) × (3) × (4) ×

37 (1) 4 (2) 5 (3) 1 (4) 2 (5) 3

38 (1) 2 (2) 1 (3) 2

39 (1) 3 (2) -17 (3) -2 (4) 8

40 (1) 3 (2) -1 (3) 0 (4) -5

41 (1) $a=4, b=-2$ (2) $a=-2, b=5$
(3) $a=2, b=7$ (4) $a=1, b=3$
(5) $a=3, b=3$

42 (1) $y=2x+6$ (2) $y=\frac{1}{2}x+2$
(3) $y=-3x+6$ (4) $y=\sqrt{x}\ (x\geq 0)$
(5) $y=\sqrt{\frac{x-1}{2}}\ (x\geq 1)$

43 (1) 1　(2) 3　(3) 2　(4) 4

44 (1) 8　(2) 11　(3) 2　(4) 1　(5) 5　(6) -1

45 (1) 2　(2) 0　(3) 13　(4) $\frac{1}{2}$　(5) 5

46 (1) -3　(2) 1　(3) 11　(4) 15　(5) 0

47 (1) -3　(2) 1　(3) 1　(4) 3

48 (1) a　(2) b　(3) c　(4) a　(5) b

49 풀이 참조

50 (1) $(4, 4)$　(2) $(-3, -3)$　(3) $(1, 1)$

중단원 점검문제 I V-1. 함수　074-075쪽

01 ⑤　**02** 1　**03** 20

04 $\{-1\}$, $\{2\}$, $\{-1, 2\}$　**05** ②　**06** 28

07 1　**08** 3　**09** 2　**10** 2

11 2　**12** 5　**13** -2　**14** ⑤

V-2 I 유리식과 유리함수　076~091쪽

01 (1) 분　(2) 다　(3) 다　(4) 분　(5) 분

02 (1) $\frac{3x+5}{(x+1)(x+2)}$　(2) $\frac{4x-3}{x(x-3)}$

(3) $\frac{x+5}{(x-1)(x+1)}$　(4) $\frac{2x}{(x+2)(x-2)}$

(5) $\frac{10}{x(x-5)(x+5)}$

03 (1) $\frac{x+1}{(x-1)(x+2)}$　(2) x　(3) $\frac{x-1}{(x+1)(x+3)}$

04 (1) $\frac{x-4}{x+2}$　(2) $\frac{x+5}{x-5}$　(3) $\frac{x+1}{x-2}$

05 (1) $\frac{2x-1}{(x+4)(x+1)(x-1)}$

(2) $\frac{10x+9}{(2x+1)(x+2)(x-3)}$

(3) $\frac{1}{2x+1}$　(4) 1　(5) $\frac{5x-1}{5x+3}$

06 (1) $-\frac{2}{(x-5)(x-7)}$　(2) $\frac{x-8}{(x-2)(x-4)}$

(3) $\frac{-4x+2}{(x+1)(x-1)}$　(4) $\frac{3x-1}{(x+1)(x-1)}$

07 (1) $\frac{1}{x+1}-\frac{1}{x+2}$

(2) $\frac{1}{2}\left(\frac{1}{x+2}-\frac{1}{x+4}\right)$

(3) $\frac{1}{x+1}-\frac{1}{x+3}$

(4) $2\left(\frac{1}{2x+3}-\frac{1}{2x+5}\right)$

08 (1) 분　(2) 다　(3) 분　(4) 분　(5) 다

09 (1) $\{x|x\neq0$인 실수$\}$

(2) $\{x|x\neq4$인 실수$\}$

(3) $\left\{x\middle|x\neq\frac{1}{2}\text{인 실수}\right\}$

(4) $\{x|x\neq-1, x\neq1$인 실수$\}$

(5) 모든 실수

10 풀이 참조

11 (1) $y=\frac{1}{x-2}+3$　(2) $y=\frac{2}{x+5}+6$

(3) $y=-\frac{1}{x-3}-2$　(4) $y=-\frac{3}{x+4}-1$

(5) $y=\frac{1}{3(x-4)}-4$　(6) $y=\frac{2}{5(x+1)}-2$

(7) $y=-\frac{1}{2(x-1)}+2$　(8) $y=-\frac{1}{4(x+3)}-5$

12 (1) $p=4, q=5$　(2) $p=-2, q=-3$　(3) $p=-5, q=0$

13 (1) $p=3, q=-5$　(2) $p=-7, q=9$　(3) $p=0, q=-4$

14 (1) 점근선의 방정식: $x=0, y=1$
정의역: $\{x|x\neq0$인 실수$\}$
치역: $\{y|y\neq1$인 실수$\}$

(2) 점근선의 방정식: $x=7, y=0$
정의역: $\{x|x\neq7$인 실수$\}$
치역: $\{y|y\neq0$인 실수$\}$

(3) 점근선의 방정식: $x=-4, y=9$
정의역: $\{x|x\neq-4$인 실수$\}$
치역: $\{y|y\neq9$인 실수$\}$

(4) 점근선의 방정식: $x=-8, y=-2$
정의역: $\{x|x\neq-8$인 실수$\}$
치역: $\{y|y\neq-2$인 실수$\}$

(5) 점근선의 방정식: $x=2, y=-3$
정의역: $\{x|x\neq2$인 실수$\}$
치역: $\{y|y\neq-3$인 실수$\}$

(6) 점근선의 방정식: $x=-\frac{5}{3}, y=1$
정의역: $\left\{x\middle|x\neq-\frac{5}{3}\text{인 실수}\right\}$
치역: $\{y|y\neq1$인 실수$\}$

15 풀이 참조

16 (1) $k=1$, $p=1$, $q=2$
(2) $k=-1$, $p=2$, $q=-1$
(3) $k=1$, $p=1$, $q=-2$
(4) $k=-3$, $p=-3$, $q=-4$

17 (1) 점근선의 방정식: $x=1$, $y=2$
정의역: $\{x|x\neq 1$인 실수$\}$
치역: $\{y|y\neq 2$인 실수$\}$
(2) 점근선의 방정식: $x=-1$, $y=3$
정의역: $\{x|x\neq -1$인 실수$\}$
치역: $\{y|y\neq 3$인 실수$\}$
(3) 점근선의 방정식: $x=3$, $y=-1$
정의역: $\{x|x\neq 3$인 실수$\}$
치역: $\{y|y\neq -1$인 실수$\}$
(4) 점근선의 방정식: $x=2$, $y=2$
정의역: $\{x|x\neq 2$인 실수$\}$
치역: $\{y|y\neq 2$인 실수$\}$
(5) 점근선의 방정식: $x=3$, $y=4$
정의역: $\{x|x\neq 3$인 실수$\}$
치역: $\{y|y\neq 4$인 실수$\}$
(6) 점근선의 방정식: $x=-6$, $y=-1$
정의역: $\{x|x\neq -6$인 실수$\}$
치역: $\{y|y\neq -1$인 실수$\}$

18 풀이 참조

19 (1) $a=-1$, $b=0$, $c=-1$
(2) $a=1$, $b=1$, $c=-2$
(3) $a=2$, $b=-2$, $c=1$
(4) $a=-3$, $b=-4$, $c=1$

20 (1) ○ (2) × (3) ○

21 (1) × (2) ○ (3) ×

22 (1) $a=1$, $b=2$ (2) $a=2$, $b=-1$
(3) $a=\frac{1}{2}$, $b=1$ (4) $a=-\frac{1}{2}$, $b=-1$
(5) $a=-\frac{1}{3}$, $b=1$ (6) $a=0$, $b=2$

23 (1) $a=4$, $b=2$ (2) $a=2$, $b=2$
(3) $a=-1$, $b=5$ (4) $a=-\frac{3}{2}$, $b=\frac{5}{2}$

24 (1) $\{y|y\leq 0$ 또는 $y\geq 2\}$
(2) $\left\{y \middle| y\leq\frac{3}{4}\right.$ 또는 $\left.y\geq\frac{13}{4}\right\}$
(3) $\{y|y\leq 2$ 또는 $y\geq 4\}$
(4) $\left\{y \middle| y\leq-\frac{7}{3}\right.$ 또는 $\left.y\geq-\frac{5}{3}\right\}$

25 (1) 최댓값: $\frac{4}{5}$, 최솟값: 0
(2) 최댓값: 5, 최솟값: $\frac{7}{3}$
(3) 최댓값: $-\frac{11}{5}$, 최솟값: -3
(4) 최댓값: $\frac{15}{4}$, 최솟값: 3
(5) 최댓값: 2, 최솟값: 0
(6) 최댓값: $-\frac{7}{2}$, 최솟값: -5

26 (1) $y=\frac{-2x+3}{x+1}$ (2) $y=\frac{-x+4}{x-5}$
(3) $y=\frac{3x+1}{x-4}$ (4) $y=\frac{5x-6}{2x-1}$

27 (1) -2 (2) 5 (3) -4 (4) -1

중단원 점검문제 | V-2. 유리식과 유리함수 092-093쪽

01 4 **02** 1 **03** $\frac{3}{x(x+3)}$ **04** ㄴ, ㄹ

05 7 **06** 2 **07** -3 **08** 제1사분면

09 4 **10** 4 **11** 5

12 $\{y|y\leq -3$ 또는 $y\geq 0\}$ **13** 1 **14** 5

V-3 | 무리식과 무리함수 094~108쪽

01 (1) 무 (2) 유 (3) 유 (4) 유 (5) 무 (6) 무

02 (1) $x\geq 2$ (2) $-1\leq x\leq 3$ (3) $4\leq x\leq 5$
(4) $x>-\frac{1}{4}$ (5) $5<x\leq 7$ (6) $3<x\leq 6$

03 (1) 양 (2) 음 (3) 양 (4) 음 (5) 양

04 (1) 1 (2) 4 (3) 1

05 (1) $\sqrt{x+1}-1$ (2) $\sqrt{x}-\sqrt{x-1}$
(3) $\sqrt{x+2}+\sqrt{x-2}$ (4) $\frac{x+y-2\sqrt{xy}}{x-y}$
(5) $\frac{\sqrt{1+x}-\sqrt{1-x}}{2}$ (6) $-2x+1-2\sqrt{x(x-1)}$

06 (1) $\frac{2\sqrt{x}}{x-y}$ (2) $\frac{2\sqrt{x}}{x-1}$ (3) 0 (4) $-\frac{2}{x}$ (5) $2x$ (6) $\frac{2x}{y}$

07 (1) ○ (2) × (3) ○ (4) × (5) ○ (6) ○

08 (1) $\{x|x\geq 2\}$ (2) $\{x|x\leq 3\}$ (3) $\left\{x \middle| x\geq\frac{5}{2}\right\}$
(4) $\{x|x\leq 0\}$ (5) $\{x|x\leq 5\}$ (6) $\{x|-2\leq x\leq 2\}$

09 풀이 참조 **10** 풀이 참조

11 풀이 참조 **12** 풀이 참조

13 (1) $y=\sqrt{x-2}+3$ (2) $y=-\sqrt{2(x+5)}+4$
(3) $y=\sqrt{-(x-3)}-2$ (4) $y=-\sqrt{-3(x+4)}-4$

(5) $y=\sqrt{x+2}-2$ (6) $y=-\sqrt{2(x-3)}+2$

14 (1) 정의역: $\{x|x\geq-2\}$, 치역: $\{y|y\geq4\}$
(2) 정의역: $\{x|x\geq-1\}$, 치역: $\{y|y\geq2\}$
(3) 정의역: $\{x|x\geq3\}$, 치역: $\{y|y\leq-4\}$
(4) 정의역: $\{x|x\leq5\}$, 치역: $\{y|y\geq5\}$
(5) 정의역: $\{x|x\leq-2\}$, 치역: $\{y|y\geq3\}$
(6) 정의역: $\{x|x\leq1\}$, 치역: $\left\{y\middle|y\leq\frac{1}{2}\right\}$

15 풀이 참조 **16** 풀이 참조

17 (1) $a=4$, $b=4$, $c=-2$ (2) $a=-2$, $b=4$, $c=-1$
(3) $a=2$, $b=4$, $c=1$ (4) $a=-1$, $b=1$, $c=1$

18 (1) $\{y|3\leq y\leq5\}$ (2) $\{y|-3\leq y\leq-1\}$
(3) $\{y|4\leq y\leq6\}$ (4) $\{y|-3\leq y\leq-2\}$

19 (1) $a=2$, $b=1$ (2) $a=-3$, $b=-3$ (3) $a=4$, $b=4$

20 (1) 최댓값: 1, 최솟값: 0
(2) 최댓값: 4, 최솟값: 0
(3) 최댓값: 2, 최솟값: -1
(4) 최댓값: -1, 최솟값: -3
(5) 최댓값: 8, 최솟값: 6
(6) 최댓값: 4, 최솟값: 2

21 (1) $y=x^2-4x+5\ (x\geq2)$
(2) $y=1-x^2\ (x\geq0)$
(3) $y=x^2-8x+19\ (x\leq4)$
(4) $y=\frac{1}{2}x^2-3x+5\ (x\geq3)$
(5) $y=x^2-2x+5\ (x\leq1)$
(6) $y=-\frac{1}{2}x^2-x+\frac{9}{2}\ (x\leq-1)$

22 (1) $(2, 2)$ (2) $(5, 5)$ **23** (1) $(3, 3)$ (2) $(3, 3)$

24 (1) $\frac{5}{2}$ (2) $\sqrt{2}$ (3) $\sqrt{11}$ (4) 8

25 (1) ① $1\leq k<\frac{5}{4}$ ② $k<1$ 또는 $k=\frac{5}{4}$ ③ $k>\frac{5}{4}$
(2) ① $-\frac{3}{2}\leq k<\frac{1}{2}$ ② $k<-\frac{3}{2}$ 또는 $k=\frac{1}{2}$ ③ $k>\frac{1}{2}$
(3) ① $2\leq k<\frac{9}{4}$ ② $k<2$ 또는 $k=\frac{9}{4}$ ③ $k>\frac{9}{4}$

중단원 점검문제 | Ⅴ-3. 무리식과 무리함수 109-110쪽

01 5 **02** 2 **03** 1 **04** ㄴ, ㄹ
05 ㄹ **06** 3 **07** -3 **08** 제4사분면
09 -4 **10** 2 **11** 5 **12** 6
13 8 **14** 5 **15** $0\leq k<\frac{1}{2}$

Ⅵ 경우의 수

Ⅵ-1 | 경우의 수 112~134쪽

01 (1) 6 (2) 3 (3) 4

02 (1) 9 (2) 5 (3) 3

03 (1) 3 (2) 2 (3) 5

04 (1) 2 (2) 2

05 (1) 12 (2) 6 (3) 6
(4) 12 (5) 4 (6) 2

06 (1) 9 (2) 20

07 (1) 10 (2) 24

08 (1) 15 (2) 56

09 (1) 14 (2) 90

10 (1) 15 (2) 16 (3) 38

11 (1) 9 (2) 6 (3) 6

12 (1) 6 (2) 5 (3) 7 (4) 16

13 (1) 6 (2) 8 (3) 9 (4) 24

14 (1) 9 (2) 9 (3) 12 (4) 24

15 (1) 48 (2) 48 (3) 72

16 (1) ① 23 ② 19 (2) ① 44 ② 26
(3) ① 29 ② 24

17 (1) ${}_4\mathrm{P}_3$ (2) ${}_8\mathrm{P}_4$ (3) ${}_5\mathrm{P}_5$ (4) ${}_{10}\mathrm{P}_1$

18 (1) 90 (2) 210 (3) 720
(4) 5 (5) 1 (6) 24

19 (1) 6 (2) 4 (3) 5
(4) 6 (5) 7 (6) 9

20 (1) 3 (2) 2 (3) 2
(4) 6 (5) 2 (6) 4

21 (1) 72 (2) 6 (3) 90 (4) 336 (5) 20
(6) 24 (7) 380 (8) 24 (9) 120 (10) 60

22 (1) 144 (2) 240 (3) 1440
(4) 48 (5) 288 (6) 1440

23 (1) 1440 (2) 72 (3) 480
(4) 14400 (5) 144

24 (1) 120 (2) 210 (3) 20 (4) 30 (5) 24

25 (1) 576 (2) 70 (3) 84 (4) 108 (5) 3600

26 (1) 72 (2) 1152

27 (1) 12 (2) 144

28 (1) 11 (2) 68

29 (1) $dacb$ (2) ㄹㄱㄷㄴㅁ

30 (1) 48 (2) 120 (3) 300 (4) 720

31 (1) 30 (2) 156

32 (1) 15 (2) 72

33 (1) 14 (2) 16 (3) 36 (4) 60

34 (1) ${}_5C_3$ (2) ${}_8C_2$ (3) ${}_4C_4$ (4) ${}_7C_6$ (5) ${}_9C_1$

35 (1) 190 (2) 120 (3) 1
(4) 1 (5) 105 (6) 30

36 (1) 6 (2) 6 (3) 7
(4) 8 (5) 10 (6) 15

37 (1) 3 (2) 7 (3) 2, 6
(4) 3, 7 (5) 6 (6) 10

38 (1) 15 (2) 10 (3) 84 (4) 435 (5) 56

39 (1) 90 (2) 105

40 (1) 24 (2) 77

41 (1) 8 (2) 10 (3) 6
(4) 84 (5) 680 (6) 715

42 (1) 56 (2) 10 (3) 126 (4) 330 (5) 220

43 (1) 266 (2) 80 (3) 465 (4) 364

44 (1) 18000 (2) 360 (3) 1440

45 (1) 480 (2) 144 (3) 720

46 (1) 28 (2) 15 (3) 36 (4) 14 (5) 22

47 (1) 31 (2) 110 (3) 35 (4) 72

48 (1) 70 (2) 15 (3) 60 (4) 315

중단원 점검문제 | Ⅵ-1. 경우의 수 135-136쪽

01 7 **02** 20 **03** 25 **04** 6

05 13 **06** 540 **07** 4 **08** 90

09 288 **10** 24 **11** 36 **12** 1

13 84 **14** 85 **15** 14400 **16** 23

고등 풍산자와 함께하면
개념부터 ~ 고난도 문제까지!

어떤 시험 문제도 익숙해집니다!

정확하고 빠른 풀이를 위한
연산 반복 훈련서

풍산자

반복수학

수학(하)

정답과 풀이

지학사

풍산자
반복수학
수학(하)

정답과 풀이

Ⅳ 집합과 명제

Ⅳ-1 집합 006~027쪽

01 답 (1) ○ (2) × (3) ○ (4) × (5) ×
(6) ○ (7) × (8) ○ (9) ○ (10) ○

풀이 (1) '10보다 작은 짝수의 모임'은 그 대상이 분명하므로 집합이다. 이 집합의 원소는 2, 4, 6, 8이다.
(2) '밝은 색의 모임'은 '밝다'의 기준이 명확하지 않아 그 대상을 분명하게 알 수 없으므로 집합이 아니다.
(3) '우리나라 광역시의 모임'은 그 대상이 분명하므로 집합이다. 이 집합의 원소는 부산, 대구, 인천, 광주, 대전, 울산이다.
(4) '축구를 잘하는 학생의 모임'은 '잘하다'의 기준이 명확하지 않아 그 대상을 분명하게 알 수 없으므로 집합이 아니다.
(5) '작은 소수의 모임'은 '작다'의 기준이 명확하지 않아 그 대상을 분명하게 알 수 없으므로 집합이 아니다.
(6) '$x^2=1$을 만족시키는 실수의 모임'은 그 대상이 분명하므로 집합이다. 이 집합의 원소는 -1, 1이다.
(7) '5에 가까운 자연수의 모임'은 '가깝다'의 기준이 명확하지 않아 그 대상을 분명하게 알 수 없으므로 집합이 아니다.
(8) '$0<x<1$을 만족시키는 자연수의 모임'은 그 대상이 분명하므로 집합이다. 이 집합의 원소는 없다.
(9) '3의 배수의 모임'은 그 대상이 분명하므로 집합이다. 이 집합의 원소는 3, 6, 9, 12, 15, …이다.
(10) '$x^2-3=0$을 만족시키는 유리수의 모임'은 그 대상이 분명하므로 집합이다. 이 집합의 원소는 없다.

02 답 (1) $\in$ (2) $\notin$ (3) $\in$ (4) $\notin$

풀이 집합 A의 원소는 1, 2, 3, 4, 6, 8, 12, 24이다.
(1) 2는 A에 속하므로 $2\in A$
(2) 7은 A에 속하지 않으므로 $7\notin A$
(3) 24는 A에 속하므로 $24\in A$
(4) 48은 A에 속하지 않으므로 $48\notin A$

03 답 (1) $\notin$ (2) $\in$ (3) $\in$ (4) $\notin$

풀이 집합 B의 원소는 1, 2, 3, 4이다.
(1) 0은 B에 속하지 않으므로 $0\notin B$
(2) 2는 B에 속하므로 $2\in B$
(3) 3은 B에 속하므로 $3\in B$
(4) 5는 B에 속하지 않으므로 $5\notin B$

04 답 (1) $\notin$ (2) $\in$ (3) $\in$ (4) $\notin$ (5) $\in$ (6) $\in$

풀이 (1) -3은 자연수가 아니므로 -3은 N에 속하지 않는다.
$\therefore -3\notin N$
(2) 0.5는 유리수이므로 0.5는 Q에 속한다.
$\therefore 0.5\in Q$
(3) $-\frac{3}{2}$은 유리수이므로 $-\frac{3}{2}$은 Q에 속한다.
$\therefore -\frac{3}{2}\in Q$
(4) $\sqrt{4}=2$는 무리수가 아니므로 $\sqrt{4}$는 P에 속하지 않는다.
$\therefore \sqrt{4}\notin P$
(5) $-\sqrt{6}$은 무리수이므로 $-\sqrt{6}$은 P에 속한다.
$\therefore -\sqrt{6}\in P$
(6) π는 실수이므로 π는 R에 속한다.
$\therefore \pi\in R$

05 답 (1) $A=\{2, 4, 6, 8\}$
(2) $B=\{2, 3, 5, 7, 11, 13, 17, 19\}$
(3) $C=\{1, 2, 3, 5, 6, 10, 15, 30\}$
(4) $D=\{-4, 5\}$
(5) $E=\{1, 2, 3, 4, 5, 6\}$

풀이 (1) 8 이하의 짝수는 2, 4, 6, 8이므로
$A=\{2, 4, 6, 8\}$
(4) $x^2-x-20=0$에서 $(x+4)(x-5)=0$이므로
$x=-4$ 또는 $x=5$
$\therefore D=\{-4, 5\}$
(5) $|x-3|<4$에서 $-4<x-3<4$, $-1<x<7$
이때 x는 자연수이므로 1, 2, 3, 4, 5, 6이다.
$\therefore E=\{1, 2, 3, 4, 5, 6\}$

06 답 (1) (예) $A=\{x|x$는 20 이하의 홀수$\}$
(2) (예) $B=\{x|x$는 한 자리의 자연수$\}$
(3) (예) $C=\{x|x$는 12의 약수$\}$
(4) (예) $D=\{x|-5\le x\le -1$, x는 정수$\}$
(5) (예) $E=\{x|x$는 100보다 작은 4의 배수$\}$

풀이 (1) 1, 3, 5, 7, 9, 11, 13, 15, 17, 19는 20 이하의 홀수이므로 $A=\{x|x$는 20 이하의 홀수$\}$

07 답 풀이 참조

풀이 (1)

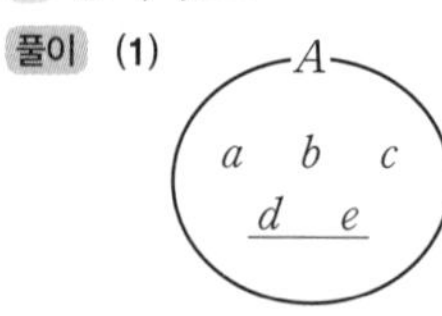

(2)

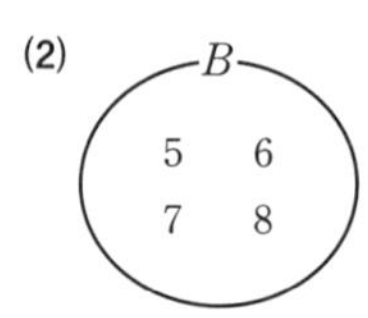

(3) $C=\{11, 12, 13, 14\}$

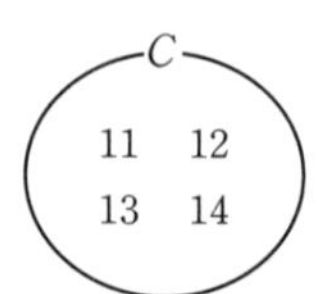

(4) $D=\{5, 10, 15, 20, 25, 30\}$

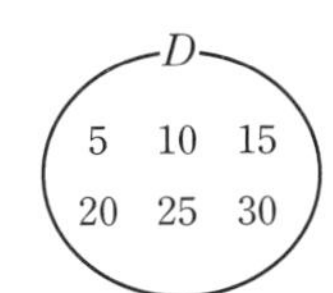

(5) $E=\{-3, 3\}$

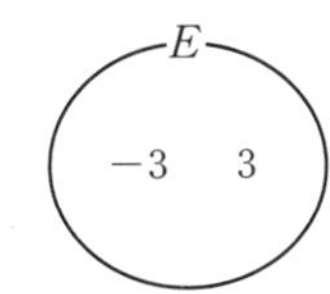

08 답 (1) 유 (2) 무 (3) 무 (4) 무 (5) 유

풀이 (3) $C=\{7, 14, 21, 28, 35, \cdots\}$이므로 무한집합이다.

(4) $D=\{24, 48, 72, 96, 120, \cdots\}$이므로 무한집합이다.

(5) $E=\varnothing$이므로 유한집합이다.

09 답 (1) $\varnothing$, $\{1\}$, $\{2\}$, $\{1, 2\}$

(2) $\varnothing$, $\{a\}$, $\{b\}$, $\{c\}$, $\{a, b\}$, $\{a, c\}$, $\{b, c\}$, $\{a, b, c\}$

(3) $\varnothing$, $\{2\}$, $\{4\}$, $\{8\}$, $\{2, 4\}$, $\{2, 8\}$, $\{4, 8\}$, $\{2, 4, 8\}$

(4) $\varnothing$, $\{\varnothing\}$, $\{0\}$, $\{\varnothing, 0\}$

(5) $\varnothing$, $\{\{0\}\}$, $\{\{1\}\}$, $\{\{0\}, \{1\}\}$

(6) $\varnothing$, $\{\varnothing\}$, $\{a\}$, $\{\{a\}\}$, $\{\varnothing, a\}$, $\{\varnothing, \{a\}\}$, $\{a, \{a\}\}$, $\{\varnothing, a, \{a\}\}$

풀이 (1) 집합 A의 부분집합은 $\varnothing$, $\{1\}$, $\{2\}$, $\{1, 2\}$이다.

(3) $C=\{x|x$는 1보다 큰 8의 약수$\}=\{2, 4, 8\}$이므로 부분집합은 $\varnothing$, $\{2\}$, $\{4\}$, $\{8\}$, $\{2, 4\}$, $\{2, 8\}$, $\{4, 8\}$, $\{2, 4, 8\}$이다.

10 답 (1) $\subset$ (2) $\subset$ (3) $\not\subset$ (4) $\subset$ (5) $\not\subset$ (6) $\subset$

풀이 (1) $\varnothing$은 모든 집합의 부분집합이므로 $\varnothing \subset A$

(2) $\{36\}$은 A의 부분집합이므로 $\{36\} \subset A$

(3) $\{12, 16\}$은 A의 부분집합이 아니므로 $\{12, 16\} \not\subset A$

(4) $\{3, 6, 9, 12\}$는 A의 부분집합이므로 $\{3, 6, 9, 12\} \subset A$

(5) $\{1, 2, 3, 4, 5\}$는 A의 부분집합이 아니므로 $\{1, 2, 3, 4, 5\} \not\subset A$

(6) 모든 집합은 자기 자신의 부분집합이므로 $\{1, 2, 3, 4, 6, 9, 12, 18, 36\} \subset A$

11 답 (1) $X \subset Y$ (2) $X \subset Y$ (3) $Y \subset X$ (4) $X \subset Y$ (5) $Y \subset X$ (6) $Y \subset X$

풀이 (1) $X=\{-2\}$, $Y=\{-2, 2\}$이므로 $X \subset Y$

(2) $|x|<2$에서 $-2<x<2$이고 x는 자연수이므로 1이다.
$|y-1|<2$에서 $-2<y-1<2$, $-1<y<3$이고 y는 자연수이므로 1, 2이다.
$X=\{1\}$, $Y=\{1, 2\}$이므로 $X \subset Y$

(3) 정사각형은 직사각형이므로 $Y \subset X$

(4) $X=\{1, 2, 3, 4, 6, 12\}$,
$Y=\{1, 2, 3, 4, 6, 8, 12, 24\}$이므로 $X \subset Y$

(5) $X=\{5, 10, 15, 20, 25, 30, \cdots\}$,
$Y=\{15, 30, 45, 60, 75, \cdots\}$
이므로 $Y \subset X$

(6) $X=\{\cdots, -3, -2, -1, 0, 1, 2, 3, \cdots\}$,
$Y=\{1, 2, 3, \cdots\}$이므로 $Y \subset X$

12 답 (1) ○ (2) × (3) × (4) ○ (5) ○ (6) ○ (7) ×

풀이 집합 A의 원소는 $\varnothing$, 1, 2, $\{1\}$, $\{2\}$, $\{1, 2\}$이다.

(1) $\varnothing$은 A의 원소이므로 $\varnothing \in A$

(2) 0은 A의 원소가 아니므로 $0 \notin A$

(3) $\{1, \{1\}\}$은 A의 부분집합이므로
$\{1, \{1\}\} \notin A$, $\{1, \{1\}\} \subset A$

(4) $\{1, 2\}$는 A의 부분집합이므로 $\{1, 2\} \subset A$

(5) $\{\{1\}, \{2\}\}$는 A의 부분집합이므로 $\{\{1\}, \{2\}\} \subset A$

(6) $\{2\}$는 A의 원소이므로 $\{2\} \in A$

(7) $\{\varnothing, 2, \{2\}\}$는 A의 부분집합이므로
$\{\varnothing, 2, \{2\}\} \subset A$

13 답 (1) $A=B$ (2) $A \neq B$ (3) $A=B$

풀이 (1) $A=\{2, 3\}$, $B=\{2, 3\}$이므로 $A=B$

(2) $A=\{1, 2, 3, 6\}$, $B=\{2, 3, 6\}$이므로 $A \neq B$

(3) $A=\{6, 12, 18, 24, 30, \cdots\}$,
$B=\{6, 12, 18, 24, 30, \cdots\}$이므로 $A=B$

14 답 (1) $a=3$, $b=5$ (2) $a=7$, $b=4$ (3) $a=5$, $b=3$

풀이 (1) $X=Y$이므로 $a \neq b$
$a \in Y$, $b \in X$이므로 $a=3$, $b=5$

(2) $X=Y$이므로 $a+2 \neq b-1$
$a+2 \in Y$이므로 $a+2=9$ $\quad \therefore a=7$
$b-1 \in X$이므로 $b-1=3$ $\quad \therefore b=4$

(3) $X=Y$이므로 $3a+1 \neq 5b-3$
$3a+1 \in Y$이므로 $3a+1=16$ $\quad \therefore a=5$
$5b-3 \in X$이므로 $5b-3=12$ $\quad \therefore b=3$

15 답 (1) $\varnothing$, $\{x\}$, $\{y\}$ (2) $\varnothing$

(3) $\varnothing$, $\{s\}$, $\{t\}$, $\{u\}$, $\{s, t\}$, $\{s, u\}$, $\{t, u\}$

(4) $\varnothing$, $\{-1\}$, $\{0\}$, $\{1\}$, $\{-1, 0\}$, $\{-1, 1\}$, $\{0, 1\}$

(5) $\varnothing$, $\{1\}$, $\{3\}$

(6) $\varnothing$, $\{2\}$, $\{3\}$, $\{5\}$, $\{7\}$, $\{2, 3\}$, $\{2, 5\}$, $\{2, 7\}$, $\{3, 5\}$, $\{3, 7\}$, $\{5, 7\}$, $\{2, 3, 5\}$, $\{2, 3, 7\}$, $\{2, 5, 7\}$, $\{3, 5, 7\}$

풀이 (1) A의 진부분집합은 부분집합 중 자기 자신 $\{x, y\}$를 제외한 것이므로 $\varnothing$, $\{x\}$, $\{y\}$이다.

(5) $E=\{1, 3\}$이므로 E의 진부분집합은 부분집합 중 자기 자신 $\{1, 3\}$을 제외한 것이다. 즉, $\varnothing$, $\{1\}$, $\{3\}$이다.

(6) $F=\{2, 3, 5, 7\}$이므로 F의 진부분집합은 부분집합 중 자기 자신 $\{2, 3, 5, 7\}$을 제외한 것이다. 즉,
$\varnothing$, $\{2\}$, $\{3\}$, $\{5\}$, $\{7\}$, $\{2, 3\}$, $\{2, 5\}$, $\{2, 7\}$, $\{3, 5\}$, $\{3, 7\}$, $\{5, 7\}$, $\{2, 3, 5\}$, $\{2, 3, 7\}$,

$\{2, 5, 7\}$, $\{3, 5, 7\}$이다.

16 답 (1) 16 (2) 64 (3) 32 (4) 16 (5) 256

풀이 (1) 집합 A의 원소의 개수가 4이므로 부분집합의 개수는
$2^4=16$

(2) 집합 B의 원소의 개수가 6이므로 부분집합의 개수는
$2^6=64$

(3) 집합 C의 원소의 개수가 5이므로 부분집합의 개수는
$2^5=32$

(4) 집합 $D=\{2, 3, 5, 7\}$의 원소의 개수가 4이므로 부분집합의 개수는 $2^4=16$

(5) 집합 $E=\{6, 12, 18, 24, 30, 36, 42, 48\}$의 원소의 개수가 8이므로 부분집합의 개수는 $2^8=256$

17 답 (1) 63 (2) 15 (3) 1023 (4) 31 (5) 511

풀이 (1) 집합 A의 원소의 개수가 6이므로 진부분집합의 개수는 $2^6-1=64-1=63$

(2) 집합 B의 원소의 개수가 4이므로 진부분집합의 개수는
$2^4-1=16-1=15$

(3) 집합 C의 원소의 개수가 10이므로 진부분집합의 개수는
$2^{10}-1=1024-1=1023$

(4) 집합 $D=\{5, 6, 7, 8, 9\}$의 원소의 개수가 5이므로 진부분집합의 개수는 $2^5-1=32-1=31$

(5) 집합 $E=\{2, 4, 6, 8, 10, 12, 14, 16, 18\}$의 원소의 개수가 9이므로 진부분집합의 개수는
$2^9-1=512-1=511$

18 답 (1) 32 (2) 16 (3) 8 (4) 16 (5) 4

풀이 (1) 구하는 부분집합의 개수는 a를 빼고 생각한
$\{b, c, d, e, f\}$의 부분집합의 개수와 같으므로
$2^{6-1}=2^5=32$

(2) 구하는 부분집합의 개수는 b, c를 빼고 생각한 $\{a, d, e, f\}$의 부분집합의 개수와 같으므로 $2^{6-2}=2^4=16$

(3) 구하는 부분집합의 개수는 d, e, f를 빼고 생각한 $\{a, b, c\}$의 부분집합의 개수와 같으므로 $2^{6-3}=2^3=8$

(4) 구하는 부분집합의 개수는 a, e를 빼고 생각한 $\{b, c, d, f\}$의 부분집합의 개수와 같으므로 $2^{6-2}=2^4=16$

(5) 구하는 부분집합의 개수는 b, c, d, f를 빼고 생각한 $\{a, e\}$의 부분집합의 개수와 같으므로 $2^{6-4}=2^2=4$

19 답 (1) 256 (2) 128 (3) 32 (4) 64 (5) 128

풀이 $B=\{1, 2, 3, 4, 5, 6, 7, 8, 9, 10\}$

(1) 구하는 부분집합의 개수는 1, 2를 빼고 생각한
$\{3, 4, 5, \cdots, 10\}$의 부분집합의 개수와 같으므로
$2^{10-2}=2^8=256$

(2) 구하는 부분집합의 개수는 7, 8, 9를 빼고 생각한
$\{1, 2, 3, 4, 5, 6, 10\}$의 부분집합의 개수와 같으므로
$2^{10-3}=2^7=128$

(3) 구하는 부분집합의 개수는 1, 3, 5, 7, 9를 빼고 생각한
$\{2, 4, 6, 8, 10\}$의 부분집합의 개수와 같으므로
$2^{10-5}=2^5=32$

(4) 구하는 부분집합의 개수는 1, 2, 4, 8을 빼고 생각한
$\{3, 5, 6, 7, 9, 10\}$의 부분집합의 개수와 같으므로
$2^{10-4}=2^6=64$

(5) 구하는 부분집합의 개수는 3, 6, 9를 빼고 생각한
$\{1, 2, 4, 5, 7, 8, 10\}$의 부분집합의 개수와 같으므로
$2^{10-3}=2^7=128$

20 답 (1) 4 (2) 4 (3) 16 (4) 64 (5) 8

풀이 (1) 집합 X는 $\{a, b, c, d\}$의 부분집합 중 두 원소 a, b를 반드시 원소로 갖는 집합이므로 구하는 집합 X의 개수는 $2^{4-2}=2^2=4$

(2) 집합 X는 $\{1, 2, 4, 8, 16\}$의 부분집합 중 세 원소 1, 2, 4를 반드시 원소로 갖는 집합이므로 구하는 집합 X의 개수는 $2^{5-3}=2^2=4$

(3) 집합 X는 $\{1, 3, 5, 7, 9, 11, 13, 15\}$의 부분집합 중 네 원소 1, 3, 5, 7을 반드시 원소로 갖는 집합이므로 구하는 집합 X의 개수는 $2^{8-4}=2^4=16$

(4) 집합 X는 $\{1, 2, 3, \cdots, 9\}$의 부분집합 중 세 원소 7, 8, 9를 반드시 원소로 갖는 집합이므로 구하는 집합 X의 개수는 $2^{9-3}=2^6=64$

(5) 집합 X는 $\{1, 2, 3, 4, 6, 9, 12, 18, 36\}$의 부분집합 중 여섯 원소 1, 2, 3, 4, 6, 12를 반드시 원소로 갖는 집합이므로 구하는 집합 X의 개수는 $2^{9-6}=2^3=8$

21 답 (1) 28 (2) 24 (3) 28 (4) 24

풀이 (1) 구하는 부분집합의 개수는
(전체 부분집합의 개수)
−(홀수 1, 3, 5를 포함하지 않는 부분집합의 개수)
와 같다.
(i) 전체 부분집합의 개수는 $2^5=32$
(ii) 홀수 1, 3, 5를 포함하지 않는 부분집합의 개수는
$2^{5-3}=2^2=4$
(i), (ii)에서 구하는 부분집합의 개수는 $32-4=28$

(2) 구하는 부분집합의 개수는
(전체 부분집합의 개수)
−(짝수 2, 4를 포함하지 않는 부분집합의 개수)
와 같다.
(i) 전체 부분집합의 개수는 $2^5=32$
(ii) 짝수 2, 4를 포함하지 않는 부분집합의 개수는
$2^{5-2}=2^3=8$
(i), (ii)에서 구하는 부분집합의 개수는 $32-8=24$

(3) 구하는 부분집합의 개수는
(전체 부분집합의 개수)
−(소수 2, 3, 5를 포함하지 않는 부분집합의 개수)
와 같다.
(i) 전체 부분집합의 개수는 $2^5=32$
(ii) 소수 2, 3, 5를 포함하지 않는 부분집합의 개수는
$2^{5-3}=2^2=4$

(i), (ii)에서 구하는 부분집합의 개수는 $32-4=28$

(4) 구하는 부분집합의 개수는

(전체 부분집합의 개수)

$-$(3의 약수 1, 3을 포함하지 않는 부분집합의 개수)

와 같다.

(i) 전체 부분집합의 개수는 $2^5=32$

(ii) 3의 약수 1, 3을 포함하지 않는 부분집합의 개수는

$2^{5-2}=2^3=8$

(i), (ii)에서 구하는 부분집합의 개수는 $32-8=24$

22 답 **(1)** $\{a, b, c, d, e\}$

(2) $\{s, t, u\}$

(3) $\{3, 6, 9, 12, 15, 18, 21, 24, 27, 30\}$

(또는 $\{x|x$는 30 이하의 3의 배수$\}$)

(4) $\{-2, -1, 0, 1, 2, 3\}$

(또는 $\{x|x$는 $-2\le x<4$인 정수$\}$)

(5) $\{x|x$는 자연수$\}$

풀이 **(3)** $A=\{3, 6, 9, 12, 15, 18, 21, 24, 27, 30\}$,

$B=\{6, 12, 18, 24, 30\}$이므로

$A\cup B=\{3, 6, 9, 12, 15, 18, 21, 24, 27, 30\}$

다른 풀이 6의 배수는 3의 배수이므로

$A\cup B=\{x|x$는 30 이하의 3의 배수$\}$

(4) $A=\{-2, -1, 0, 1, 2\}$, $B=\{1, 2, 3\}$이므로

$A\cup B=\{-2, -1, 0, 1, 2, 3\}$

다른 풀이 $A=\{x|x$는 $-2\le x\le 2$인 정수$\}$,

$B=\{x|x$는 $0<x<4$인 정수$\}$이므로

$A\cup B=\{x|x$는 $-2\le x<4$인 정수$\}$

(5) $A=\{1, 2, 3, 4, 5, \cdots, 99\}$,

$B=\{100, 101, 102, 103, 104, \cdots\}$이므로

$A\cup B=\{x|x$는 자연수$\}$

23 답 **(1)** $\{2, 4\}$ **(2)** $\varnothing$

(3) $\{1, 2, 3, 4, 6, 12\}$

(또는 $\{x|x$는 12의 양의 약수$\}$)

(4) $\{5, 6, 7, 8\}$

(또는 $\{x|x$는 $5\le x<9$인 자연수$\}$)

풀이 **(3)** $A=\{1, 2, 3, 4, 6, 12\}$,

$B=\{1, 2, 3, 4, 6, 8, 12, 24\}$이므로

$A\cap B=\{1, 2, 3, 4, 6, 12\}$

다른 풀이 12의 양의 약수는 24의 양의 약수이므로

$A\cap B=\{x|x$는 12의 양의 약수$\}$

(4) $A=\{2, 3, 4, 5, 6, 7, 8\}$,

$B=\{5, 6, 7, 8, 9, \cdots, 15\}$이므로

$A\cap B=\{5, 6, 7, 8\}$

24 답 **(1)** ○ **(2)** × **(3)** ○ **(4)** ○

(5) ○ **(6)** ○ **(7)** ○ **(8)** ×

풀이 **(1)** $A\cap B=\varnothing$이므로 A와 B는 서로소이다.

(2) $A\cap B=\{2\}$이므로 A와 B는 서로소가 아니다.

(4) $A=\{x|-1<x<1\}$, $B=\{-1, 1\}$에서

$A\cap B=\varnothing$이므로 A와 B는 서로소이다.

(5) $A=\{1, 2, 3, 4, 5\}$, $B=\{6, 7, 8, 9, 10, 11\}$에서

$A\cap B=\varnothing$이므로 A와 B는 서로소이다.

(8) $A=\{x|x$는 3의 배수$\}$, $B=\{x|x$는 7의 배수$\}$에서

$A\cap B=\{x|x$는 21의 배수$\}$이므로 A와 B는 서로소가 아니다.

25 답 **(1)** $\{3, 5, 6, 7, 9\}$ **(2)** $\varnothing$

(3) $\{6, 7, 8, 9\}$ **(4)** $\{1, 3, 5, 7, 9\}$

풀이 **(3)** $C=\{1, 2, 3, 4, 5\}$이므로 $C^C=\{6, 7, 8, 9\}$

(4) $D=\{2, 4, 6, 8\}$이므로 $D^C=\{1, 3, 5, 7, 9\}$

26 답 **(1)** $\{a, b\}$ **(2)** $\{3, 6, 9, 12\}$

(3) $\{2\}$ **(4)** $\varnothing$

풀이 **(3)** $A=\{2, 3, 5, 7\}$, $B=\{1, 3, 5, 7, 9\}$이므로

$A-B=\{2\}$

(4) $A=\{1, 2, 4\}$, $B=\{1, 2, 3, 4, 6, 12\}$이므로

$A-B=\varnothing$

27 답 **(1)** $\{2, 3, 4, 6, 8, 9\}$ **(2)** $\{6\}$

(3) $\{1, 3, 5, 7, 9\}$ **(4)** $\{1, 2, 4, 5, 7, 8\}$

(5) $\{2, 4, 8\}$ **(6)** $\{3, 9\}$

(7) $\{1, 5, 7\}$ **(8)** $\{1, 2, 3, 4, 5, 7, 8, 9\}$

(9) $\{2, 4, 8\}$ **(10)** $\{1, 5, 7\}$

풀이 $U=\{1, 2, 3, 4, 5, 6, 7, 8, 9\}$,

$A=\{2, 4, 6, 8\}$, $B=\{3, 6, 9\}$에 대하여

(7) $A\cup B=\{2, 3, 4, 6, 8, 9\}$이므로

$(A\cup B)^C=\{1, 5, 7\}$

(8) $A\cap B=\{6\}$이므로

$(A\cap B)^C=\{1, 2, 3, 4, 5, 7, 8, 9\}$

(9) $A=\{2, 4, 6, 8\}$, $B^C=\{1, 2, 4, 5, 7, 8\}$

이므로 $A\cap B^C=\{2, 4, 8\}$

(10) $B^C=\{1, 2, 4, 5, 7, 8\}$, $A=\{2, 4, 6, 8\}$

이므로 $B^C-A=\{1, 5, 7\}$

28 답 **(1)** $\{1, 3, 4, 5, 7, 9, 10\}$ **(2)** $\{1, 7\}$

(3) $\{2, 4, 6, 8, 10\}$ **(4)** $\{2, 3, 5, 6, 8, 9\}$

(5) $\{3, 5, 9\}$ **(6)** $\{4, 10\}$

(7) $\{2, 6, 8\}$ **(8)** $\{2, 3, 4, 5, 6, 8, 9, 10\}$

29 답 풀이 참조

풀이 **(1)** $A\cup A^C=U$

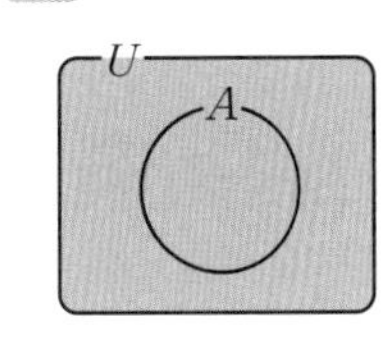

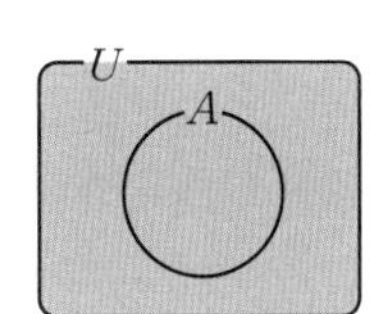

(2) $A\cap A^C=\varnothing$

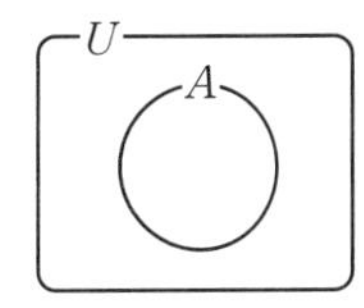

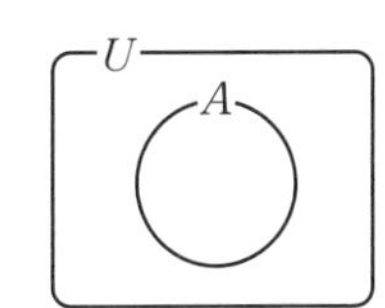

(3) $(A^C)^C=A$

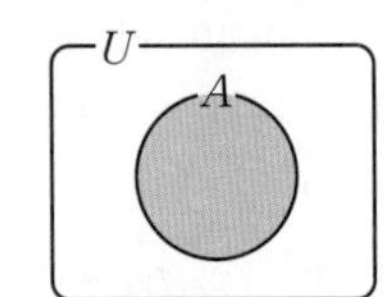

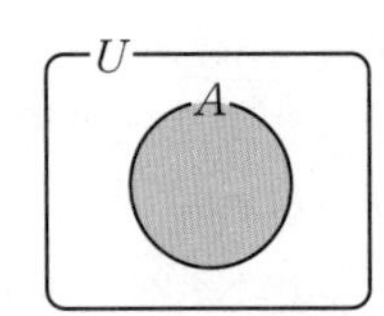

(4) $A-B=A\cap B^C$

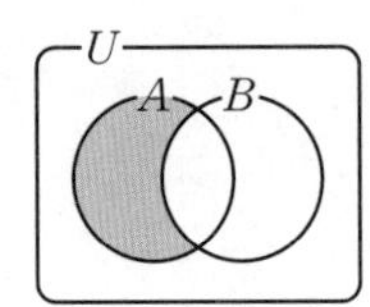

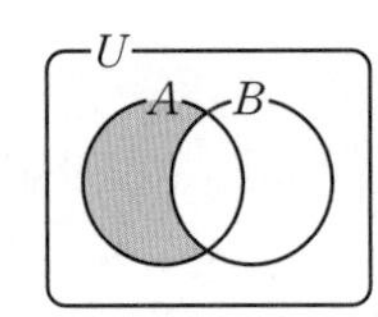

30 답 (1) $\{8, 16\}$ (2) $\{8, 16\}$
(3) $\{8, 16\}$ (4) $\{8, 16\}$

풀이 (2) $A=\{1, 2, 4, 8, 16\}$, $B^C=\{8, 16, 32\}$이므로
$A\cap B^C=\{8, 16\}$

(3) $A=\{1, 2, 4, 8, 16\}$, $A\cap B=\{1, 2, 4\}$이므로
$A-(A\cap B)=\{8, 16\}$

(4) $A\cup B=\{1, 2, 4, 8, 16\}$, $B=\{1, 2, 4\}$이므로
$(A\cup B)-B=\{8, 16\}$

31 답 (1) ○ (2) ○ (3) ○
(4) × (5) × (6) ○

풀이 (1) $A\cup\varnothing^C=A\cup U=U$ (○)

(2) $A\cap\varnothing^C=A\cap U=A$ (○)

(3) $(\varnothing^C)^C=\varnothing$ (○)

(4) $B-A=B\cap A^C$ (×)

(5) $U-(A^C)^C=U-A=A^C$ (×)

(6) $(A^C)^C\cap B^C=A\cap B^C=A-B$ (○)

32 답 (1) A (2) B (3) $\varnothing$ (4) A (5) $\varnothing$

풀이 전체집합 U의 두 부분집합 A, B에 대하여 $A\subset B$이므로

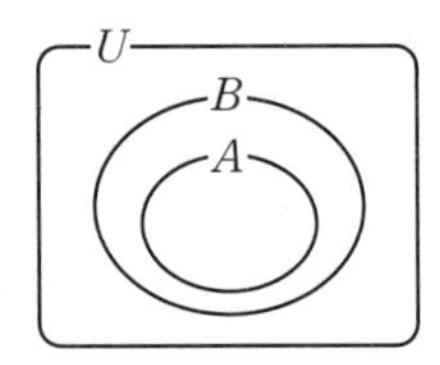

(1) $A\subset B$이므로 $A\cap B=A$

(2) $A\subset B$이므로 $A\cup B=B$

(3) $A\subset B$이므로 $(A^C)^C\cap B^C=A\cap B^C=A-B=\varnothing$

(4) $A\subset B$이므로 $A-B^C=A\cap(B^C)^C=A\cap B=A$

(5) $A\subset B$이므로 $B^C\subset A^C$ $\therefore B^C-A^C=\varnothing$

33 답 (1) ○ (2) ○ (3) × (4) ○ (5) ×

풀이 전체집합 U의 두 부분집합 A, B에 대하여 $B\subset A$이므로

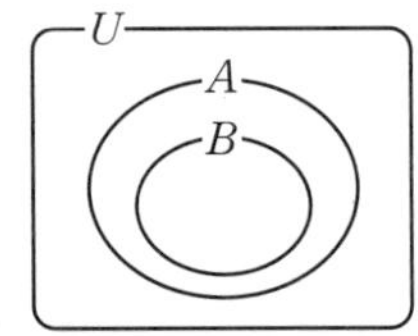

(1) $B\subset A$이므로 $A\cap B=B$ (○)

(2) $B\subset A$이므로 $A\cup B^C=U$ (○)

(3) $B\subset A$이므로 $A-B\neq\varnothing$ (×)

(4) $B\subset A$이므로 $B\cap A^C=B-A=\varnothing$ (○)

(5) $B\subset A$이므로 $A^C\subset B^C$ (×)

34 답 풀이 참조

풀이 (1) $A\cup B=B\cup A$

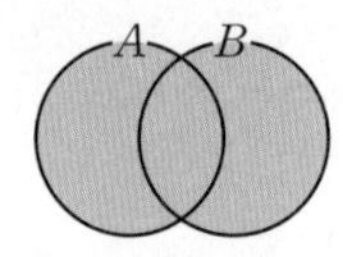

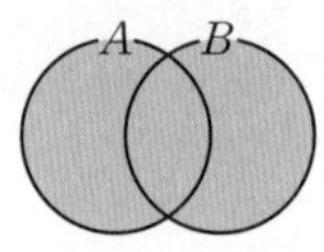

(2) $(A\cup B)\cup C=A\cup(B\cup C)$

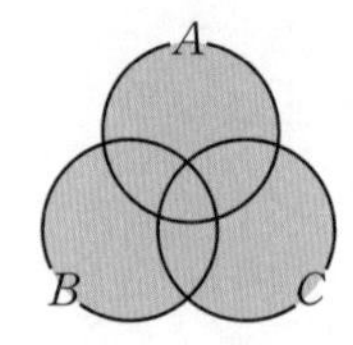

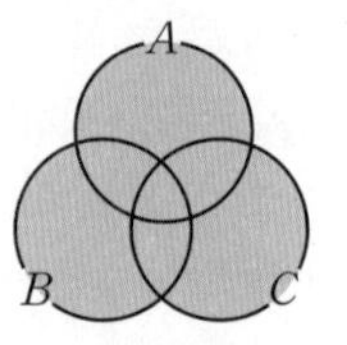

(3) $A\cap(B\cup C)=(A\cap B)\cup(A\cap C)$

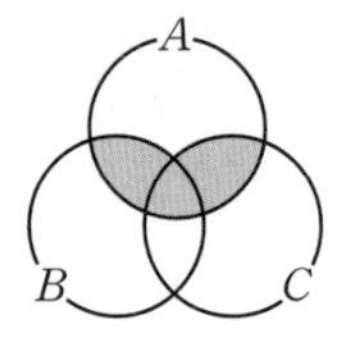

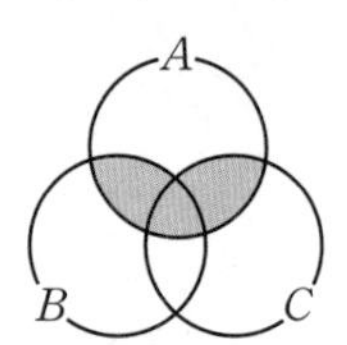

(4) $(A\cap B)\cup A=A$

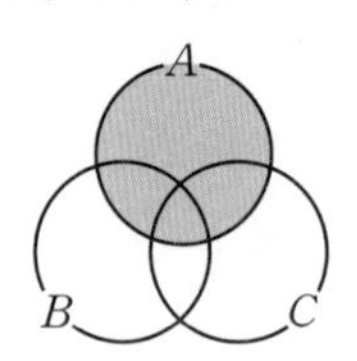

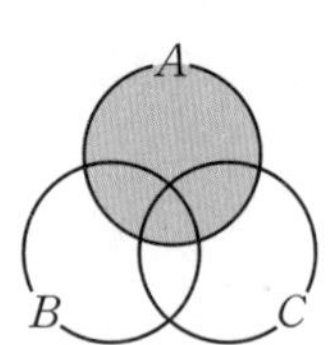

35 답 (1) ① $\{2, 4, 8\}$ ② $\{2, 4, 8\}$ ③ $=$
(2) ① $\{4, 8\}$ ② $\{4, 8\}$ ③ $=$
(3) ① $\{2, 4, 6, 8, 10, 16\}$
② $\{2, 4, 6, 8, 10, 16\}$ ③ $=$
(4) ① $\{2, 4, 6, 8, 10\}$ ② $\{2, 4, 6, 8, 10\}$ ③ $=$

풀이 (2) ① $A\cap B=\{2, 4, 8\}$, $C=\{4, 8, 12, 16, 20\}$이므로 $(A\cap B)\cap C=\{4, 8\}$

② $A=\{2, 4, 6, 8, 10\}$, $B\cap C=\{4, 8, 16\}$이므로
$A\cap(B\cap C)=\{4, 8\}$

③ $(A\cap B)\cap C=A\cap(B\cap C)$

(3) ① $A=\{2, 4, 6, 8, 10\}$, $B\cap C=\{4, 8, 16\}$이므로
$A\cup(B\cap C)=\{2, 4, 6, 8, 10, 16\}$

② $A\cup B=\{1, 2, 4, 6, 8, 10, 16\}$,
$A\cup C=\{2, 4, 6, 8, 10, 12, 16, 20\}$이므로
$(A\cup B)\cap(A\cup C)=\{2, 4, 6, 8, 10, 16\}$

③ $A\cup(B\cap C)=(A\cup B)\cap(A\cup C)$

(4) ① $A\cup B=\{1, 2, 4, 6, 8, 10, 16\}$,
$A=\{2, 4, 6, 8, 10\}$이므로
$(A\cup B)\cap A=\{2, 4, 6, 8, 10\}$

② $A=\{2, 4, 6, 8, 10\}$

③ $(A\cup B)\cap A=A$

36 답 풀이 참조

풀이 (1) $(A\cup B)^C=A^C\cap B^C$

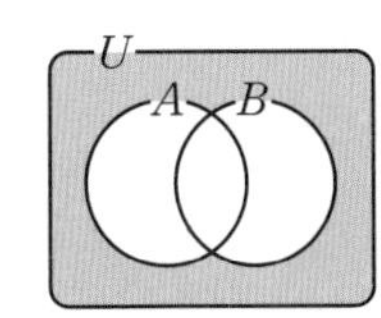

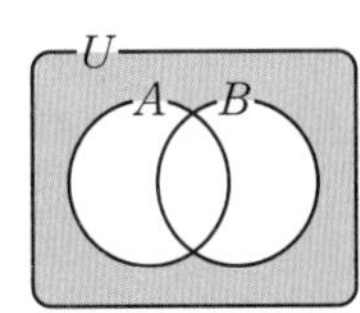

(2) $(A\cap B)^C=A^C\cup B^C$

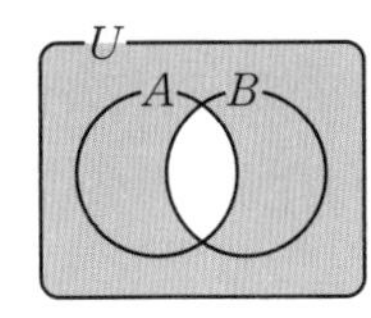

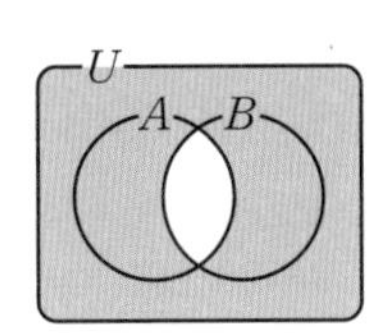

(3) $(A\cup B\cup C)^C=A^C\cap B^C\cap C^C$

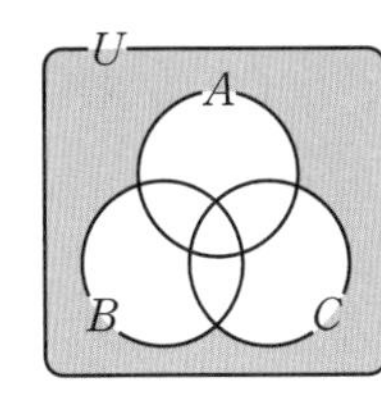

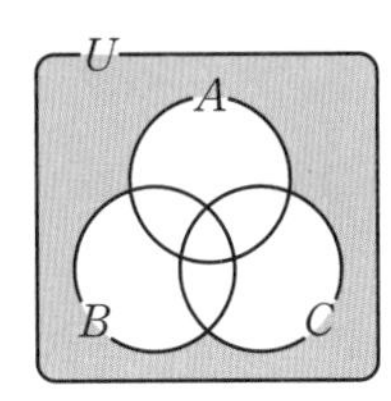

(4) $(A\cap B\cap C)^C=A^C\cup B^C\cup C^C$

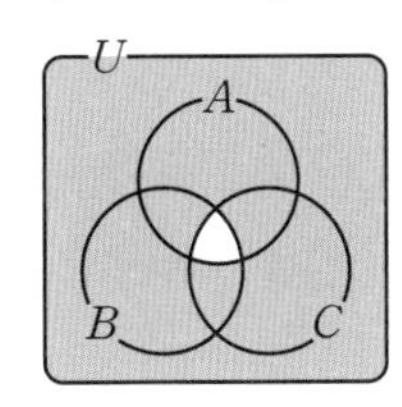

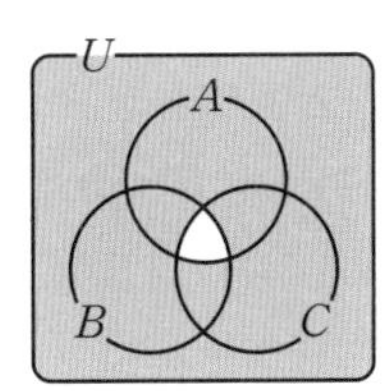

37 답 (1) ① $\{3, 5, 6, 7\}$ ② $\{3, 5, 6, 7\}$ ③ $=$

(2) ① $\{1, 3, 5, 6, 7, 8\}$ ② $\{1, 3, 5, 6, 7, 8\}$ ③ $=$

풀이 $U=\{1, 2, 3, 4, 5, 6, 7, 8\}$에 대하여

(1) ① $A\cup B=\{1, 2, 4, 8\}$이므로

$(A\cup B)^C=\underline{\{3, 5, 6, 7\}}$

② $A^C=\{3, 5, 6, 7, 8\}$, $B^C=\{1, 3, 5, 6, 7\}$이므로

$A^C\cap B^C=\underline{\{3, 5, 6, 7\}}$

③ $(A\cup B)^C=A^C\cap B^C$

(2) ① $A\cap B=\{2, 4\}$이므로

$(A\cap B)^C=\{1, 3, 5, 6, 7, 8\}$

② $A^C=\{3, 5, 6, 7, 8\}$, $B^C=\{1, 3, 5, 6, 7\}$이므로

$A^C\cup B^C=\{1, 3, 5, 6, 7, 8\}$

③ $(A\cap B)^C=A^C\cup B^C$

38 답 (1) ㄷ (2) ㄹ, ㄴ

(3) ㄹ, ㄷ (4) ㄹ, ㄱ, ㄴ

39 답 풀이 참조

풀이 (1) $A\cap(A^C\cup B)=\underline{(A\cap A^C)}\cup(A\cap B)$

$=\underline{\varnothing}\cup(A\cap B)$

$=\underline{A\cap B}$

(2) $(A\cup B)\cap(A\cup B^C)=A\cup(B\cap B^C)$

$=A\cup\varnothing$

$=A$

(3) $(A^C-B)^C=(A^C\cap B^C)^C$

$=(A^C)^C\cup(B^C)^C$

$=A\cup B$

(4) $A\cup(A-B^C)=A\cup\{A\cap(B^C)^C\}$

$=A\cup(A\cap B)$

$=A$

40 답 (1) ① 50 ② 36 ③ 18 ④ 10

⑤ 44 ⑥ 26 ⑦ 8

(2) ① 46 ② 22 ③ 28 ④ 7

⑤ 43 ⑥ 15 ⑦ 21

풀이 (1) ① $n(U)=26+10+8+\underline{6}=\underline{50}$

② $n(A)=26+10=36$

③ $n(B)=8+10=18$

⑤ $n(A\cup B)=26+10+8=44$

(2) ① $n(U)=15+7+21+3=46$

② $n(A)=15+7=22$

③ $n(B)=21+7=28$

⑤ $n(A\cup B)=15+7+21=43$

41 답 (1) 30 (2) 17 (3) 42 (4) 42

풀이 (1) $n(A^C)=n(U)-n(A)=50-\underline{20}=\underline{30}$

(2) $n(B^C)=n(U)-n(B)=50-33=17$

(3) $n((A\cap B)^C)=n(U)-n(A\cap B)=50-8=42$

(4) $n(A^C\cup B^C)=n((A\cap B)^C)=42$

42 답 (1) 26 (2) 33 (3) 10 (4) 10

풀이 (1) $n(A^C)=n(U)-n(A)=60-34=26$

(2) $n(B^C)=n(U)-n(B)=60-27=33$

(3) $n((A\cup B)^C)=n(U)-n(A\cup B)=60-50=10$

(4) $n(A^C\cap B^C)=n((A\cup B)^C)=10$

43 답 (1) 12 (2) 15 (3) 12 (4) 15

풀이 (1) $n(A-B)=n(A)-n(A\cap B)=21-\underline{9}=\underline{12}$

(2) $n(B-A)=n(B)-n(A\cap B)=24-9=15$

(3) $n(A\cap B^C)=n(A-B)=12$

(4) $n(B\cap A^C)=n(B-A)=15$

44 답 (1) 23 (2) 19 (3) 23 (4) 19

풀이 (1) $n(A-B)=n(A\cup B)-n(B)=54-\underline{31}=\underline{23}$

(2) $n(B-A)=n(A\cup B)-n(A)=54-35=19$

(3) $n(A\cap B^C)=n(A-B)=23$

(4) $n(B\cap A^C)=n(B-A)=19$

45 답 (1) 66 (2) 38 (3) 39

(4) 23 (5) 30 (6) 48

풀이 (1) $n(A\cup B)=n(A)+n(B)-n(A\cap B)$

$=38+35-\underline{7}=\underline{66}$

(2) $n(A\cup B)=n(A)+n(B)-n(A\cap B)$

$=30+24-16=38$

(3) $n(A\cup B)=n(A)+n(B)-n(A\cap B)$
$=27+22-10=39$
(4) $n(A\cup B)=n(A)+n(B)-n(A\cap B)$
$=16+10-3=23$
(5) $n(A\cup B)=n(A)+n(B)-n(A\cap B)$
$=10+20-0=30$
(6) $n(A\cap B)=0$이므로
$n(A\cup B)=n(A)+n(B)$
$=23+25=48$

46 답 (1) 13 (2) 8 (3) 11
(4) 17 (5) 0 (6) 0

풀이 (1) $n(A\cap B)=n(A)+n(B)-n(A\cup B)$
$=17+34-\underline{38}=\underline{13}$
(2) $n(A\cap B)=n(A)+n(B)-n(A\cup B)$
$=33+41-66=8$
(3) $n(A\cap B)=n(A)+n(B)-n(A\cup B)$
$=20+27-36=11$
(4) $n(A\cap B)=n(A)+n(B)-n(A\cup B)$
$=22+26-31=17$
(5) $n(A\cap B)=n(A)+n(B)-n(A\cup B)$
$=14+16-30=0$
(6) $n(A\cap B)=n(A)+n(B)-n(A\cup B)$
$=21+27-48=0$

47 답 (1) 67 (2) 33 (3) 32 (4) 16

풀이 (1) 1부터 100까지의 자연수의 집합을 U, 2의 배수의 집합을 A, 3의 배수의 집합을 B라고 하면
$n(A)=50$, $n(B)=33$
$A\cap B$는 6의 배수의 집합이므로 $n(A\cap B)=16$
따라서 2의 배수 또는 3의 배수의 개수는
$n(A\cup B)=n(A)+n(B)-n(A\cap B)$
$=50+\underline{33}-\underline{16}=\underline{67}$
(2) 1부터 100까지의 자연수의 집합을 U, 4의 배수의 집합을 A, 6의 배수의 집합을 B라고 하면
$n(A)=25$, $n(B)=16$
$A\cap B$는 12의 배수의 집합이므로 $n(A\cap B)=8$
따라서 4의 배수 또는 6의 배수의 개수는
$n(A\cup B)=n(A)+n(B)-n(A\cap B)$
$=25+16-8=33$
(3) 1부터 100까지의 자연수의 집합을 U, 5의 배수의 집합을 A, 7의 배수의 집합을 B라고 하면
$n(A)=20$, $n(B)=14$
$A\cap B$는 35의 배수의 집합이므로 $n(A\cap B)=2$
따라서 5의 배수 또는 7의 배수의 개수는
$n(A\cup B)=n(A)+n(B)-n(A\cap B)$
$=20+14-2=32$
(4) 1부터 100까지의 자연수의 집합을 U, 8의 배수의 집합을 A, 12의 배수의 집합을 B라고 하면
$n(A)=12$, $n(B)=8$
$A\cap B$는 24의 배수의 집합이므로 $n(A\cap B)=4$
따라서 8의 배수 또는 12의 배수의 개수는
$n(A\cup B)=n(A)+n(B)-n(A\cap B)$
$=12+8-4=16$

48 답 (1) 38 (2) 36 (3) 38 (4) 37 (5) 46

풀이 (1) $n(A\cup B\cup C)$
$=n(A)+n(B)+n(C)-n(A\cap B)-n(B\cap C)$
$-n(C\cap A)+n(A\cap B\cap C)$
$=16+18+20-5-7-6+\underline{2}=\underline{38}$
(2) $n(A\cup B\cup C)$
$=n(A)+n(B)+n(C)-n(A\cap B)-n(B\cap C)$
$-n(C\cap A)+n(A\cap B\cap C)$
$=25+18+19-13-6-11+4=36$
(3) $n(A\cup B\cup C)$
$=n(A)+n(B)+n(C)-n(A\cap B)-n(B\cap C)$
$-n(C\cap A)+n(A\cap B\cap C)$
$=11+21+23-5-10-3+1=38$
(4) $n(A\cup B\cup C)$
$=n(A)+n(B)+n(C)-n(A\cap B)-n(B\cap C)$
$-n(C\cap A)+n(A\cap B\cap C)$
$=15+17+17-4-5-6+3=37$
(5) $n(A\cup B\cup C)$
$=n(A)+n(B)+n(C)-n(A\cap B)-n(B\cap C)$
$-n(C\cap A)+n(A\cap B\cap C)$
$=18+21+18-5-4-4+2=46$

49 답 (1) 3 (2) 1 (3) 2 (4) 5 (5) 7

풀이 (1) $n(A\cap B\cap C)$
$=n(A\cup B\cup C)-n(A)-n(B)-n(C)$
$+n(A\cap B)+n(B\cap C)+n(C\cap A)$
$=\underline{31}-13-14-15+5+4+5=\underline{3}$
(2) $n(A\cap B\cap C)$
$=n(A\cup B\cup C)-n(A)-n(B)-n(C)$
$+n(A\cap B)+n(B\cap C)+n(C\cap A)$
$=36-18-16-13+5+3+4=1$
(3) $n(A\cap B\cap C)$
$=n(A\cup B\cup C)-n(A)-n(B)-n(C)$
$+n(A\cap B)+n(B\cap C)+n(C\cap A)$
$=39-15-15-17+3+3+4=2$
(4) $n(A\cap B\cap C)$
$=n(A\cup B\cup C)-n(A)-n(B)-n(C)$
$+n(A\cap B)+n(B\cap C)+n(C\cap A)$
$=46-19-20-22+6+7+7=5$
(5) $n(A\cap B\cap C)$
$=n(A\cup B\cup C)-n(A)-n(B)-n(C)$
$+n(A\cap B)+n(B\cap C)+n(C\cap A)$
$=44-20-20-24+8+9+10=7$

중단원 점검문제 | Ⅳ-1. 집합 028-029쪽

01 답 ④

풀이 집합 A의 원소는 $0,\ 1,\ \{1\}$이므로

$0\in A,\ 1\in A,\ \{1\}\in A$

또, 집합 A의 부분집합을 구하면

$\varnothing,\ \{0\},\ \{1\},\ \{\{1\}\},\ \{0,\ 1\},\ \{0,\ \{1\}\},\ \{1,\ \{1\}\},\ \{0,\ 1,\ \{1\}\}$

따라서 옳지 않은 것은 ④ $\{0,\ 1\}\in A$이다.

02 답 3

풀이 $A=B$이므로 $x^2+1\neq x-1$이고 $x^2+1=10,\ x-1=2$

$\therefore x=3$

03 답 6

풀이 $n=6$일 때, $B=\{1,\ 2,\ 3,\ 6\}$

04 답 $A\subset C\subset B$

풀이 $B=\{0,\ 1,\ 2,\ 3,\ 4,\ 5,\ 6\},\ C=\{0,\ 1,\ 2,\ 4\}$이므로

$A\subset C\subset B$

05 답 8

풀이 $A=\{1,\ 2,\ 4\},\ B=\{1,\ 2,\ 3,\ 4,\ 6,\ 12\}$이고, $A\subset X\subset B$이므로 집합 X는 집합 $\{1,\ 2,\ 3,\ 4,\ 6,\ 12\}$의 부분집합 중에서 원소 1, 2, 4를 반드시 포함하는 것이므로 조건을 만족시키는 집합 X의 개수는 $2^{6-3}=2^3=8$

06 답 8

풀이 집합 S의 부분집합 중 $\{1,\ 2\}$와 서로소인 집합은 집합 $\{1,\ 2,\ 3,\ 4,\ 5\}$에서 원소 1과 2를 제외한 집합의 부분집합이다.

따라서 주어진 조건을 만족시키는 집합의 개수는

$2^{5-2}=2^3=8$

07 답 15

풀이 $A=\{2,\ 3,\ 5,\ 7\},\ B=\{2,\ 4,\ 6,\ 8\}$이므로

$A\cap B^C=\{3,\ 5,\ 7\}$

따라서 원소의 합은 $3+5+7=15$

08 답 ③

풀이 ③ $A\subset B$일 때, $A\cap B=A$이므로 $(A\cap B)^C=A^C$

09 답 ⑤

풀이 $A-(A\cap B)=A$이므로 $A\cap B=\varnothing$

10 답 2

풀이 $A\cap B=A$에서 $A\subset B$이므로

$a^2-2=2,\ a^2=4$

$\therefore a=-2$ 또는 $a=2$

(i) $a=-2$일 때

$A=\{-1,\ 2\},\ B=\{2,\ 5,\ 7\}$이므로 $A\cap B\neq A$

(ii) $a=2$일 때

$A=\{2,\ 7\},\ B=\{2,\ 5,\ 7\}$이므로 $A\cap B=A$

따라서 (i), (ii)에 의하여 $a=2$

11 답 ②

풀이 $A-(B\cup C)=A\cap(B\cup C)^C=A\cap(B^C\cap C^C)$

각 집합을 벤다이어그램으로 나타내면 다음과 같다.

① $A\cap(B\cap C)^C$ ② $A\cap(B\cup C)^C$

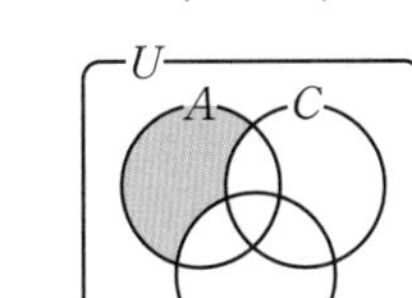

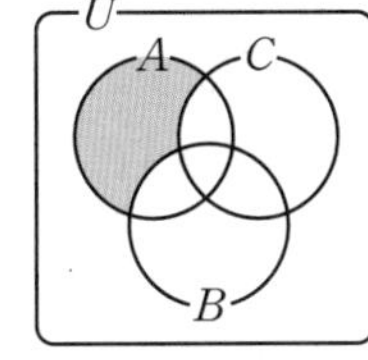

③ $A\cap(B^C\cap C)^C$
$=A\cap(B\cup C^C)$

④ $A\cap(B^C\cap C^C)^C$
$=A\cap(B\cup C)$

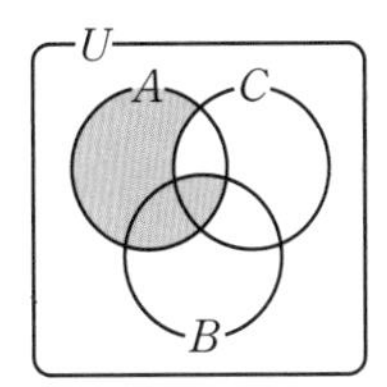

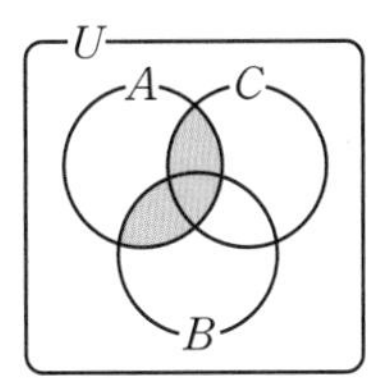

⑤ $A\cap(B^C\cup C^C)^C=A\cap(B\cap C)$

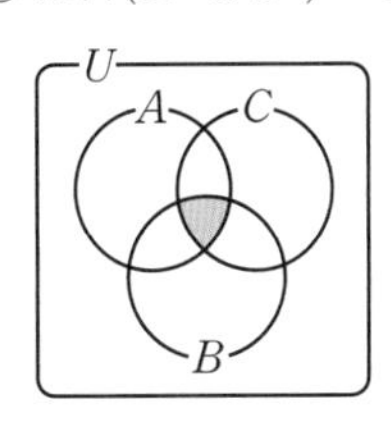

12 답 $\{2,\ 4,\ 5\}$

풀이 주어진 집합을 벤다이어그램으로 나타내면 다음과 같다.

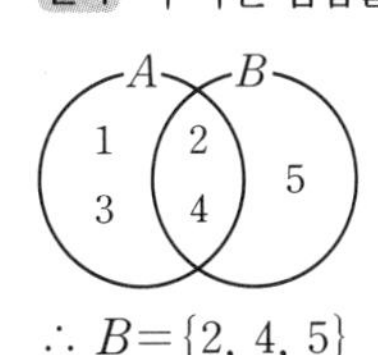

$\therefore B=\{2,\ 4,\ 5\}$

13 답 A

풀이 $(A\cup B)\cap(A^C\cap B)^C=(A\cup B)\cap(A\cup B^C)$

$=A\cup(B\cap B^C)$

$=A\cup\varnothing=A$

14 답 34

풀이 $n(A^C\cup B^C)=n((A\cap B)^C)=n(U)-n(A\cap B)$

$=40-6=34$

15 답 9

풀이 $A\cap B=\varnothing$이므로 $n(A\cap B\cap C)=0$

$n(A\cup C)=n(A)+n(C)-n(A\cap C)$에서

$7=5+3-n(A\cap C)$ $\quad\therefore n(A\cap C)=1$

$n(B\cup C)=n(B)+n(C)-n(B\cap C)$에서

$5=4+3-n(B\cap C)$ $\quad\therefore n(B\cap C)=2$

$\therefore n(A\cup B\cup C)$

$=n(A)+n(B)+n(C)-n(A\cap B)-n(B\cap C)$
$-n(C\cap A)+n(A\cap B\cap C)$

$=5+4+3-0-2-1+0=9$

01 답 (1) × (2) × (3) ○ (4) × (5) ○ (6) ○

풀이 (1), (2), (4) 참, 거짓을 명확하게 판별할 수 없으므로 명제가 아니다.

(3), (6) 거짓인 명제이다.

(5) 참인 명제이다.

02 답 (1) 조 (2) 명 (3) 조 (4) 명 (5) 조 (6) 명

풀이 (1), (3), (5) x의 값에 따라 참, 거짓이 결정되므로 조건이다.

(2) 참인 명제이다.

(4), (6) 거짓인 명제이다.

03 답 (1) $\{1, 3, 5, 7\}$ (2) $\{1, 2, 4, 8\}$

(3) $\{5, 7, 8\}$ (4) $\{1, 2, 3, 4, 5, 6, 7, 8\}$

(5) $\{4, 5, 6, 7, 8\}$ (6) $\varnothing$

(7) $\{3, 4, 5\}$ (8) $\{2\}$

풀이 (3) 12의 약수는 1, 2, 3, 4, 6, 12이므로 진리집합은 $\{5, 7, 8\}$

(5) $3x+1>10$에서 $3x>9$, $x>3$이므로 진리집합은 $\{4, 5, 6, 7, 8\}$

(7) $|x-4|<2$에서 $-2<x-4<2$, $2<x<6$이므로 진리집합은 $\{3, 4, 5\}$

(8) $x^2=4$에서 $x=2$이므로 진리집합은 $\{2\}$

04 답 (1) $\{2, 3, 4, 5, 6, 7, 8\}$ (2) $\{2, 3, 5\}$

(3) $\{1, 2, 3, 4, 5, 6\}$

풀이 전체집합 $U=\{1, 2, 3, 4, 5, 6, 7, 8, 9, 10\}$에 대하여 두 조건 p, q의 진리집합을 각각 P, Q라고 하자.

(1) $P=\{2, 3, 4, 5\}$, $Q=\{3, 4, 5, 6, 7, 8\}$

따라서 조건 'p 또는 q'의 진리집합은

$P\cup Q=\{2, 3, 4, 5, 6, 7, 8\}$

(2) $x^2-7x+10=0$에서

$(x-2)(x-5)=0$, $x=2$ 또는 $x=5$ $\therefore P=\{2, 5\}$

$|x-4|=1$에서 $x-4=-1$ 또는 $x-4=1$

$x=3$ 또는 $x=5$ $\therefore Q=\{3, 5\}$

따라서 조건 'p 또는 q'의 진리집합은

$P\cup Q=\{2, 3, 5\}$

(3) $3x+2\le 17$에서 $3x\le 15$, $x\le 5$

$\therefore P=\{1, 2, 3, 6\}$, $Q=\{1, 2, 3, 4, 5\}$

따라서 조건 'p 또는 q'의 진리집합은

$P\cup Q=\{1, 2, 3, 4, 5, 6\}$

05 답 (1) $\{2, 3, 4, 5, 6\}$ (2) $\{7, 8, 9, 10\}$

(3) $\{5, 10\}$

풀이 전체집합 $U=\{1, 2, 3, 4, 5, 6, 7, 8, 9, 10\}$에 대하여 두 조건 p, q의 진리집합을 각각 P, Q라고 하자.

(1) $P=\{1, 2, 3, 4, 5, 6\}$, $Q=\{2, 3, 4, 5, 6, 7, 8\}$

따라서 조건 'p 그리고 q'의 진리집합은

$P\cap Q=\{2, 3, 4, 5, 6\}$

(2) $2x+3>15$에서 $2x>12$, $x>6$

$P=\{2, 3, 4, 5, 6, 7, 8, 9, 10\}$, $Q=\{7, 8, 9, 10\}$

따라서 조건 'p 그리고 q'의 진리집합은

$P\cap Q=\{7, 8, 9, 10\}$

(3) $P=\{1, 2, 5, 10\}$, $Q=\{5, 10\}$

따라서 조건 'p 그리고 q'의 진리집합은

$P\cap Q=\{5, 10\}$

06 답 (1) $0\notin Q$ (2) $(-1)+1\neq 0$

(3) $\sqrt{2}$는 무리수이다. (4) 5는 8의 약수이다.

풀이 (3) '$\sqrt{2}$는 유리수이다.'의 부정은 '$\sqrt{2}$는 유리수가 아니다.' 즉, '$\sqrt{2}$는 무리수이다.'이다.

07 답 (1) $x=2$ (2) $x\ge 5$ (3) $x<3$

(4) x는 정수가 아니다.

08 답 (1) $x<4$ 그리고 $x\ge 1$

(2) $x\neq 7$ 그리고 $x\neq 8$

(3) $x-5\le 0$ 그리고 $x-9>0$

(4) $x\neq 0$ 또는 $y\neq 1$

(5) $x\le 10$ 또는 $x\ge 20$

(6) $x<6$ 또는 $x\ge 12$

풀이 (5) '$10<x<20$', 즉 '$x>10$ 그리고 $x<20$'의 부정은 '$x\le 10$ 또는 $x\ge 20$'이다.

(6) '$6\le x<12$', 즉 '$x\ge 6$ 그리고 $x<12$'의 부정은 '$x<6$ 또는 $x\ge 12$'이다.

09 답 (1) ① 참 ② 2는 3과 서로소가 아니다. ③ 거짓

(2) ① 거짓 ② 5는 2의 배수가 아니다. ③ 참

(3) ① 거짓 ② $\sqrt{4}$는 유리수이다. ③ 참

(4) ① 참 ② π는 유리수이다. ③ 거짓

10 답 (1) $\{1, 2, 3, 4\}$

(2) $\{6, 7, 8, 9, 10\}$

(3) $\{1, 2, 6, 7, 8, 9, 10\}$

(4) $\{1, 2, 4, 5, 6, 7, 8, 9, 10\}$

(5) $\{1, 4, 6, 8, 9, 10\}$

(6) $\{2, 4, 6, 8, 10\}$

(7) $\{1, 2, 4, 5, 7, 8, 10\}$

(8) $\{3, 4, 6, 7, 8, 9\}$

풀이 전체집합 $U=\{1, 2, 3, 4, 5, 6, 7, 8, 9, 10\}$에 대하여 주어진 조건의 진리집합을 P라고 하자.

(1) $P=\{5, 6, 7, 8, 9, 10\}$

따라서 조건의 부정의 진리집합은

$P^C=\{1, 2, 3, 4\}$

11 답 (1) 가정: 어떤 수는 6이다.

결론: 어떤 수는 12의 약수이다.

(2) 가정: $x=2$이다.

결론: $x^2=4$이다.

(3) 가정: $2<x<3$이다.

결론: $2\le x\le 3$이다.

(4) 가정: a, b가 모두 홀수이다.

결론: ab는 홀수이다.

(5) 가정: a, b가 모두 자연수이다.

결론: $a+b$는 자연수이다.

12 답 (1) 참 (2) 거짓 (3) 참

풀이 (1) $P=\{1, 2, 4\}$, $Q=\{1, 2, 4, 8\}$에서 $P\subset Q$이므로 $p \longrightarrow q$는 참이다.

(2) $P=\{-1, 1\}$, $Q=\{1\}$에서 $P\not\subset Q$이므로 $p \longrightarrow q$는 거짓이다.

(3) $Q=\{x|-2<x<2\}$에서 $P\subset Q$이므로 $p \longrightarrow q$는 참이다.

13 답 (1) 거짓 (2) 거짓 (3) 참

풀이 조건 p, q의 진리집합을 각각 P, Q라고 하자.

(1) $P=\{4, 8, 12, 16, 20, \cdots\}$,
$Q=\{12, 24, 36, 48, 60, \cdots\}$에서 $P\not\subset Q$이므로
$p \longrightarrow q$는 거짓이다.

(2) $P=\{1, 2, 3, 5, 6, 10, 15, 30\}$,
$Q=\{1, 3, 5, 15\}$에서 $P\not\subset Q$이므로 $p \longrightarrow q$는 거짓이다.

(3) $x^2-15x+54=0$에서
$(x-6)(x-9)=0$, $x=6$ 또는 $x=9$
$P=\{6\}$, $Q=\{6, 9\}$에서 $P\subset Q$이므로 $p \longrightarrow q$는 참이다.

14 답 (1) 거짓 (2) 참 (3) 참 (4) 거짓
(5) 거짓 (6) 참 (7) 거짓 (8) 거짓

풀이 (1) 'p: x가 소수', 'q: x는 홀수'라 하고, 조건 p, q의 진리집합을 각각 P, Q라고 하면
$P=\{2, 3, 5, 7, 11, \cdots\}$, $Q=\{1, 3, 5, 7, 9, \cdots\}$
따라서 $P\not\subset Q$이므로 $p \longrightarrow q$는 거짓이다.

(2) 'p: $x=3$', 'q: $7x-11=10$'이라고 하면
q: $x=3$
조건 p, q의 진리집합을 각각 P, Q라고 하면
$P=\{3\}$, $Q=\{3\}$
따라서 $P\subset Q$이므로 $p \longrightarrow q$는 참이다.

(3) 'p: $x>3$', 'q: $2x-1>3$'이라고 하면
q: $x>2$
조건 p, q의 진리집합을 각각 P, Q라고 하면
$P=\{x|x>3\}$, $Q=\{x|x>2\}$
따라서 $P\subset Q$이므로 $p \longrightarrow q$는 참이다.

(4) 'p: $x<5$', 'q: $x^2<25$'라 하고,
조건 p, q의 진리집합을 각각 P, Q라고 하면
$P=\{x|x<5\}$, $Q=\{x|-5<x<5\}$
따라서 $P\not\subset Q$이므로 $p \longrightarrow q$는 거짓이다.

(5) [반례] $x=0$이면 x는 실수이지만 $x^2=0$이다.

(6) 사각형 ABCD가 정사각형이면 네 변의 길이가 모두 같으므로 사각형 ABCD는 마름모이다.

(7) [반례] $x=3$, $y=-2$이면 $x>y$이지만 $\frac{1}{x}>\frac{1}{y}$이다.

(8) [반례] $x=1$, $y=2$, $z=0$이면 $xz=yz$이지만 $x\ne y$이다.

15 답 (1) ○ (2) ○ (3) × (4) ○

풀이 명제 $p \longrightarrow q$가 참이므로 $P\subset Q$

(1) $P\cap Q=P$

(2) $P\subset Q$이므로 $P\cap Q^C=P-Q=\varnothing$

(3) 오른쪽 벤다이어그램에서
$P\cup Q^C\ne U$

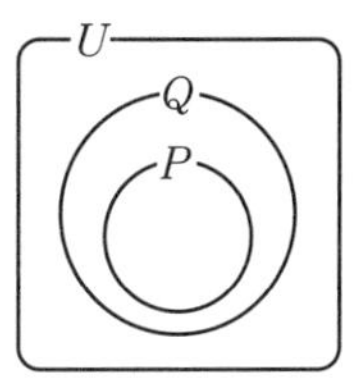

(4) $P\subset Q$이므로 $Q^C\subset P^C$
$\therefore P^C\cap Q^C=Q^C$

16 답 (1) × (2) ○ (3) × (4) ○

풀이 명제 $p \longrightarrow \sim q$가 참이므로 $P\subset Q^C$

(1) $P\cap Q=\varnothing$

(2) $P\cap Q=\varnothing$이므로 $P\cap Q^C=P-Q=P$

(3) 오른쪽 벤다이어그램에서
$P^C\cap Q^C\ne\varnothing$

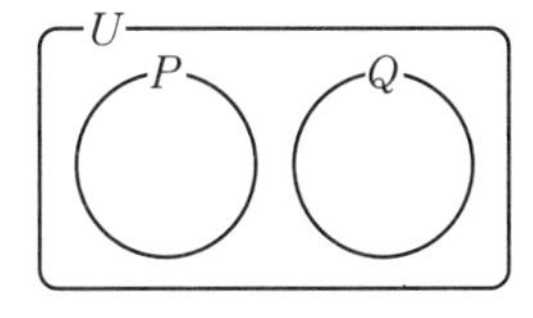

(4) 오른쪽 벤다이어그램에서
$P^C\cup Q^C=U$

17 답 (1) 참 (2) 거짓 (3) 참 (4) 참 (5) 거짓

풀이 (1) '$x<5$이다.'의 진리집합을 P라고 하면
$P=U=\{1, 2, 3, 4\}$이므로 참이다.

(2) '$x^2<10$이다.'의 진리집합을 P라고 하면
$P=\{1, 2, 3\}$이므로 거짓이다.

(3) 'x는 4의 약수이다.'의 진리집합을 P라고 하면
$P=\{1, 2, 4\}$이므로 참이다.

(4) '$x^2=x$이다.'의 진리집합을 P라고 하면
$P=\{1\}$이므로 참이다.

(5) '$x-1\ge 4$이다.'의 진리집합을 P라고 하면
$P=\varnothing$이므로 거짓이다.

18 답 (1) 어떤 자연수 x에 대하여 $x\le 0$이다. (거짓)
(2) 어떤 실수 x에 대하여 $x-1=0$이다. (참)
(3) 어떤 소수는 짝수이다. (참)
(4) 모든 실수 x에 대하여 $x^2+1\ne 0$이다. (참)
(5) 모든 4의 약수는 8의 약수이다. (참)

19 답 (1) 역: $p \longrightarrow q$, 대우: $\sim p \longrightarrow \sim q$
(2) 역: $\sim q \longrightarrow p$, 대우: $q \longrightarrow \sim p$
(3) 역: $q \longrightarrow \sim p$, 대우: $\sim q \longrightarrow p$
(4) 역: $\sim q \longrightarrow \sim p$, 대우: $q \longrightarrow p$
(5) 역: $\sim p \longrightarrow \sim q$, 대우: $p \longrightarrow q$

20 답 (1) 역: $x=1$이면 $x^2=1$이다.
대우: $x\ne 1$이면 $x^2\ne 1$이다.
(2) 역: $x>0$이면 $x>2$이다.
대우: $x\le 0$이면 $x\le 2$이다.
(3) 역: $x=0$ 또는 $y=0$이면 $xy=0$이다.
대우: $x\ne 0$이고 $y\ne 0$이면 $xy\ne 0$이다.
(4) 역: $x=1$이고 $y=1$이면 $x+y=2$이다.

대우: $x\neq1$ 또는 $y\neq1$이면 $x+y\neq2$이다.

(5) 역: $a+b<0$이면 $a<0$ 또는 $b<0$이다.
대우: $a+b\geq0$이면 $a\geq0$이고 $b\geq0$이다.

21 답 (1) 역: x가 2의 배수이면 x는 4의 배수이다. (거짓)
대우: x가 2의 배수가 아니면 x는 4의 배수가 아니다. (참)
(2) 역: x가 12의 양의 약수이면 x는 6의 약수이다. (거짓)
대우: x가 12의 양의 약수가 아니면 x는 6의 약수가 아니다. (참)
(3) 역: 이등변삼각형이면 정삼각형이다. (거짓)
대우: 이등변삼각형이 아니면 정삼각형이 아니다. (참)
(4) 역: $x\geq1$이고 $y\geq2$이면 $x+y\geq3$이다. (참)
대우: $x<1$ 또는 $y<2$이면 $x+y<3$이다. (거짓)
(5) 역: x 또는 y가 짝수이면 xy가 짝수이다. (참)
대우: x, y가 모두 홀수이면 xy는 홀수이다. (참)
(6) 역: xy가 무리수이면 x, y는 모두 무리수이다. (거짓)
대우: xy가 유리수이면 x 또는 y는 유리수이다. (거짓)

풀이 (6) 역: xy가 무리수이면 x, y는 모두 무리수이다.
[반례] $x=1$, $y=\sqrt{2}$이면 $xy=\sqrt{2}$는 무리수이지만 $x=1$은 유리수, $y=\sqrt{2}$는 무리수이다. $\therefore$ 거짓
대우: xy가 유리수이면 x 또는 y는 유리수이다.
[반례] $x=\sqrt{2}$, $y=\sqrt{2}$이면 $xy=2$는 유리수이지만 $x=\sqrt{2}$, $y=\sqrt{2}$는 모두 무리수이다. $\therefore$ 거짓

22 답 (1) ㅁ (2) ㄷ (3) ㄹ (4) ㄴ (5) ㄱ

풀이 (1) 명제 $q \longrightarrow p$가 참이므로 그 대우 ㅁ. $\sim p \longrightarrow \sim q$가 참이다.
(2) 명제 $p \longrightarrow \sim q$가 참이므로 그 대우 ㄷ. $q \longrightarrow \sim p$가 참이다.
(3) 명제 $\sim p \longrightarrow q$가 참이므로 그 대우 ㄹ. $\sim q \longrightarrow p$가 참이다.
(4) 명제 $\sim p \longrightarrow \sim q$가 참이므로 그 대우 ㄴ. $q \longrightarrow p$가 참이다.
(5) 명제 $\sim q \longrightarrow \sim p$가 참이므로 그 대우 ㄱ. $p \longrightarrow q$가 참이다.

23 답 (1) $\sim r$ (2) q (3) r (4) r (5) p

풀이 (1) 명제 $r \longrightarrow \sim q$가 참이므로 그 대우 $q \longrightarrow \sim r$도 참이다.
따라서 명제 $p \longrightarrow q$, $q \longrightarrow \sim r$가 모두 참이므로 삼단논법에 의하여 $p \longrightarrow \sim r$가 참이다.
(2) 명제 $\sim q \longrightarrow \sim r$가 참이므로 그 대우 $r \longrightarrow q$도 참이다. 따라서 명제 $p \longrightarrow r$, $r \longrightarrow q$가 모두 참이므로 삼단논법에 의하여 $p \longrightarrow q$가 참이다.
(3) 명제 $q \longrightarrow \sim p$가 참이므로 그 대우 $p \longrightarrow \sim q$도 참이다. 따라서 명제 $p \longrightarrow \sim q$, $\sim q \longrightarrow r$가 모두 참이므로 삼단논법에 의하여 $p \longrightarrow r$가 참이다.
(4) 명제 $p \longrightarrow \sim q$가 참이므로 그 대우 $q \longrightarrow \sim p$도 참이다. 따라서 명제 $q \longrightarrow \sim p$, $\sim p \longrightarrow r$가 모두 참이므로 삼단논법에 의하여 $q \longrightarrow r$가 참이다.
(5) 명제 $\sim q \longrightarrow \sim r$가 참이므로 그 대우 $r \longrightarrow q$도 참이다. 따라서 명제 $r \longrightarrow q$, $q \longrightarrow p$가 모두 참이므로 삼단논법에 의하여 $r \longrightarrow p$가 참이다.

24 답 (1) ○ (2) ○ (3) ○ (4) ○ (5) × (6) ×

풀이 (1) 명제 $p \longrightarrow \sim q$가 참이므로 그 대우 $q \longrightarrow \sim p$도 참이다.
(2) 명제 $r \longrightarrow q$가 참이므로 그 대우 $\sim q \longrightarrow \sim r$도 참이다.
(3) 명제 $p \longrightarrow \sim q$, $\sim q \longrightarrow \sim r$가 참이므로 삼단논법에 의하여 명제 $p \longrightarrow \sim r$도 참이다.
(4) 명제 $r \longrightarrow q$, $q \longrightarrow \sim p$가 참이므로 삼단논법에 의하여 명제 $r \longrightarrow \sim p$도 참이다.
다른 풀이 명제 $p \longrightarrow \sim r$가 참이므로 그 대우 $r \longrightarrow \sim p$도 참이다.
(5) 명제 $\sim q \longrightarrow p$는 $p \longrightarrow \sim q$의 역이므로 $\sim q \longrightarrow p$가 반드시 참이라고 할 수 없다.
(6) 명제 $q \longrightarrow r$는 $r \longrightarrow q$의 역이므로 $q \longrightarrow r$가 반드시 참이라고 할 수 없다.

25 답 (1) (가) 홀수 (나) $2k^2-2k+1$
(2) (가) 홀수 (나) $2kl-k-l$

풀이 (1) 주어진 명제의 대우 '자연수 n에 대하여 n이 홀수이면 n^2도 홀수이다.'가 참임을 보이면 된다.
n이 홀수이면 $n=2k-1$ (k는 자연수)로 나타낼 수 있으므로
$n^2=(2k-1)^2=4k^2-4k+1$
$=2(\boxed{2k^2-2k+1})-1$
여기서 $2(\boxed{2k^2-2k+1})$이 짝수이므로 n^2은 홀수이다.
따라서 주어진 명제의 대우가 참이므로 주어진 명제도 참이다.
그러므로 (가) 홀수, (나) $2k^2-2k+1$이다.
(2) 주어진 명제의 대우 '두 자연수 m, n에 대하여 m, n이 모두 홀수이면 mn은 홀수이다.'가 참임을 보이면 된다. m, n이 모두 홀수이면
$m=2k-1$, $n=2l-1$ (k, l은 자연수)로 나타낼 수 있으므로
$mn=(2k-1)(2l-1)=4kl-2k-2l+1$
$=2(\boxed{2kl-k-l})+1$
여기서 $2(\boxed{2kl-k-l})$은 짝수이므로 mn은 홀수이다.
따라서 주어진 명제의 대우가 참이므로 주어진 명제도 참이다.

그러므로 (가) 홀수, (나) $2kl-k-l$이다.

26 답 (1) (가) $2m^2$ (나) 2
(2) (가) 유리수 (나) 3
(3) (가) 3 (나) 9
(4) (가) 2 (나) k^2+k

풀이 (1) 주어진 명제의 결론을 부정하여 $\sqrt{2}$는 유리수라고 가정하면 $\sqrt{2}=\frac{n}{m}$ (m, n은 서로소인 자연수)인 m, n이 존재한다.
$\sqrt{2}=\frac{n}{m}$의 양변을 제곱하면 $2=\frac{n^2}{m^2}$
$\therefore n^2=\boxed{2m^2}$ …… ㉠
따라서 n^2이 2의 배수이므로 n도 $\boxed{2}$의 배수이다.
$n=2k$(k는 자연수)로 놓고 ㉠에 대입하면
$(2k)^2=2m^2$ $\therefore m^2=2k^2$
m^2이 2의 배수이므로 m도 2의 배수이다.
이것은 m, n이 서로소라는 가정에 모순이므로 $\sqrt{2}$는 유리수가 아니다.
그러므로 (가) $2m^2$, (나) 2이다.
(2) 주어진 명제의 결론을 부정하여 $\sqrt{3}$이 $\boxed{\text{유리수}}$라고 가정하면 $\sqrt{3}=\frac{n}{m}$ (m, n은 서로소인 자연수)인 m, n이 존재한다.
$\sqrt{3}=\frac{n}{m}$의 양변을 제곱하면
$3=\frac{n^2}{m^2}$
$\therefore n^2=3m^2$ …… ㉠
따라서 n^2이 3의 배수이므로 n도 3의 배수이다.
$n=3k$(k는 자연수)로 놓고 ㉠에 대입하면
$(3k)^2=3m^2$ $\therefore m^2=3k^2$
m^2이 3의 배수이므로 m도 $\boxed{3}$의 배수이다.
이것은 m, n이 서로소라는 가정에 모순이므로 $\sqrt{3}$은 유리수가 아니다. 즉, $\sqrt{3}$은 무리수이다.
그러므로 (가) 유리수, (나) 3이다.
(3) 주어진 명제의 결론을 부정하여 n이 $\boxed{3}$의 배수라고 가정하면 $n=3k$ (k는 자연수)로 나타낼 수 있으므로
$n^2+3n=(3k)^2+3\times 3k=9k^2+9k=9(k^2+k)$
여기서 $9(k^2+k)$가 9의 배수이므로 n^2+3n은 $\boxed{9}$의 배수이다.
이것은 n^2+3n이 9의 배수가 아니라는 가정에 모순이므로 n은 9의 배수가 아니다.
그러므로 (가) 3, (나) 9이다.
(4) 주어진 명제의 결론을 부정하여 n이 $\boxed{2}$의 배수라고 가정하면 $n=2k$ (k는 자연수)로 나타낼 수 있으므로
$n^2+2n=(2k)^2+2\times 2k=4k^2+4k=4(\boxed{k^2+k})$
여기서 $4(\boxed{k^2+k})$가 4의 배수이므로 n^2+2n은 4의 배수이다.
이것은 n^2+2n이 4의 배수가 아니라는 가정에 모순이므로 n은 2의 배수가 아니다.
그러므로 (가) 2, (나) k^2+k이다.

27 답 (1) ① 거짓 ② 참 ③ 필요조건
(2) ① 참 ② 거짓 ③ 충분조건
(3) ① 참 ② 참 ③ 필요충분조건

풀이 (1) ① 평행사변형은 마름모이다. (거짓)
② 마름모는 평행사변형이다. (참)
③ 명제 $p \longrightarrow q$가 거짓이고 명제 $q \longrightarrow p$가 참이므로 p는 q이기 위한 필요조건이다.
(2) ① 자연수는 정수이다. (참)
② 정수는 자연수이다. (거짓)
③ 명제 $p \longrightarrow q$가 참이고 명제 $q \longrightarrow p$가 거짓이므로 p는 q이기 위한 충분조건이다.
(3) ① 두 내각의 크기가 같은 삼각형은 이등변삼각형이다. (참)
② 이등변삼각형은 두 내각의 크기가 같은 삼각형이다. (참)
③ 명제 $p \longrightarrow q$, $q \longrightarrow p$가 모두 참이므로 p는 q이기 위한 필요충분조건이다.

28 답 (1) ① $\{x|-1<x<0\}$ ② $\{x|x<3\}$ ③ 충분조건
(2) ① $\{-3, 2\}$ ② $\{2\}$ ③ 필요조건
(3) ① $\{-4, 4\}$ ② $\{-4, 4\}$ ③ 필요충분조건

풀이 (1) ① $x^2+x<0$에서 $x(x+1)<0$, $-1<x<0$이므로
$P=\{x|-1<x<0\}$
② $x-3<0$에서 $x<3$이므로
$Q=\{x|x<3\}$
③ $P\subset Q$이고 $Q\not\subset P$이므로
p는 q이기 위한 충분조건이다.
(2) ① $x^2+x-6=0$에서 $(x+3)(x-2)=0$
$x=-3$ 또는 $x=2$이므로
$P=\{-3, 2\}$
② $3x-1=5$에서 $x=2$이므로
$Q=\{2\}$
③ $P\not\subset Q$이고 $Q\subset P$이므로
p는 q이기 위한 필요조건이다.
(3) ① $|x|=4$에서 $x=4$ 또는 $x=-4$이므로
$P=\{-4, 4\}$
② $x^2=16$에서 $x=-4$ 또는 $x=4$이므로
$Q=\{-4, 4\}$
③ $P=Q$이므로 p는 q이기 위한 필요충분조건이다.

29 답 (1) 필요조건 (2) 필요조건
(3) 필요충분조건 (4) 필요충분조건
(5) 충분조건 (6) 필요조건
(7) 충분조건 (8) 충분조건
(9) 필요충분조건 (10) 필요조건
(11) 필요조건 (12) 필요충분조건

풀이 (1) $p \longrightarrow q$는 거짓이고, $q \longrightarrow p$는 참이다.
[$p \longrightarrow q$의 반례] $x=2$, $y=1$이면 $x+y=3$이지만 $x\neq 1$, $y\neq 2$이다.
따라서 $q \Longrightarrow p$이므로 p는 q이기 위한 필요조건이다.

(2) $p \longrightarrow q$는 거짓이고, $q \longrightarrow p$는 참이다.

[$p \longrightarrow q$의 반례] $x=-5$이면 $x^2=25$이지만 $x \neq 5$이다.

따라서 $q \Longrightarrow p$이므로 p는 q이기 위한 필요조건이다.

(5) $p \longrightarrow q$는 참이고, $q \longrightarrow p$는 거짓이다.

[$q \longrightarrow p$의 반례] $x=10$이면 $x \le 10$이지만 $0<x<9$는 아니다.

따라서 $p \Longrightarrow q$이므로 p는 q이기 위한 충분조건이다.

(6) $x^2-5x+6<0$에서 $(x-2)(x-3)<0$, $2<x<3$이므로 q: $2<x<3$

$p \longrightarrow q$는 거짓이고, $q \longrightarrow p$는 참이다.

[$p \longrightarrow q$의 반례] $x=2$이면 $x \ge 2$이지만 $2<x<3$은 아니다.

따라서 $q \Longrightarrow p$이므로 p는 q이기 위한 필요조건이다.

(7) $x^2<1$에서 $x^2-1<0$, $(x+1)(x-1)<0$, $-1<x<1$이므로 p: $-1<x<1$

$p \longrightarrow q$는 참이고, $q \longrightarrow p$는 거짓이다.

[$q \longrightarrow p$의 반례] $x=-1$이면 $x \ge -1$이지만 $x^2<1$은 아니다.

따라서 $p \Longrightarrow q$이므로 p는 q이기 위한 충분조건이다.

(8) $p \longrightarrow q$는 참이고, $q \longrightarrow p$는 거짓이다.

[$q \longrightarrow p$의 반례] $x=-4$이면 $x<3$이지만 $|x|<3$은 아니다.

따라서 $p \Longrightarrow q$이므로 p는 q이기 위한 충분조건이다.

(10) $p \longrightarrow q$는 거짓이고, $q \longrightarrow p$는 참이다.

[$p \longrightarrow q$의 반례] $x=-2$, $y=-3$이면 $|xy|=xy$이지만 $x<0$, $y<0$이다.

따라서 $q \Longrightarrow p$이므로 p는 q이기 위한 필요조건이다.

(11) $p \longrightarrow q$는 거짓이고, $q \longrightarrow p$는 참이다.

[$p \longrightarrow q$의 반례] $x=1$, $y=3$이면 $x+y$는 짝수이지만 x, y는 모두 홀수이다.

따라서 $q \Longrightarrow p$이므로 p는 q이기 위한 필요조건이다.

다른 풀이 두 조건 p, q의 진리집합을 각각 P, Q라고 하자.

(2) $P=\{-5, 5\}$, $Q=\{5\}$에서 $P \not\subset Q$이고 $Q \subset P$이므로 p는 q이기 위한 필요조건이다.

(5) $P=\{x \mid 0<x<9\}$, $Q=\{x \mid x \le 10\}$에서 $P \subset Q$이고 $Q \not\subset P$이므로 p는 q이기 위한 충분조건이다.

(6) $P=\{x \mid x \ge 2\}$, $Q=\{x \mid 2<x<3\}$에서 $P \not\subset Q$이고 $Q \subset P$이므로 p는 q이기 위한 필요조건이다.

(7) $P=\{x \mid -1<x<1\}$, $Q=\{x \mid x \ge -1\}$에서 $P \subset Q$이고 $Q \not\subset P$이므로 p는 q이기 위한 충분조건이다.

(8) $P=\{x \mid -3<x<3\}$, $Q=\{x \mid x<3\}$에서 $P \subset Q$이고 $Q \not\subset P$이므로 p는 q이기 위한 충분조건이다.

30 답 (1) 5 (2) 6 (3) 7 (4) 3

풀이 두 조건 p, q의 진리집합을 각각 P, Q라고 하자.

(1) p가 q이기 위한 충분조건, 즉 $p \longrightarrow q$가 참이므로 $P \subset Q$이어야 한다.

따라서 $x=1$이 $x^2-ax+4=0$을 만족시키므로

$1-a+4=0 \quad \therefore a=5$

(2) q가 p이기 위한 필요조건, 즉 $p \longrightarrow q$가 참이므로 $P \subset Q$이어야 한다.

따라서 $x=2$가 $x^2-5x+a=0$을 만족시키므로

$4-10+a=0 \quad \therefore a=6$

(3) q가 p이기 위한 충분조건, 즉 $q \longrightarrow p$가 참이므로 $Q \subset P$이어야 한다.

따라서 $x=3$이 $x^2-ax+12=0$을 만족시키므로

$9-3a+12=0 \quad \therefore a=7$

(4) p가 q이기 위한 필요조건, 즉 $q \longrightarrow p$가 참이므로 $Q \subset P$이어야 한다.

따라서 $x=-1$이 $3x^2-a=0$을 만족시키므로

$3-a=0 \quad \therefore a=3$

31 답 (1) 4 (2) 2 (3) 3 (4) -5

풀이 두 조건 p, q의 진리집합을 각각 P, Q라고 하자.

(1) p가 q이기 위한 필요조건, 즉 $q \longrightarrow p$가 참이므로 $Q \subset P$이어야 한다.

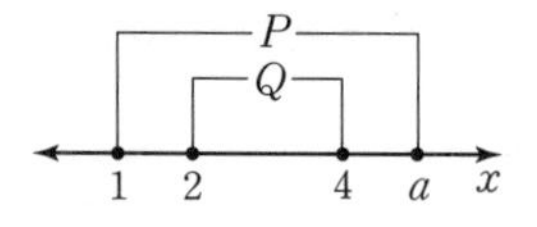

따라서 $a \ge 4$이므로 a의 최솟값은 4이다.

(2) p가 q이기 위한 충분조건, 즉 $p \longrightarrow q$가 참이므로 $P \subset Q$이어야 한다.

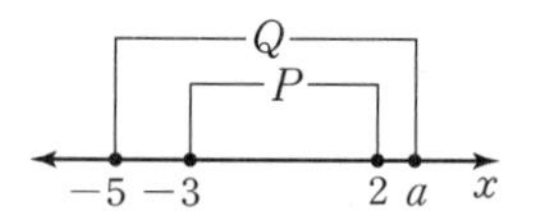

따라서 $a \ge 2$이므로 a의 최솟값은 2이다.

(3) q가 p이기 위한 필요조건, 즉 $p \longrightarrow q$가 참이므로 $P \subset Q$이어야 한다.

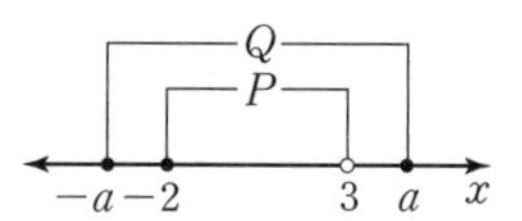

$-a \le -2$, $3 \le a$이므로 $a \ge 2$, $a \ge 3 \quad \therefore a \ge 3$

따라서 a의 최솟값은 3이다.

(4) q가 p이기 위한 충분조건, 즉 $q \longrightarrow p$가 참이므로 $Q \subset P$이어야 한다.

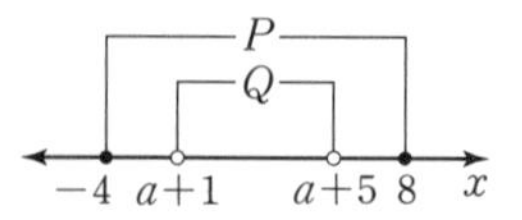

$-4 \le a+1$, $a+5 \le 8$이므로

$a \ge -5$, $a \le 3 \quad \therefore -5 \le a \le 3$

따라서 a의 최솟값은 -5이다.

32 답 (1) × (2) × (3) ○ (4) × (5) ○

풀이 (1) $x+2>0$에서 $x>-2$이므로 $x \le -2$인 경우에는 부등식이 성립하지 않는다.

따라서 절대부등식이 아니다.

(2) $x=0$인 경우에는 부등식이 성립하지 않는다.
따라서 절대부등식이 아니다.

(3) $|x|\ge0$이므로 $|x|+1>0$
따라서 절대부등식이다.

(4) $x=-1$인 경우에는 부등식이 성립하지 않는다.
따라서 절대부등식이 아니다.

(5) $x^2+1\ge2x$에서 $x^2-2x+1\ge0$, $(x-1)^2\ge0$
따라서 절대부등식이다.

33 답 (1) $A\ge B$　(2) $A>B$　(3) $A<B$

풀이 (1) $A-B=\dfrac{a^2+b^2}{2}-\dfrac{a^2+2ab+b^2}{4}$

$=\dfrac{a^2-2ab+b^2}{4}=\dfrac{(a-b)^2}{4}\ge0$

$\therefore$ $\underline{A\ge B}$ (단, 등호는 $a=b$일 때 성립한다.)

(2) $A-B=\dfrac{a}{1+a}-\dfrac{b}{1+b}=\dfrac{a(1+b)-b(1+a)}{(1+a)(1+b)}$

$=\dfrac{a-b}{(1+a)(1+b)}$

$a>b>0$에서 $a-b>0$, $1+a>0$, $1+b>0$이므로

$\dfrac{a-b}{(1+a)(1+b)}>0$

$\therefore A>B$

(3) $A^2-B^2=(\sqrt{a+b})^2-(\sqrt{a}+\sqrt{b})^2$

$=(a+b)-(a+b+2\sqrt{ab})=-2\sqrt{a}\sqrt{b}<0$

$\therefore A^2<B^2$

이때 $A>0$, $B>0$이므로 $A<B$

34 답 (1) (가) $\dfrac{1}{4}b^2$　(나) $\dfrac{1}{2}b$

(2) (가) $\dfrac{3}{4}b^2$　(나) $\ge$

(3) (가) $|ab|-ab$　(나) ab

(4) (가) $|a|-|b|$　(나) $|b|$

풀이 (1) $a^2+ab+b^2=a^2+ab+\boxed{\dfrac{1}{4}b^2}+\dfrac{3}{4}b^2$

$=\left(a+\boxed{\dfrac{1}{2}b}\right)^2+\dfrac{3}{4}b^2$

그런데 $\left(a+\boxed{\dfrac{1}{2}b}\right)^2\ge0$, $\dfrac{3}{4}b^2\ge0$이므로

$a^2+ab+b^2\ge0$ (단, 등호는 $a=b=0$일 때 성립한다.)

그러므로 (가) $\dfrac{1}{4}b^2$, (나) $\dfrac{1}{2}b$이다.

(2) $a^2-ab+b^2=a^2-ab+\dfrac{1}{4}b^2+\boxed{\dfrac{3}{4}b^2}$

$=\left(a-\dfrac{1}{2}b\right)^2+\boxed{\dfrac{3}{4}b^2}$

그런데 $\left(a-\dfrac{1}{2}b\right)^2\ge0$, $\boxed{\dfrac{3}{4}b^2}\ge0$이므로

$a^2-ab+b^2\boxed{\ge}0$ (단, 등호는 $a=b=0$일 때 성립한다.)

그러므로 (가) $\dfrac{3}{4}b^2$, (나) $\ge$이다.

(3) $(|a|+|b|)^2-|a+b|^2$

$=(|a|^2+2|a||b|+|b|^2)-(a+b)^2$

$=(a^2+2|ab|+b^2)-(a^2+2ab+b^2)$

$=2(\boxed{|ab|-ab})\ge0$

$\therefore (|a|+|b|)^2\ge|a+b|^2$

그런데 $|a|+|b|\ge0$, $|a+b|\ge0$이므로

$|a|+|b|\ge|a+b|$

(단, 등호는 $|ab|=\boxed{ab}$, 즉 $ab\ge0$일 때 성립한다.)

그러므로 (가) $|ab|-ab$, (나) ab이다.

(4) $\{\sqrt{2(a^2+b^2)}\}^2-(|a|+|b|)^2$

$=2(a^2+b^2)-(|a|^2+2|a||b|+|b|^2)$

$=2(a^2+b^2)-(a^2+2|a||b|+b^2)$

$=|a|^2-2|a||b|+|b|^2$

$=(\boxed{|a|-|b|})^2\ge0$

$\therefore \{\sqrt{2(a^2+b^2)}\}^2\ge(|a|+|b|)^2$

그런데 $\sqrt{2(a^2+b^2)}\ge0$, $|a|+|b|\ge0$이므로

$\sqrt{2(a^2+b^2)}\ge|a|+|b|$

(단, 등호는 $|a|=\boxed{|b|}$일 때 성립한다.)

그러므로 (가) $|a|-|b|$, (나) $|b|$이다.

35 답 (1) 2　(2) 12　(3) 4　(4) 2　(5) 8

풀이 (1) $a>0$, $\dfrac{1}{a}>0$이므로 산술평균과 기하평균의 관계에 의하여

$a+\dfrac{1}{a}\ge2\sqrt{a\times\dfrac{1}{a}}=2$

(단, 등호는 $a=1$일 때 성립한다.)

따라서 $a+\dfrac{1}{a}$의 최솟값은 2이다.

(2) $4a>0$, $\dfrac{9}{a}>0$이므로 산술평균과 기하평균의 관계에 의하여

$4a+\dfrac{9}{a}\ge2\sqrt{4a\times\dfrac{9}{a}}=2\sqrt{36}=12$

$\left(\text{단, 등호는 } a=\dfrac{3}{2}\text{일 때 성립한다.}\right)$

따라서 $4a+\dfrac{9}{a}$의 최솟값은 12이다.

(3) $a-1>0$, $\dfrac{4}{a-1}>0$이므로 산술평균과 기하평균의 관계에 의하여

$a-1+\dfrac{4}{a-1}\ge2\sqrt{(a-1)\times\dfrac{4}{a-1}}=2\sqrt{4}=4$

(단, 등호는 $a=3$일 때 성립한다.)

따라서 $a-1+\dfrac{4}{a-1}$의 최솟값은 4이다.

(4) $\dfrac{b}{a}>0$, $\dfrac{a}{b}>0$이므로 산술평균과 기하평균의 관계에 의하여

$\dfrac{b}{a}+\dfrac{a}{b}\ge2\sqrt{\dfrac{b}{a}\times\dfrac{a}{b}}=2$

(단, 등호는 $a=b$일 때 성립한다.)

따라서 $\dfrac{b}{a}+\dfrac{a}{b}$의 최솟값은 2이다.

(5) $\dfrac{8b}{a}>0$, $\dfrac{2a}{b}>0$이므로 산술평균과 기하평균의 관계에 의하여

$$\frac{8b}{a}+\frac{2a}{b}\ge 2\sqrt{\frac{8b}{a}\times\frac{2a}{b}}=2\sqrt{16}=8$$

(단, 등호는 $a=2b$일 때 성립한다.)

따라서 $\frac{8b}{a}+\frac{2a}{b}$의 최솟값은 8이다.

36 답 (1) 4 (2) 12

풀이 (1) $a>0$, $b>0$이므로 산술평균과 기하평균의 관계에 의하여

$a+b\ge 2\sqrt{ab}=2\sqrt{4}=4$

(단, 등호는 $a=b$일 때 성립한다.)

따라서 $a+b$의 최솟값은 4이다.

(2) $a>0$, $b>0$이므로 산술평균과 기하평균의 관계에 의하여

$2a+3b\ge 2\sqrt{2a\times 3b}=2\sqrt{36}=12$

$\left(\text{단, 등호는 } a=\frac{3}{2}b\text{일 때 성립한다.}\right)$

따라서 $2a+3b$의 최솟값은 12이다.

37 답 (1) 1 (2) 6

풀이 (1) $a>0$, $b>0$이므로 산술평균과 기하평균의 관계에 의하여 $\sqrt{ab}\le\frac{a+b}{2}=\frac{2}{2}=1$

(단, 등호는 $a=b$일 때 성립한다.)

따라서 ab의 최댓값은 1이다.

(2) $3a>0$, $2b>0$이므로 산술평균과 기하평균의 관계에 의하여

$\sqrt{3a\times 2b}\le\frac{3a+2b}{2}=\frac{12}{2}=6$

$\left(\text{단, 등호는 } a=\frac{2}{3}b\text{일 때 성립한다.}\right)$

$\sqrt{6ab}\le 6$, $6ab\le 36$ $\therefore ab\le 6$

따라서 ab의 최댓값은 6이다.

38 답 (1) 최댓값: $\sqrt{10}$, 최솟값: $-\sqrt{10}$

(2) 최댓값: 5, 최솟값: -5

(3) 최댓값: $5\sqrt{2}$, 최솟값: $-5\sqrt{2}$

(4) 최댓값: $5\sqrt{5}$, 최솟값: $-5\sqrt{5}$

풀이 (1) $a=1$, $b=1$로 놓고 코시-슈바르츠의 부등식을 적용하면

$(1^2+1^2)(x^2+y^2)\ge(x+y)^2$

(단, 등호는 $x=y$일 때 성립한다.)

이때 $x^2+y^2=5$이므로 $(x+y)^2\le 10$

$\therefore -\sqrt{10}\le x+y\le\sqrt{10}$

따라서 $x+y$의 최댓값은 $\sqrt{10}$, 최솟값은 $-\sqrt{10}$이다.

(2) $a=2$, $b=1$로 놓고 코시-슈바르츠의 부등식을 적용하면

$(2^2+1^2)(x^2+y^2)\ge(2x+y)^2$

(단, 등호는 $x=2y$일 때 성립한다.)

이때 $x^2+y^2=5$이므로 $(2x+y)^2\le 25$

$\therefore -5\le 2x+y\le 5$

따라서 $2x+y$의 최댓값은 5, 최솟값은 -5이다.

(3) $a=1$, $b=3$으로 놓고 코시-슈바르츠의 부등식을 적용하면

$(1^2+3^2)(x^2+y^2)\ge(x+3y)^2$

(단, 등호는 $3x=y$일 때 성립한다.)

이때 $x^2+y^2=5$이므로 $(x+3y)^2\le 50$

$\therefore -5\sqrt{2}\le x+3y\le 5\sqrt{2}$

따라서 $x+3y$의 최댓값은 $5\sqrt{2}$, 최솟값은 $-5\sqrt{2}$이다.

(4) $a=3$, $b=4$로 놓고 코시-슈바르츠의 부등식을 적용하면

$(3^2+4^2)(x^2+y^2)\ge(3x+4y)^2$

(단, 등호는 $4x=3y$일 때 성립한다.)

이때 $x^2+y^2=5$이므로 $(3x+4y)^2\le 125$

$\therefore -5\sqrt{5}\le 3x+4y\le 5\sqrt{5}$

따라서 $3x+4y$의 최댓값은 $5\sqrt{5}$, 최솟값은 $-5\sqrt{5}$이다.

39 답 (1) 8 (2) 5 (3) 13 (4) 4

풀이 (1) $a=1$, $b=1$로 놓고 코시-슈바르츠의 부등식을 적용하면

$(1^2+1^2)(x^2+y^2)\ge(x+y)^2$

(단, 등호는 $x=y$일 때 성립한다.)

이때 $x+y=4$이므로 $2(x^2+y^2)\ge 16$

$\therefore x^2+y^2\ge 8$

따라서 x^2+y^2의 최솟값은 8이다.

(2) $a=1$, $b=2$로 놓고 코시-슈바르츠의 부등식을 적용하면

$(1^2+2^2)(x^2+y^2)\ge(x+2y)^2$

(단, 등호는 $2x=y$일 때 성립한다.)

이때 $x+2y=5$이므로 $5(x^2+y^2)\ge 25$

$\therefore x^2+y^2\ge 5$

따라서 x^2+y^2의 최솟값은 5이다.

(3) $a=2$, $b=3$으로 놓고 코시-슈바르츠의 부등식을 적용하면

$(2^2+3^2)(x^2+y^2)\ge(2x+3y)^2$

(단, 등호는 $3x=2y$일 때 성립한다.)

이때 $2x+3y=13$이므로 $13(x^2+y^2)\ge 169$

$\therefore x^2+y^2\ge 13$

따라서 x^2+y^2의 최솟값은 13이다.

(4) $a=4$, $b=3$으로 놓고 코시-슈바르츠의 부등식을 적용하면

$(4^2+3^2)(x^2+y^2)\ge(4x+3y)^2$

(단, 등호는 $3x=4y$일 때 성립한다.)

이때 $4x+3y=10$이므로 $25(x^2+y^2)\ge 100$

$\therefore x^2+y^2\ge 4$

따라서 x^2+y^2의 최솟값은 4이다.

중단원 점검문제 | Ⅳ-2. 명제 049-050쪽

01 답 ②

풀이 ② x의 값에 따라 참, 거짓이 결정되므로 조건이다.

02 답 ①

풀이 ① [반례] $x=-2$이면 $x<1$이지만 $x^2>1$이다.

03 답 ④

풀이 $a^2+b^2=0 \Longleftrightarrow a=0$이고 $b=0$

따라서 부정은 '$a\ne 0$ 또는 $b\ne 0$'이다.

04 답 12

풀이 조건 p의 진리집합을 P라고 하면

$P=\{1, 2, 3, 4, 6, 8\}$

이때 조건 $\sim p$의 진리집합은 $P^C=\{5, 7\}$

따라서 구하는 모든 원소의 합은 $5+7=12$

05 답 ⑤

풀이 ① $R\subset Q^C$이므로 $r \longrightarrow \sim q$는 참이다.

② $R\subset P^C$이므로 $r \longrightarrow \sim p$는 참이다.

③ $P\subset R^C$이므로 $p \longrightarrow \sim r$는 참이다.

④ $P\subset Q$에서 $Q^C\subset P^C$이므로 $\sim q \longrightarrow \sim p$는 참이다.

06 답 ②

풀이 '$a\geq\sqrt{3}$이면 $a^2\geq3$이다.'의 대우는 '$a^2<3$이면 $a<\sqrt{3}$이다.'이다.

07 답 ④

풀이 ① 역: $x^2>y^2$이면 $x>y$이다. (거짓)

[반례] $x=-3$, $y=2$이면 $x^2>y^2$이지만 $x<y$이다.

② 역: $2x^2-18=0$이면 $x=-3$이다. (거짓)

[반례] $x=3$이면 $2x^2-18=0$이지만 $x\neq-3$이다.

③ 역: $ab=0$이면 $a=0$이고 $b=0$이다. (거짓)

[반례] $a=0$, $b=1$이면 $ab=0$이지만 $a=0$이고 $b\neq0$이다.

④ 역: $a+b>0$이고 $ab>0$이면 $a>0$이고 $b>0$이다. (참)

⑤ 역: 세 집합 A, B, C에 대하여

$(A\cap C)\subset(B\cap C)$이면 $A\subset B$이다. (거짓)

[반례] $A=\{1, 2\}$, $B=\{1\}$, $C=\varnothing$이면

$(A\cap C)\subset(B\cap C)$이지만 $A\supset B$이다.

08 답 81

풀이 주어진 명제의 부정은

'모든 실수 x에 대하여 $x^2-18x+k\geq0$이다.'이다.

모든 실수 x에 대하여 이차부등식

$x^2-18x+k\geq0$이 성립해야 하므로 이차방정식

$x^2-18x+k=0$의 판별식을 D라고 하면

$\frac{D}{4}=81-k\leq0 \qquad \therefore k\geq81$

따라서 k의 최솟값은 81이다.

09 답 ⑤

풀이 $p^2(n^2-1)=q^2$에서 p는 q^2의 약수이므로 $\frac{q^2}{p}$은 자연수이다.

그런데 p, q는 서로소이므로 p가 1이 아닌 자연수이면

$\frac{q^2}{p}$은 자연수가 아니다. $\qquad \therefore p=1$

따라서 $p^2(n^2-1)=q^2$에 $p=1$을 대입하면

$n^2-1=q^2 \qquad \therefore n^2=\boxed{q^2+1}$

자연수 k에 대하여

(i) $q=2k$일 때,

$n^2=(2k)^2+1$이므로 $(2k)^2<n^2<\boxed{(2k+1)^2}$

그런데 $2k<n<2k+1$을 만족시키는 자연수 n은 존재하지 않는다.

(ii) $q=2k+1$일 때,

$n^2=(2k+1)^2+1$이므로 $\boxed{(2k+1)^2}<n^2<(2k+2)^2$

그런데 $2k+1<n<2k+2$를 만족시키는 자연수 n은 존재하지 않는다.

(i), (ii)에 의하여 $\sqrt{n^2-1}=\frac{q}{p}$ (p, q는 서로소인 자연수)를 만족시키는 자연수 n은 존재하지 않는다.

따라서 $\sqrt{n^2-1}$은 무리수이다.

10 답 2

풀이 p는 q이기 위한 충분조건이므로 $p \Longrightarrow q$ (ㄱ)

p는 $\sim r$이기 위한 필요조건이므로 $\sim r \Longrightarrow p$

$\sim r \Longrightarrow p$, $p \Longrightarrow q$이므로 삼단논법에 의하여 $\sim r \Longrightarrow q$

이것의 대우는 $\sim q \Longrightarrow r$ (ㄹ)

따라서 옳은 것은 ㄱ, ㄹ의 2개이다.

11 답 2

풀이 $x^2-2ax+3\neq0 \longrightarrow x-3\neq0$이 참이므로 그 대우인

$x-3=0 \longrightarrow x^2-2ax+3=0$도 참이다.

따라서 $x=3$이 $x^2-2ax+3=0$을 만족시키므로

$9-6a+3=0 \qquad \therefore a=2$

12 답 3

풀이 두 조건 p, q의 진리집합을 각각 P, Q라고 하면

$p \longrightarrow q$가 참이므로 $P\subset Q$이어야 한다.

$-7+a\leq-3$, $7+a\geq6$이므로

$a\leq4$, $a\geq-1 \qquad \therefore -1\leq a\leq4$

따라서 $m=-1$, $M=4$이므로 $m+M=3$

13 답 18

풀이 $a>0$, $b>0$이므로 산술평균과 기하평균의 관계에 의하여

$$\left(a+\frac{8}{b}\right)\left(b+\frac{2}{a}\right)=ab+2+8+\frac{16}{ab}=10+ab+\frac{16}{ab}$$

$$\geq10+2\sqrt{ab\times\frac{16}{ab}}=18$$

(단, 등호는 $ab=4$일 때 성립한다.)

따라서 $\left(a+\frac{8}{b}\right)\left(b+\frac{2}{a}\right)$의 최솟값은 18이다.

14 답 -13

풀이 $a=2$, $b=3$으로 놓고 코시-슈바르츠의 부등식을 적용하면

$(2^2+3^2)(x^2+y^2)\geq(2x+3y)^2$

(단, 등호는 $3x=2y$일 때 성립한다.)

이때 $x^2+y^2=1$이므로 $(2x+3y)^2\leq13$

$\therefore -\sqrt{13}\leq2x+3y\leq\sqrt{13}$

따라서 $2x+3y$의 최댓값은 $\sqrt{13}$, 최솟값은 $-\sqrt{13}$이므로

그 곱은 $\sqrt{13}\times(-\sqrt{13})=-13$

함수와 그래프

V-1 | 함수 052~073쪽

01 답 풀이 참조

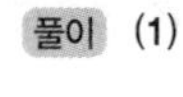

풀이 (1)

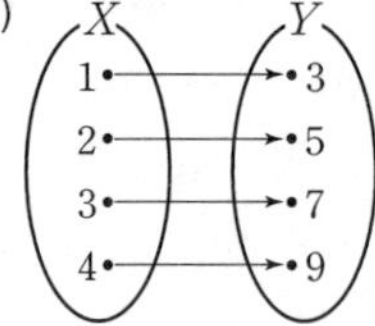

(2)

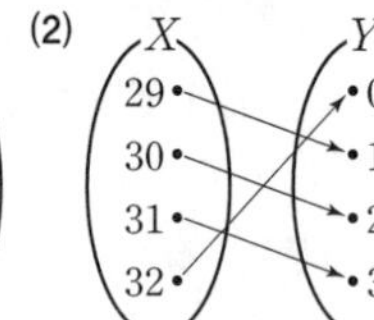

(3)

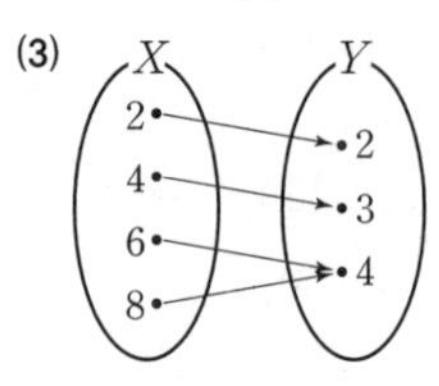

02 답 (1) × (2) ○ (3) ×

풀이 (1) X의 원소 3에 대응하는 Y의 원소가 두 개이므로 함수가 아니다.

(2) X의 각 원소에 대하여 $1 \longrightarrow a$, $2 \longrightarrow c$, $3 \longrightarrow b$와 같이 Y의 원소가 오직 하나씩 대응하므로 함수이다.

(3) X의 원소 3에 대응하는 Y의 원소가 없으므로 함수가 아니다.

03 답 (1) ○ (2) × (3) ○ (4) ○ (5) × (6) ×

풀이 (1) X의 각 원소에 대하여 $-1 \longrightarrow 1$, $0 \longrightarrow 0$, $1 \longrightarrow 1$과 같이 Y의 원소가 오직 하나씩 대응하므로 함수이다.

(2) X의 원소 1에 대응하는 Y의 원소가 없으므로 함수가 아니다.

(3) X의 각 원소에 대하여 $-1 \longrightarrow 1$, $0 \longrightarrow 0$, $1 \longrightarrow 1$과 같이 Y의 원소가 오직 하나씩 대응하므로 함수이다.

(4) X의 각 원소에 대하여 $-1 \longrightarrow -1$, $0 \longrightarrow 0$, $1 \longrightarrow 1$과 같이 Y의 원소가 오직 하나씩 대응하므로 함수이다.

(5) X의 원소 -1에 대응하는 Y의 원소가 없으므로 함수가 아니다.

(6) X의 원소 1, -1에 대응하는 Y의 원소가 없으므로 함수가 아니다.

04 답 (1) 정의역: $\{1, 2, 3, 4\}$, 공역: $\{a, b, c, d\}$, 치역: $\{a, b, c\}$

(2) 정의역: $\{1, 2, 3, 4\}$, 공역: $\{1, 3, 5, 7\}$, 치역: $\{1, 3, 5, 7\}$

(3) 정의역: $\{1, 2, 3\}$, 공역: $\{5, 6, 7, 8\}$, 치역: $\{5, 6, 7\}$

(4) 정의역: $\{a, b, c, d\}$, 공역: $\{1, 2, 3, 4\}$, 치역: $\{1, 3\}$

(5) 정의역: $\{2, 4, 8\}$, 공역: $\{a, b, c\}$, 치역: $\{a\}$

05 답 (1) $\{-2, 0, 2\}$ (2) $\{-1, 0, 1\}$ (3) $\{-1, 0\}$ (4) $\{1, 2\}$ (5) $\{1, 2, 3\}$

풀이 (1) X의 각 원소에 대하여 $-1 \longrightarrow -2$, $0 \longrightarrow 0$, $1 \longrightarrow 2$와 같이 대응하므로 치역은 $\{-2, 0, 2\}$이다.

(2) X의 각 원소에 대하여 $-1 \longrightarrow -1$, $0 \longrightarrow 0$, $1 \longrightarrow 1$과 같이 대응하므로 치역은 $\{-1, 0, 1\}$이다.

(3) X의 각 원소에 대하여 $-1 \longrightarrow 0$, $0 \longrightarrow -1$, $1 \longrightarrow 0$과 같이 대응하므로 치역은 $\{-1, 0\}$이다.

(4) X의 각 원소에 대하여 $-1 \longrightarrow 2$, $0 \longrightarrow 1$, $1 \longrightarrow 2$와 같이 대응하므로 치역은 $\{1, 2\}$이다.

(5) X의 각 원소에 대하여 $-1 \longrightarrow 3$, $0 \longrightarrow 2$, $1 \longrightarrow 1$과 같이 대응하므로 치역은 $\{1, 2, 3\}$이다.

06 답 (1) $\{1, 3, 5, 6, 7\}$ (2) $\{1, 2, 6, 13, 22\}$ (3) $\{-3, -1, 1, 3\}$

풀이 (1) (i) $x<3$일 때, 즉 $x=1, 2$일 때, $f(x)=2x-1$이므로 $f(1)=2-1=1$, $f(2)=4-1=3$

(ii) $x \geq 3$일 때, 즉 $x=3, 4, 5$일 때, $f(x)=x+2$이므로 $f(3)=3+2=5$, $f(4)=4+2=6$, $f(5)=5+2=7$

따라서 f의 치역은 $\{1, 3, 5, 6, 7\}$이다.

(2) (i) $x<2$일 때, 즉 $x=1$일 때, $f(x)=-x+3$이므로 $f(1)=-1+3=2$

(ii) $x \geq 2$일 때, 즉 $x=2, 3, 4, 5$일 때, $f(x)=x^2-3$이므로

$f(2)=4-3=1$, $f(3)=9-3=6$,

$f(4)=16-3=13$, $f(5)=25-3=22$

따라서 f의 치역은 $\{1, 2, 6, 13, 22\}$이다.

(3) (i) x는 홀수일 때, 즉 $x=1, 3, 5$일 때,

$f(x)=-x+2$이므로

$f(1)=-1+2=1$, $f(3)=-3+2=-1$,

$f(5)=-5+2=-3$

(ii) x는 짝수일 때, 즉 $x=2, 4$일 때,

$f(x)=x-1$이므로

$f(2)=2-1=1$, $f(4)=4-1=3$

따라서 f의 치역은 $\{-3, -1, 1, 3\}$이다.

07 답 (1) $f=g$ (2) $f \neq g$ (3) $f=g$

풀이 (1) $f(-1)=g(-1)=-1$, $f(0)=g(0)=0$, $f(1)=g(1)=1$ $\therefore f=g$

(2) $f(-1)=1$, $f(0)=2$, $f(1)=3$, $g(-1)=-3$, $g(0)=-1$, $g(1)=1$ $\therefore f \neq g$

(3) $f(-1)=g(-1)=2$, $f(0)=g(0)=1$, $f(1)=g(1)=2$ $\therefore f=g$

08 답 (1) $f=g$ (2) $f\neq g$ (3) $f\neq g$

풀이 (1) $f(x)=|x|$, $g(x)=\sqrt{x^2}=|x|$

$\therefore$ $f=g$

(2) 함수 f의 정의역은 모든 실수이고, 함수 g의 정의역은 $\{x|x\neq-1$인 모든 실수$\}$이다.

즉, 두 함수의 정의역이 다르므로 $f\neq g$

(3) 함수 f의 정의역은 $\{x|x\neq2$인 모든 실수$\}$이고, 함수 g의 정의역은 $\{x|x\neq-2,\ x\neq2$인 모든 실수$\}$이다.

즉, 두 함수의 정의역이 다르므로 $f\neq g$

09 답 (1) $a=3$, $b=-1$ (2) $a=1$, $b=1$ (3) $a=1$, $b=-1$ (4) $a=-1$, $b=6$

풀이 (1) $f(1)=g(1)$에서 $a+b=2$

$f(2)=g(2)$에서 $2a+b=5$

두 식을 연립하여 풀면 $a=3$, $b=-1$

(2) $f(-1)=g(-1)$에서 $a-b=0$

$f(1)=g(1)$에서 $a+b=2$

두 식을 연립하여 풀면 $a=1$, $b=1$

(3) $f(0)=g(0)$에서 $b=-1$

$f(1)=g(1)$에서 $a=2+b$

두 식을 연립하여 풀면 $a=1$, $b=-1$

(4) $f(1)=g(1)$에서 $a+b=5$

$f(3)=g(3)$에서 $3a+b=3$

두 식을 연립하여 풀면 $a=-1$, $b=6$

10 답 (1) ○ (2) × (3) ○ (4) ○ (5) × (6) ×

풀이 (1), (3), (4) 정의역의 각 원소에 공역의 원소가 오직 하나씩 대응하므로 함수의 그래프이다.

(2) $x>-1$일 때, x에 대응하는 y가 두 개씩 있으므로 함수의 그래프가 아니다.

(5) $x=1$일 때, x에 대응하는 y가 무수히 많으므로 함수의 그래프가 아니다.

(6) $-1<x<1$일 때, x에 대응하는 y가 두 개씩 있으므로 함수의 그래프가 아니다.

다른풀이 (1), (3), (4) y축에 평행한 직선을 그었을 때, 오직 한 점에서 만나므로 함수의 그래프이다.

(2), (5), (6) y축에 평행한 직선을 그었을 때, 두 점 이상에서 만나는 직선이 있으므로 함수의 그래프가 아니다.

11 답 (1) ㄴ, ㄷ (2) ㄴ, ㄷ (3) ㄷ (4) ㄱ

풀이 (1)직선 $y=k$(k는 상수)와 함수의 그래프의 교점이 항상 1개인 것을 찾으면 ㄴ, ㄷ이다.

(2) 일대일함수 중에서 치역과 공역이 같은 함수, 즉 치역이 실수 전체의 집합인 함수의 그래프를 찾으면 ㄴ, ㄷ이다.

(3) 정의역과 공역이 같고 정의역의 각 원소에 그 자신이 대응하는 함수, 즉 그래프가 직선 $y=x$인 함수를 찾으면 ㄷ이다.

(4) 치역의 원소가 1개, 즉 그래프가 x축에 평행한 직선을 찾으면 ㄱ이다.

12 답 (1) ㄱ, ㄴ (2) ㄱ, ㄴ (3) ㄱ (4) ㄹ

풀이 주어진 함수의 그래프를 좌표평면 위에 나타내면 다음과 같다.

ㄱ.

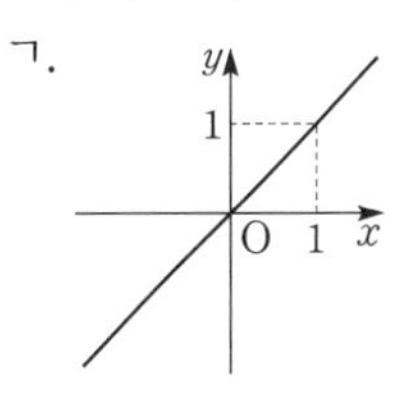

ㄴ.

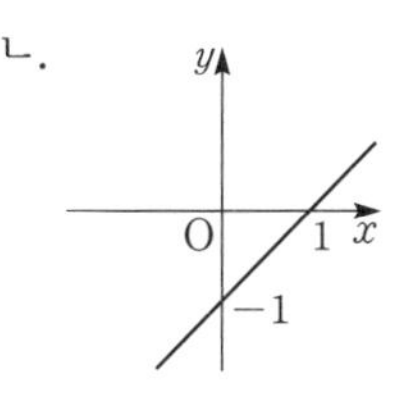

ㄷ.

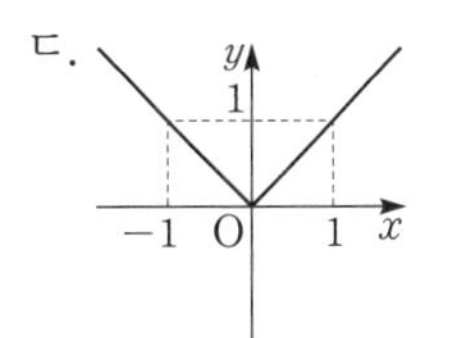

ㄹ.

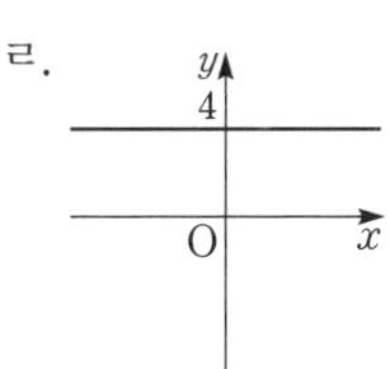

13 답 (1) $a=1$, $b=3$ (2) $a=2$, $b=1$ (3) $a=3$, $b=-2$

풀이 (1) $a>0$에서 함수 $f(x)=ax+b$의 그래프는 증가하는 모양이므로 f는 일대일함수이다. f가 일대일대응이려면 치역과 공역이 일치해야 하므로 함수 $f(x)$의 그래프가 두 점 $(-1,\ 2)$, $(3,\ 6)$을 지나야 한다.

즉, $f(-1)=2$, $f(3)=6$이므로

$-a+b=2$, $3a+b=6$

두 식을 연립하여 풀면 $a=1$, $b=3$

(2) $a>0$이므로 함수 $f(x)$의 그래프가 두 점 $(-2,\ -3)$, $(2,\ 5)$를 지나야 한다.

즉, $f(-2)=-3$, $f(2)=5$이므로

$-2a+b=-3$, $2a+b=5$

두 식을 연립하여 풀면 $a=2$, $b=1$

(3) $a>0$이므로 함수 $f(x)$의 그래프가 두 점 $(1,\ 1)$, $(6,\ 16)$을 지나야 한다.

즉, $f(1)=1$, $f(6)=16$이므로

$a+b=1$, $6a+b=16$

두 식을 연립하여 풀면 $a=3$, $b=-2$

14 답 (1) $a=-2$, $b=5$ (2) $a=-1$, $b=-2$ (3) $a=-3$, $b=4$

풀이 (1) $a<0$에서 함수 $f(x)=ax+b$의 그래프는 감소하는 모양이므로 f는 일대일함수이다. f가 일대일대응이려면 치역과 공역이 일치해야 하므로 함수 $f(x)$의 그래프가 두 점 $(1,\ 3)$, $(6,\ -7)$을 지나야 한다.

즉, $f(1)=3$, $f(6)=-7$이므로

$a+b=3$, $6a+b=-7$

두 식을 연립하여 풀면 $a=-2$, $b=5$

(2) $a<0$이므로 함수 $f(x)$의 그래프가 두 점 $(-6,\ 4)$, $(-1,\ -1)$을 지나야 한다.

즉, $f(-6)=4$, $f(-1)=-1$이므로

$-6a+b=4$, $-a+b=-1$

두 식을 연립하여 풀면 $a=-1$, $b=-2$

(3) $a<0$이므로 함수 $f(x)$의 그래프가 두 점 $(-3, 13)$, $(5, -11)$을 지나야 한다.
즉, $f(-3)=13$, $f(5)=-11$이므로
$-3a+b=13$, $5a+b=-11$
두 식을 연립하여 풀면 $a=-3$, $b=4$

15 답 (1) 9 (2) 16 (3) 27

풀이 (1) a의 함숫값이 될 수 있는 것은 1, 2, 3의 3개
b의 함숫값이 될 수 있는 것은 1, 2, 3의 3개
따라서 함수의 개수는 $3\times3=3^2=\underline{9}$
(2) a의 함숫값이 될 수 있는 것은 1, 2, 3, 4의 4개
b의 함숫값이 될 수 있는 것은 1, 2, 3, 4의 4개
따라서 함수의 개수는 $4\times4=4^2=16$
(3) 1의 함숫값이 될 수 있는 것은 a, b, c의 3개
2의 함숫값이 될 수 있는 것은 a, b, c의 3개
3의 함숫값이 될 수 있는 것은 a, b, c의 3개
따라서 함수의 개수는 $3\times3\times3=3^3=27$

16 답 (1) 24 (2) 20 (3) 24

풀이 (1) a의 함숫값이 될 수 있는 것은 1, 2, 3, 4의 4개
b의 함숫값이 될 수 있는 것은 a의 함숫값을 제외한 3개
c의 함숫값이 될 수 있는 것은 a, b의 함숫값을 제외한 2개
따라서 일대일함수의 개수는 $4\times3\times2=\underline{24}$
(2) 1의 함숫값이 될 수 있는 것은 s, t, u, v, w의 5개
2의 함숫값이 될 수 있는 것은 1의 함숫값을 제외한 4개
따라서 일대일함수의 개수는 $5\times4=20$
(3) a의 함숫값이 될 수 있는 것은 e, f, g, h의 4개
b의 함숫값이 될 수 있는 것은 a의 함숫값을 제외한 3개
c의 함숫값이 될 수 있는 것은 a, b의 함숫값을 제외한 2개
d의 함숫값이 될 수 있는 것은 a, b, c의 함숫값을 제외한 1개
따라서 일대일함수의 개수는 $4\times3\times2\times1=24$

17 답 (1) 6 (2) 24 (3) 120

풀이 (1) a의 함숫값이 될 수 있는 것은 1, 2, 3의 3개
b의 함숫값이 될 수 있는 것은 a의 함숫값을 제외한 2개
c의 함숫값이 될 수 있는 것은 a, b의 함숫값을 제외한 1개
따라서 일대일대응의 개수는 $3\times2\times1=\underline{6}$
(2) a의 함숫값이 될 수 있는 것은 1, 2, 3, 4의 4개
b의 함숫값이 될 수 있는 것은 a의 함숫값을 제외한 3개
c의 함숫값이 될 수 있는 것은 a, b의 함숫값을 제외한 2개
d의 함숫값이 될 수 있는 것은 a, b, c의 함숫값을 제외한 1개
따라서 일대일대응의 개수는 $4\times3\times2\times1=24$
(3) 1의 함숫값이 될 수 있는 것은 6, 7, 8, 9, 10의 5개
2의 함숫값이 될 수 있는 것은 1의 함숫값을 제외한 4개
3의 함숫값이 될 수 있는 것은 1, 2의 함숫값을 제외한 3개
4의 함숫값이 될 수 있는 것은 1, 2, 3의 함숫값을 제외한 2개
5의 함숫값이 될 수 있는 것은 1, 2, 3, 4의 함숫값을 제외한 1개
따라서 일대일대응의 개수는 $5\times4\times3\times2\times1=120$

18 답 (1) 3 (2) 3 (3) 4

풀이 (1) 집합 Y의 원소의 개수가 3이므로 상수함수의 개수는 $\underline{3}$이다.
(2) 집합 Y의 원소의 개수가 3이므로 상수함수의 개수는 3이다.
(3) 집합 Y의 원소의 개수가 4이므로 상수함수의 개수는 4이다.

19 답 (1) 1 (2) 3 (3) 2 (4) 4 (5) 8 (6) 6 (7) 7 (8) 5

풀이 (1) $(g\circ f)(1)=g(f(1))=g(\underline{6})=\underline{1}$
(2) $(g\circ f)(2)=g(f(2))=g(8)=3$
(3) $(g\circ f)(3)=g(f(3))=g(5)=2$
(4) $(g\circ f)(4)=g(f(4))=g(7)=4$
(5) $(f\circ g)(5)=f(g(5))=f(2)=8$
(6) $(f\circ g)(6)=f(g(6))=f(1)=6$
(7) $(f\circ g)(7)=f(g(7))=f(4)=7$
(8) $(f\circ g)(8)=f(g(8))=f(3)=5$

20 답 (1) 5 (2) 3 (3) 1 (4) 6 (5) 2 (6) 0

풀이 (1) $(g\circ f)(1)=g(f(1))=g(\underline{2})=\underline{5}$
(2) $(g\circ f)(3)=g(f(3))=g(3)=3$
(3) $(g\circ f)(5)=g(f(5))=g(4)=1$
(4) $(f\circ g)(0)=f(g(0))=f(6)=6$
(5) $(f\circ g)(4)=f(g(4))=f(1)=2$
(6) $(f\circ g)(6)=f(g(6))=f(0)=0$

21 답 (1) 2 (2) 11 (3) -1 (4) 63 (5) 8 (6) 0 (7) 63 (8) 17

풀이 (1) $(g\circ f)(1)=g(f(1))=g(\underline{0})=\underline{2}$
(2) $(g\circ f)(-2)=g(f(-2))=g(3)=11$
(3) $(g\circ f)(0)=g(f(0))=g(-1)=-1$
(4) $(f\circ g)(2)=f(g(2))=f(8)=63$
(5) $(f\circ g)\left(\frac{1}{3}\right)=f\left(g\left(\frac{1}{3}\right)\right)=f(3)=8$
(6) $(f\circ g)(-1)=f(g(-1))=f(-1)=0$
(7) $(f\circ f)(3)=f(f(3))=f(8)=63$
(8) $(g\circ g)(1)=g(g(1))=g(5)=17$

22 답 (1) 6 (2) 3 (3) 2

풀이 (1) $f(0)=0+2=2$이므로
$(f\circ f)(0)=f(f(0))=f(2)$
$=2^2+2=\underline{6}$
(2) $f(-1)=-1+2=1$이므로
$(f\circ f)(-1)=f(f(-1))=f(1)$
$=1^2+2=3$
(3) $f(-2)=-2+2=0$이므로
$(f\circ f)(-2)=f(f(-2))=f(0)$
$=0+2=2$

23 답 (1) 3 (2) -3 (3) 5

풀이 (1) $f(\sqrt{2})=(\sqrt{2})^2=2$이므로

$(f\circ f)(\sqrt{2})=f(f(\sqrt{2}))=f(2)=2\times2-1=\underline{3}$

(2) $f(0)=2\times0-1=-1$이므로

$(f\circ f)(0)=f(f(0))=f(-1)=2\times(-1)-1=-3$

(3) $f(\sqrt{3})=(\sqrt{3})^2=3$이므로

$(f\circ f)(\sqrt{3})=f(f(\sqrt{3}))=f(3)=2\times3-1=5$

24 답 (1) $-12x-7$ (2) $-12x+23$ (3) $36x+35$

풀이 (1) $(g\circ f)(x)=g(f(x))=g(6x+5)$

$=-2(6x+5)+3$

$=\underline{-12x-7}$

(2) $(f\circ g)(x)=f(g(x))=f(-2x+3)$

$=6(-2x+3)+5$

$=-12x+23$

(3) $(f\circ f)(x)=f(f(x))=f(6x+5)$

$=6(6x+5)+5$

$=36x+35$

25 답 (1) $9x^2-9x+2$ (2) $3x^2-3x-1$

(3) x^4-2x^3+x

풀이 (1) $(g\circ f)(x)=g(f(x))=g(3x-1)$

$=(3x-1)^2-(3x-1)$

$=(9x^2-6x+1)-(3x-1)$

$=\underline{9x^2-9x+2}$

(2) $(f\circ g)(x)=f(g(x))=f(x^2-x)$

$=3(x^2-x)-1$

$=3x^2-3x-1$

(3) $(g\circ g)(x)=g(g(x))=g(x^2-x)$

$=(x^2-x)^2-(x^2-x)$

$=(x^4-2x^3+x^2)-(x^2-x)$

$=x^4-2x^3+x$

26 답 (1) $h(x)=3x-3$ (2) $h(x)=\frac{1}{2}x-\frac{3}{2}$

(3) $h(x)=-\frac{1}{2}x+6$ (4) $h(x)=x^2-6$

풀이 (1) $(g\circ h)(x)=g(h(x))=h(x)+4$이므로

$h(x)+4=3x+1$

$\therefore h(x)=3x-3$

(2) $(g\circ h)(x)=g(h(x))=2h(x)+1$이므로

$2h(x)+1=x-2$

$\therefore h(x)=\frac{1}{2}x-\frac{3}{2}$

(3) $(g\circ h)(x)=g(h(x))=-2h(x)+7$이므로

$-2h(x)+7=x-5$

$\therefore h(x)=-\frac{1}{2}x+6$

(4) $(g\circ h)(x)=g(h(x))=h(x)+2$이므로

$h(x)+2=x^2-4$

$\therefore h(x)=x^2-6$

27 답 (1) $h(x)=3x-11$ (2) $h(x)=\frac{1}{2}x-\frac{5}{2}$

(3) $h(x)=-\frac{1}{2}x-\frac{3}{2}$ (4) $h(x)=x^2-4x$

풀이 (1) $(h\circ g)(x)=h(g(x))=h(x+4)$이므로

$h(x+4)=3x+1$

$x+4=t$로 놓으면 $x=t-4$

$h(t)=3(t-4)+1=3t-11$

$\therefore h(x)=\underline{3x-11}$

(2) $(h\circ g)(x)=h(g(x))=h(2x+1)$이므로

$h(2x+1)=x-2$

$2x+1=t$로 놓으면 $x=\frac{1}{2}t-\frac{1}{2}$

$h(t)=\left(\frac{1}{2}t-\frac{1}{2}\right)-2=\frac{1}{2}t-\frac{5}{2}$

$\therefore h(x)=\frac{1}{2}x-\frac{5}{2}$

(3) $(h\circ g)(x)=h(g(x))=h(-2x+7)$이므로

$h(-2x+7)=x-5$

$-2x+7=t$로 놓으면 $x=-\frac{1}{2}t+\frac{7}{2}$

$h(t)=\left(-\frac{1}{2}t+\frac{7}{2}\right)-5=-\frac{1}{2}t-\frac{3}{2}$

$\therefore h(x)=-\frac{1}{2}x-\frac{3}{2}$

(4) $(h\circ g)(x)=h(g(x))=h(x+2)$이므로

$h(x+2)=x^2-4$

$x+2=t$로 놓으면 $x=t-2$

$h(t)=(t-2)^2-4=t^2-4t$

$\therefore h(x)=x^2-4x$

28 답 (1) 16 (2) 17 (3) 9

(4) 5 (5) 5 (6) 1

풀이 (1) $x-4=2$에서 $x=6$

$f(x-4)=2x+4$에 $x=6$을 대입하면

$f(2)=2\times6+4=\underline{16}$

(2) $2x-6=2$에서 $x=4$

$f(2x-6)=3x+5$에 $x=4$를 대입하면

$f(2)=3\times4+5=17$

(3) $3x-1=2$에서 $x=1$

$f(3x-1)=-x+10$에 $x=1$을 대입하면

$f(2)=-1+10=9$

(4) $\frac{4x+2}{9}=2$에서 $4x+2=18$, $4x=16$ $\therefore x=4$

$f\left(\frac{4x+2}{9}\right)=x+1$에 $x=4$를 대입하면

$f(2)=4+1=5$

(5) $\frac{2x+6}{5}=2$에서 $2x+6=10$, $2x=4$ $\therefore x=2$

$f\left(\frac{2x+6}{5}\right)=3x^2-7$에 $x=2$를 대입하면

$f(2)=3\times2^2-7=5$

(6) $\frac{8-2x}{5}=2$에서 $8-2x=10$, $2x=-2$ $\therefore x=-1$

$f\left(\frac{8-2x}{5}\right)=x^2+x+1$에 $x=-1$을 대입하면

$f(2)=(-1)^2+(-1)+1=1$

29 답 (1) 2 (2) 1 (3) 4
(4) 1 (5) 2 (6) 5

풀이 (1) $(f\circ g\circ f)(1)=f(g(f(1)))=f(g(2))=f(1)=\underline{2}$

(2) $(g\circ f\circ g)(2)=g(f(g(2)))=g(f(1))=g(2)=1$

(3) $(f\circ g\circ g)(3)=f(g(g(3)))=f(g(3))=f(3)=4$

(4) $(g\circ f\circ f)(4)=g(f(f(4)))=g(f(1))=g(2)=1$

(5) $(f\circ f\circ g)(5)=f(f(g(5)))=f(f(4))=f(1)=2$

(6) $(g\circ g\circ f)(5)=g(g(f(5)))=g(g(5))=g(4)=5$

30 답 (1) 7 (2) 52 (3) 13 (4) -3
(5) 242 (6) 98 (7) $\frac{5}{2}$ (8) -7

풀이 (1) $(h\circ g\circ f)(1)=h(g(f(1)))=h(g(2))$
$=h(5)=\underline{7}$

(2) $(h\circ f\circ g)(2)=h(f(g(2)))=h(f(5))$
$=h(50)=52$

(3) $(g\circ h\circ f)(-1)=g(h(f(-1)))=g(h(2))$
$=g(4)=13$

(4) $(g\circ f\circ h)(-2)=g(f(h(-2)))=g(f(0))$
$=g(0)=-3$

(5) $(f\circ h\circ g)(3)=f(h(g(3)))=f(h(9))$
$=f(11)=242$

(6) $(f\circ g\circ h)(-3)=f(g(h(-3)))$
$=f(g(-1))=f(-7)=98$

(7) $(h\circ f\circ f)\left(\frac{1}{2}\right)=h\left(f\left(f\left(\frac{1}{2}\right)\right)\right)=h\left(f\left(\frac{1}{2}\right)\right)$
$=h\left(\frac{1}{2}\right)=\frac{5}{2}$

(8) $(g\circ g\circ h)\left(-\frac{3}{2}\right)=g\left(g\left(h\left(-\frac{3}{2}\right)\right)\right)=g\left(g\left(\frac{1}{2}\right)\right)$
$=g(-1)=-7$

31 답 (1) c (2) d (3) e
(4) d (5) e (6) e

풀이 그림에서 $f(a)=b$, $f(b)=c$, $f(c)=d$, $f(d)=e$

(1) $(f\circ f)(a)=f(f(a))=f(b)=\underline{c}$

(2) $(f\circ f)(b)=f(f(b))=f(c)=d$

(3) $(f\circ f)(c)=f(f(c))=f(d)=e$

(4) $(f\circ f\circ f)(a)=f(f(f(a)))=f(f(b))$
$=f(c)=d$

(5) $(f\circ f\circ f)(b)=f(f(f(b)))=f(f(c))$
$=f(d)=e$

(6) $(f\circ f\circ f\circ f)(a)=f(f(f(f(a))))=f(f(f(b)))$
$=f(f(c))=f(d)=e$

32 답 (1) -1 (2) 2 (3) 3 (4) $\frac{3}{2}$

풀이 (1) $(f\circ g)(x)=f(g(x))=f(3x-2)$
$=a(3x-2)+2=3ax-2a+2$
$(g\circ f)(x)=g(f(x))=g(ax+2)$
$=3(ax+2)-2=3ax+4$
$(f\circ g)(x)=(g\circ f)(x)$이므로
$3ax-2a+2=3ax+4$ $\therefore a=\underline{-1}$

(2) $(f\circ g)(x)=f(g(x))=f(3x+a)$
$=2(3x+a)+1=6x+2a+1$
$(g\circ f)(x)=g(f(x))=g(2x+1)$
$=6x+3(2x+1)+a=6x+3+a$
$(f\circ g)(x)=(g\circ f)(x)$이므로
$6x+2a+1=6x+3+a$ $\therefore a=2$

(3) $(f\circ g)(x)=f(g(x))=f(-x+4)$
$=-\frac{1}{2}(-x+4)+a$
$=\frac{1}{2}x-2+a$
$(g\circ f)(x)=g(f(x))=g\left(-\frac{1}{2}x+a\right)$
$=-\left(-\frac{1}{2}x+a\right)+4$
$=\frac{1}{2}x-a+4$
$(f\circ g)(x)=(g\circ f)(x)$이므로
$\frac{1}{2}x-2+a=\frac{1}{2}x-a+4$ $\therefore a=3$

(4) $(f\circ g)(x)=f(g(x))=f(2ax-1)$
$=-2(2ax-1)+a=-4ax+2+a$
$(g\circ f)(x)=g(f(x))=g(-2x+a)$
$=2a(-2x+a)-1=-4ax+2a^2-1$
$(f\circ g)(x)=(g\circ f)(x)$이므로
$-4ax+2+a=-4ax+2a^2-1$
$2+a=2a^2-1$, $2a^2-a-3=0$
$(2a-3)(a+1)=0$ $\therefore a=\frac{3}{2}$ 또는 $a=-1$
그런데 $a=-1$이면 $f=g$이므로 $a=\frac{3}{2}$

33 답 (1) $4x^2-4x+1$ (2) $4x^2-4x+1$
(3) $2x^2-2$ (4) $4x^2-1$
(5) $4x^2-8x+4$ (6) $4x-1$

풀이 (1) $(g\circ f)(x)=g(f(x))=g(2x)=2x-1$이므로
$(h\circ(g\circ f))(x)=h((g\circ f)(x))=h(2x-1)$
$=(2x-1)^2=\underline{4x^2-4x+1}$

(2) $(h\circ g)(x)=h(g(x))=h(x-1)=(x-1)^2$이므로
$((h\circ g)\circ f)(x)=(h\circ g)(f(x))=(h\circ g)(2x)$
$=(2x-1)^2=4x^2-4x+1$

(3) $(f\circ g\circ h)(x)=(f\circ g)(h(x))=(f\circ g)(x^2)$
$=f(g(x^2))=f(x^2-1)$
$=2(x^2-1)=2x^2-2$

(4) $(g\circ h\circ f)(x)=(g\circ h)(f(x))=(g\circ h)(2x)$

$=g(h(2x))=g(4x^2)$
$=4x^2-1$

(5) $(h\circ f\circ g)(x)=(h\circ f)(g(x))=(h\circ f)(x-1)$
$=h(f(x-1))=h(2x-2)$
$=(2x-2)^2=4x^2-8x+4$

(6) $(g\circ f\circ f)(x)=(g\circ f)(f(x))=(g\circ f)(2x)$
$=g(f(2x))=g(4x)$
$=4x-1$

34 답 (1) 11　(2) -9　(3) 1024　(4) $\frac{1}{1024}$

풀이 (1) $f^1(x)=x+1$
$f^2(x)=(f\circ f)(x)=f(f(x))$
$=f(x+1)=(x+1)+1=x+2$
$f^3(x)=(f\circ f^2)(x)=f(f^2(x))$
$=f(x+2)=(x+2)+1=x+3$
$f^4(x)=(f\circ f^3)(x)=f(f^3(x))$
$=f(x+3)=(x+3)+1=x+4$
⋮
따라서 $f^n(x)=x+n$이므로 $f^{10}(1)=1+10=\underline{11}$

(2) $f^1(x)=x-1$
$f^2(x)=(f\circ f)(x)=f(f(x))$
$=f(x-1)=(x-1)-1=x-2$
$f^3(x)=(f\circ f^2)(x)=f(f^2(x))$
$=f(x-2)=(x-2)-1=x-3$
$f^4(x)=(f\circ f^3)(x)=f(f^3(x))$
$=f(x-3)=(x-3)-1=x-4$
⋮
따라서 $f^n(x)=x-n$이므로 $f^{10}(1)=1-10=-9$

(3) $f^1(x)=2x$
$f^2(x)=(f\circ f)(x)=f(f(x))$
$=f(2x)=2\times 2x=2^2x$
$f^3(x)=(f\circ f^2)(x)=f(f^2(x))$
$=f(2^2x)=2\times 2^2x=2^3x$
$f^4(x)=(f\circ f^3)(x)=f(f^3(x))$
$=f(2^3x)=2\times 2^3x=2^4x$
⋮
따라서 $f^n(x)=2^nx$이므로 $f^{10}(1)=2^{10}=1024$

(4) $f^1(x)=\frac{x}{2}$
$f^2(x)=(f\circ f)(x)=f(f(x))$
$=f\left(\frac{x}{2}\right)=\frac{1}{2}\times\frac{x}{2}=\frac{x}{2^2}$
$f^3(x)=(f\circ f^2)(x)=f(f^2(x))$
$=f\left(\frac{x}{2^2}\right)=\frac{1}{2}\times\frac{x}{2^2}=\frac{x}{2^3}$
$f^4(x)=(f\circ f^3)(x)=f(f^3(x))$
$=f\left(\frac{x}{2^3}\right)=\frac{1}{2}\times\frac{x}{2^3}=\frac{x}{2^4}$
⋮
따라서 $f^n(x)=\frac{x}{2^n}$이므로 $f^{10}(1)=\frac{1}{2^{10}}=\frac{1}{1024}$

35 답 (1) ×　(2) ×　(3) ○

풀이 (1) Y의 원소 d에 대응하는 X의 원소가 없으므로 함수 f는 일대일대응이 아니다.
따라서 역함수가 존재하지 않는다.
(2) 함수 f가 일대일대응이 아니므로 역함수가 존재하지 않는다.
(3) 함수 f가 일대일대응이므로 역함수가 존재한다.

36 답 (1) ○　(2) ×　(3) ×　(4) ×

풀이 (1) 주어진 함수가 일대일대응이므로 역함수가 존재한다.
(2), (3), (4) 주어진 함수가 일대일대응이 아니므로 역함수가 존재하지 않는다.

37 답 (1) 4　(2) 5　(3) 1　(4) 2　(5) 3

풀이 (1) 그림에서 $f(4)=2$이므로 $f^{-1}(2)=\underline{4}$
(2) 그림에서 $f(5)=4$이므로 $f^{-1}(4)=5$
(3) 그림에서 $f(1)=6$이므로 $f^{-1}(6)=1$
(4) 그림에서 $f(2)=8$이므로 $f^{-1}(8)=2$
(5) 그림에서 $f(3)=10$이므로 $f^{-1}(10)=3$

38 답 (1) 2　(2) 1　(3) 2

풀이 (1) $f^{-1}(3)=a$라고 하면 $f(a)=3$이므로
$4a-5=3,\ a=2$　$\therefore f^{-1}(3)=\underline{2}$
(2) $f^{-1}(3)=a$라고 하면 $f(a)=3$이므로
$6a-3=3,\ a=1$　$\therefore f^{-1}(3)=1$
(3) $f^{-1}(3)=a$라고 하면 $f(a)=3$이므로
$-2a+7=3,\ a=2$　$\therefore f^{-1}(3)=2$

39 답 (1) 3　(2) -17　(3) -2　(4) 8

풀이 (1) $f^{-1}(a)=1$에서 $f(1)=a$이므로 $a=\underline{3}$
(2) $f^{-1}(a)=-3$에서 $f(-3)=a$이므로 $a=-17$
(3) $f^{-1}(a)=0$에서 $f(0)=a$이므로 $a=-2$
(4) $f^{-1}(a)=2$에서 $f(2)=a$이므로 $a=8$

40 답 (1) 3　(2) -1　(3) 0　(4) -5

풀이 (1) $f^{-1}(-1)=2$에서 $f(2)=-1$이므로
$-4+a=-1$　$\therefore a=\underline{3}$
(2) $f^{-1}(1)=-1$에서 $f(-1)=1$이므로
$2+a=1$　$\therefore a=-1$
(3) $f^{-1}(-2)=1$에서 $f(1)=-2$이므로
$-2+a=-2$　$\therefore a=0$
(4) $f^{-1}(-1)=-2$에서 $f(-2)=-1$이므로
$4+a=-1$　$\therefore a=-5$

41 답 (1) $a=4,\ b=-2$　(2) $a=-2,\ b=5$
(3) $a=2,\ b=7$　(4) $a=1,\ b=3$
(5) $a=3,\ b=3$

풀이 (1) $f^{-1}(2)=1$에서 $f(1)=2$이므로
$a+b=2$ ······ ㉠
$f^{-1}(6)=2$에서 $f(2)=6$이므로
$2a+b=6$ ······ ㉡

㉠, ㉡을 연립하여 풀면 $a=4$, $b=-2$

(2) $f(2)=1$이므로

$2a+b=1$ …… ㉠

$f^{-1}(-1)=3$에서 $f(3)=-1$이므로

$3a+b=-1$ …… ㉡

㉠, ㉡을 연립하여 풀면 $a=-2$, $b=5$

(3) $f(-3)=1$이므로

$-3a+b=1$ …… ㉠

$f^{-1}(3)=-2$에서 $f(-2)=3$이므로

$-2a+b=3$ …… ㉡

㉠, ㉡을 연립하여 풀면 $a=2$, $b=7$

(4) $f^{-1}(1)=-2$에서 $f(-2)=1$이므로

$-2a+b=1$ …… ㉠

$f^{-1}(5)=2$에서 $f(2)=5$이므로

$2a+b=5$ …… ㉡

㉠, ㉡을 연립하여 풀면 $a=1$, $b=3$

(5) $f^{-1}(2)=-\frac{1}{3}$에서 $f\left(-\frac{1}{3}\right)=2$이므로

$-\frac{1}{3}a+b=2$ …… ㉠

$f^{-1}(4)=\frac{1}{3}$에서 $f\left(\frac{1}{3}\right)=4$이므로

$\frac{1}{3}a+b=4$ …… ㉡

㉠, ㉡을 연립하여 풀면 $a=3$, $b=3$

42 답 (1) $y=2x+6$ (2) $y=\frac{1}{2}x+2$ (3) $y=-3x+6$ (4) $y=\sqrt{x}\ (x\ge 0)$ (5) $y=\sqrt{\frac{x-1}{2}}\ (x\ge 1)$

풀이 (1) $y=\frac{1}{2}x-3$의 x와 y를 바꾸면

$x=\frac{1}{2}y-3$

y를 x에 대한 식으로 나타내면

$\frac{1}{2}y=x+3$ $\therefore y=2x+6$

(2) $y=2x-4$의 x와 y를 바꾸면

$x=2y-4$

y를 x에 대한 식으로 나타내면

$2y=x+4$ $\therefore y=\frac{1}{2}x+2$

(3) $y=-\frac{1}{3}x+2$의 x와 y를 바꾸면

$x=-\frac{1}{3}y+2$

y를 x에 대한 식으로 나타내면

$\frac{1}{3}y=-x+2$ $\therefore y=-3x+6$

(4) $y=x^2$의 x와 y를 바꾸면

$x=y^2$

$y\ge 0$이므로 y를 x에 대한 식으로 나타내면

$y=\sqrt{x}$

이때 $y=x^2$의 치역이 역함수의 정의역이므로 구하는 역함수는 $y=\sqrt{x}\ (x\ge 0)$

(5) $y=2x^2+1$의 x와 y를 바꾸면

$x=2y^2+1$

$y\ge 1$이므로 y를 x에 대한 식으로 나타내면

$2y^2=x-1$, $y^2=\frac{x-1}{2}$

$\therefore y=\sqrt{\frac{x-1}{2}}$

이때 $y=2x^2+1$의 치역이 역함수의 정의역이므로 구하는 함수의 역함수는 $y=\sqrt{\frac{x-1}{2}}\ (x\ge 1)$

43 답 (1) 1 (2) 3 (3) 2 (4) 4

풀이 (1) $(g\circ f)^{-1}=f^{-1}\circ g^{-1}$이므로

$(g\circ f)^{-1}(1)=(f^{-1}\circ g^{-1})(1)=f^{-1}(g^{-1}(1))$
$=f^{-1}(2)=1$

(2) $(g\circ f)^{-1}=f^{-1}\circ g^{-1}$이므로

$(g\circ f)^{-1}(3)=(f^{-1}\circ g^{-1})(3)=f^{-1}(g^{-1}(3))$
$=f^{-1}(4)=3$

(3) $(f\circ g)^{-1}=g^{-1}\circ f^{-1}$이므로

$(f\circ g)^{-1}(2)=(g^{-1}\circ f^{-1})(2)=g^{-1}(f^{-1}(2))$
$=g^{-1}(1)=2$

(4) $(f\circ g)^{-1}=g^{-1}\circ f^{-1}$이므로

$(f\circ g)^{-1}(4)=(g^{-1}\circ f^{-1})(4)=g^{-1}(f^{-1}(4))$
$=g^{-1}(3)=4$

44 답 (1) 8 (2) 11 (3) 2 (4) 1 (5) 5 (6) -1

풀이 (1) $f^{-1}\circ f=I$이므로

$(f^{-1}\circ f\circ g)(1)=(I\circ g)(1)=g(1)=8$

(2) $f\circ f^{-1}=I$이므로

$(g\circ f\circ f^{-1})(2)=(g\circ I)(2)=g(2)=11$

(3) $g^{-1}\circ g=I$이므로

$(f\circ g^{-1}\circ g)(5)=(f\circ I)(5)=f(5)=2$

(4) $g\circ g^{-1}=I$이므로

$(g\circ g^{-1}\circ f)(4)=(I\circ f)(4)=f(4)=1$

(5) $f^{-1}\circ f=I$이므로

$(f^{-1}\circ f\circ g\circ f)(3)=(I\circ g\circ f)(3)$
$=(g\circ f)(3)=g(f(3))$
$=g(0)=5$

(6) $g\circ g^{-1}=I$이므로

$(f\circ g\circ g^{-1}\circ g)(-1)=(f\circ I\circ g)(-1)$
$=(f\circ g)(-1)=f(g(-1))$
$=f(2)=-1$

45 답 (1) 2 (2) 0 (3) 13 (4) $\frac{1}{2}$ (5) 5

풀이 (1) $(f^{-1}\circ g)^{-1}(1)=(g^{-1}\circ f)(1)=g^{-1}(f(1))$
$=g^{-1}(1)$

$g^{-1}(1)=k$로 놓으면 $g(k)=1$이므로

$k-1=1$ $\therefore k=2$

$\therefore (f^{-1}\circ g)^{-1}(1)=g^{-1}(1)=2$

(2) $(f\circ g^{-1})^{-1}(1)=(g\circ f^{-1})(1)=g(f^{-1}(1))$

$f^{-1}(1)=k$로 놓으면 $f(k)=1$이므로

$6k-5=1,\ 6k=6\qquad \therefore k=1$

$(f\circ g^{-1})^{-1}(1)=g(1)=0$

(3) $(g\circ f^{-1})^{-1}(2)=(f\circ g^{-1})(2)=f(g^{-1}(2))$

$g^{-1}(2)=k$로 놓으면 $g(k)=2$이므로

$k-1=2\qquad \therefore k=3$

$(g\circ f^{-1})^{-1}(2)=f(3)=13$

(4) $(g^{-1}\circ f)^{-1}(-1)=(f^{-1}\circ g)(-1)=f^{-1}(g(-1))$

$=f^{-1}(-2)$

$f^{-1}(-2)=k$로 놓으면 $f(k)=-2$

$6k-5=-2,\ 6k=3\qquad \therefore k=\frac{1}{2}$

$(g^{-1}\circ f)^{-1}(-1)=f^{-1}(-2)=\frac{1}{2}$

(5) $(g\circ g)^{-1}(3)=(g^{-1}\circ g^{-1})(3)=g^{-1}(g^{-1}(3))$

$g^{-1}(3)=k$로 놓으면 $g(k)=3$

$k-1=3\qquad \therefore k=4$

$g^{-1}(4)=l$로 놓으면 $g(l)=4$

$l-1=4\qquad \therefore l=5$

$\therefore (g\circ g)^{-1}(3)=g^{-1}(4)=5$

46 답 (1) -3 (2) 1 (3) 11 (4) 15 (5) 0

풀이 (1) $(g\circ f)^{-1}=f^{-1}\circ g^{-1}$이므로

$(f\circ(g\circ f)^{-1}\circ f)(1)=(f\circ f^{-1}\circ g^{-1}\circ f)(1)$

$=(I\circ g^{-1}\circ f)(1)$

$=(g^{-1}\circ f)(1)$

$=g^{-1}(f(1))$

$=g^{-1}(5)$

$g^{-1}(5)=k$로 놓으면 $g(k)=5$이므로

$-k+2=5\qquad \therefore k=-3$

$\therefore (f\circ(g\circ f)^{-1}\circ f)(1)=g^{-1}(5)=-3$

(2) $(f\circ g)^{-1}=g^{-1}\circ f^{-1}$이므로

$(f\circ(f\circ g)^{-1}\circ f)(3)=(f\circ g^{-1}\circ f^{-1}\circ f)(3)$

$=(f\circ g^{-1}\circ I)(3)$

$=(f\circ g^{-1})(3)$

$=f(g^{-1}(3))$

$g^{-1}(3)=k$로 놓으면 $g(k)=3$이므로

$-k+2=3\qquad \therefore k=-1$

$\therefore (f\circ(f\circ g)^{-1}\circ f)(3)=f(g^{-1}(3))$

$=f(-1)=1$

(3) $(f^{-1}\circ g)^{-1}=g^{-1}\circ f$이므로

$(f\circ(f^{-1}\circ g)^{-1}\circ f^{-1})(-2)$

$=(f\circ g^{-1}\circ f\circ f^{-1})(-2)$

$=(f\circ g^{-1}\circ I)(-2)$

$=(f\circ g^{-1})(-2)=f(g^{-1}(-2))$

$g^{-1}(-2)=k$로 놓으면 $g(k)=-2$이므로

$-k+2=-2\qquad \therefore k=4$

$\therefore (f\circ(f^{-1}\circ g)^{-1}\circ f^{-1})(-2)=f(g^{-1}(-2))$

$=f(4)=11$

(4) $(f^{-1}\circ g)^{-1}=g^{-1}\circ f$이므로

$(g\circ(f^{-1}\circ g)^{-1}\circ g^{-1})(-4)$

$=(g\circ g^{-1}\circ f\circ g^{-1})(-4)$

$=(I\circ f\circ g^{-1})(-4)$

$=(f\circ g^{-1})(-4)=f(g^{-1}(-4))$

$g^{-1}(-4)=k$로 놓으면 $g(k)=-4$이므로

$-k+2=-4\qquad \therefore k=6$

$\therefore (g\circ(f^{-1}\circ g)^{-1}\circ g^{-1})(-4)=f(g^{-1}(-4))$

$=f(6)=15$

(5) $(f\circ g^{-1})^{-1}=g\circ f^{-1}$이므로

$(g^{-1}\circ(f\circ g^{-1})^{-1}\circ g)(-1)$

$=(g^{-1}\circ g\circ f^{-1}\circ g)(-1)$

$=(I\circ f^{-1}\circ g)(-1)=(f^{-1}\circ g)(-1)$

$=f^{-1}(g(-1))=f^{-1}(3)$

$f^{-1}(3)=k$로 놓으면 $f(k)=3$

$2k+3=3\qquad \therefore k=0$

$\therefore (g^{-1}\circ(f\circ g^{-1})^{-1}\circ g)(-1)=f^{-1}(3)=0$

47 답 (1) -3 (2) 1 (3) 1 (4) 3

풀이 (1) $(g\circ f)(x)=x$에서 $f^{-1}=g$이므로

$(f^{-1}\circ g^{-1}\circ f)(1)=(g\circ g^{-1}\circ f)(1)$

$=(I\circ f)(1)$

$=f(1)=-3$

(2) $(g\circ f)(x)=x$에서 $f^{-1}=g$이므로

$(f\circ g^{-1}\circ f^{-1})(2)=(f\circ g^{-1}\circ g)(2)$

$=(f\circ I)(2)$

$=f(2)=1$

(3) $(g\circ f)(x)=x$에서 $g^{-1}=f$이므로

$(g^{-1}\circ f^{-1}\circ g)(-3)=(f\circ f^{-1}\circ g)(-3)$

$=(I\circ g)(-3)$

$=g(-3)$

$g(-3)=k$로 놓으면 $f(k)=-3$이므로

$4k-7=-3,\ 4k=4\qquad \therefore k=1$

$\therefore (g^{-1}\circ f^{-1}\circ g)(-3)=g(-3)=1$

(4) $(g\circ f)(x)=x$에서 $g^{-1}=f$이므로

$(g\circ f^{-1}\circ g^{-1})(5)=(g\circ f^{-1}\circ f)(5)$

$=(g\circ I)(5)$

$=g(5)$

$g(5)=k$로 놓으면 $f(k)=5$이므로

$4k-7=5,\ 4k=12\qquad \therefore k=3$

$\therefore (g\circ f^{-1}\circ g^{-1})(5)=g(5)=3$

48 답 (1) a (2) b (3) c (4) a (5) b

풀이

그림에서 $f^{-1}(b)=a,\ f^{-1}(c)=b,\ f^{-1}(d)=c,\ f^{-1}(e)=d$

(1) $(f\circ f)^{-1}(c)=(f^{-1}\circ f^{-1})(c)$
$=f^{-1}(f^{-1}(c))$
$=f^{-1}(b)=\underline{a}$

(2) $(f\circ f)^{-1}(d)=(f^{-1}\circ f^{-1})(d)$
$=f^{-1}(f^{-1}(d))$
$=f^{-1}(c)=b$

(3) $(f\circ f)^{-1}(e)=(f^{-1}\circ f^{-1})(e)$
$=f^{-1}(f^{-1}(e))$
$=f^{-1}(d)=c$

(4) $(f\circ f\circ f)^{-1}(d)=(f^{-1}\circ f^{-1}\circ f^{-1})(d)$
$=f^{-1}(f^{-1}(f^{-1}(d)))$
$=f^{-1}(f^{-1}(c))$
$=f^{-1}(b)=a$

(5) $(f\circ f\circ f)^{-1}(e)=(f^{-1}\circ f^{-1}\circ f^{-1})(e)$
$=f^{-1}(f^{-1}(f^{-1}(e)))$
$=f^{-1}(f^{-1}(d))$
$=f^{-1}(c)=b$

49 답 풀이 참조

풀이 (1)

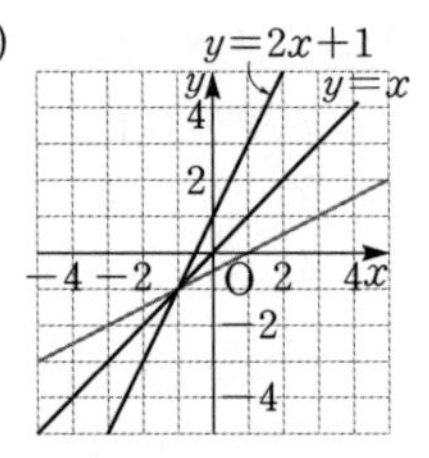

(2)

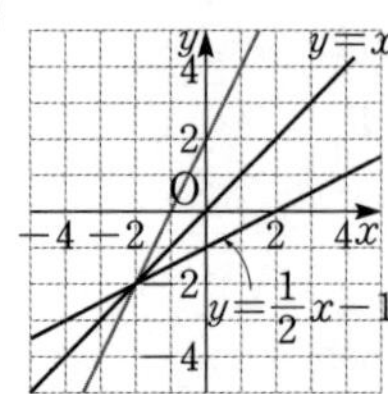

(3)

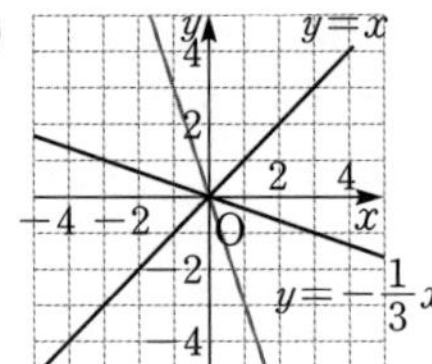

(4)

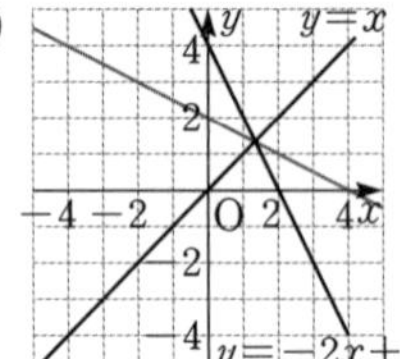

50 답 (1) $(4,\ 4)$ (2) $(-3,\ -3)$ (3) $(1,\ 1)$
(4) $(1,\ 1)$ (5) $(3,\ 3)$

풀이 $y=f(x)$와 $y=f^{-1}(x)$의 그래프의 교점은 $y=f(x)$와 $y=x$의 그래프의 교점의 개수와 같으므로 $f(x)=x$에서

(1) $2x-4=x\quad \therefore x=4$
따라서 구하는 교점의 좌표는 $(\underline{4},\ \underline{4})$이다.

(2) $\frac{2}{3}x-1=x,\ \frac{1}{3}x=-1\quad \therefore x=-3$
따라서 구하는 교점의 좌표는 $(-3,\ -3)$이다.

(3) $-4x+5=x,\ 5x=5\quad \therefore x=1$
따라서 구하는 교점의 좌표는 $(1,\ 1)$이다.

(4) $x^2=x,\ x(x-1)=0$
$x>0$이므로 $x=1$
따라서 구하는 교점의 좌표는 $(1,\ 1)$이다.

(5) $x^2-6=x,\ x^2-x-6=0,\ (x+2)(x-3)=0$
$x\geq 0$이므로 $x=3$
따라서 구하는 교점의 좌표는 $(3,\ 3)$이다.

01 답 ⑤

풀이 ⑤ X의 원소 3에 대응되는 Y의 원소가 없으므로 함수가 아니다.

02 답 1

풀이 $f(-2)=-(-2)^2+1=-3$, $f(2)=2+2=4$이므로

$f(-2)+f(2)=1$

03 답 20

풀이 $3^1=3$, $3^2=9$, $3^3=27$, $3^4=81$, $3^5=243$, $\cdots$

이므로 3^n의 일의 자리의 숫자는 3, 9, 7, 1이 반복된다.

따라서 함수 f의 치역은 $\{1, 3, 7, 9\}$이므로 모든 원소의 합은

$1+3+7+9=20$

04 답 $\{-1\}$, $\{2\}$, $\{-1, 2\}$

풀이 $f=g$이면 $2x^2-1=2x+3$이므로

$2x^2-2x-4=0$, $(x+1)(x-2)=0$

$\therefore x=-1$ 또는 $x=2$

따라서 구하는 집합 X는 공집합이 아닌 $\{-1, 2\}$의 부분집합이므로 $\{-1\}$, $\{2\}$, $\{-1, 2\}$

05 답 ②

풀이 ①, ③, ④, ⑤ x에 대응하는 y가 2개 이상인 것이 있으므로 함수의 그래프가 아니다.

06 답 28

풀이 $a=4\times3\times2\times1=24$, $b=4$이므로

$a+b=28$

07 답 1

풀이 $(f\circ g)(1)=f(g(1))=f(2)=2-a$

즉, $2-a=a$이므로 $a=1$

08 답 3

풀이 $\frac{3x+1}{2}=5$에서 $3x+1=10$, $3x=9$ $\quad\therefore x=3$

$f\left(\frac{3x+1}{2}\right)=x^2-6$에 $x=3$을 대입하면

$f(5)=3^2-6=3$

09 답 2

풀이 $(f\circ g)(x)=f(g(x))=a(-x+4)+3$

$=-ax+4a+3$

$(g\circ f)(x)=g(f(x))=-(ax+3)+4$

$=-ax+1$

$(f\circ g)(x)=(g\circ f)(x)$이므로

$-ax+4a+3=-ax+1 \quad\therefore a=-\frac{1}{2}$

따라서 $f(x)=-\frac{1}{2}x+3$이므로

$f(2)=-1+3=2$

10 답 2

풀이 $f^2(x)=f(f(x))=\dfrac{1}{1-\dfrac{1}{1-x}}=\dfrac{x-1}{x}$

$f^3(x)=f(f^2(x))=\dfrac{1}{1-\dfrac{x-1}{x}}=x$

$f^4(x)=f(f^3(x))=f(x)$

$\vdots$

$\therefore f^{200}(-1)=f^{3\times66+2}(-1)=f^2(-1)$

$=\frac{-1-1}{-1}=2$

11 답 2

풀이 함수 $f(x)=-2x+1$의 역함수가 존재하려면 함수 $f(x)$는 일대일대응이어야 하므로 공역과 치역이 같아야 한다.

이때 함수 $f(x)$의 기울기는 -2로 감소하는 함수이므로

$f(-1)=b$에서 $-2\times(-1)+1=b \quad\therefore b=3$

$f(1)=a$에서 $-2\times1+1=a \quad\therefore a=-1$

$\therefore a+b=-1+3=2$

12 답 5

풀이 $(f\circ g^{-1})(1)=f(g^{-1}(1))=f(2)=3$

$(g\circ f)^{-1}(4)=(f^{-1}\circ g^{-1})(4)=f^{-1}(g^{-1}(4))$

$=f^{-1}(3)=2$

$\therefore (f\circ g^{-1})(1)+(g\circ f)^{-1}(4)=3+2=5$

13 답 -2

풀이 $(f\circ(g\circ f)^{-1}\circ f)(1)=(f\circ f^{-1}\circ g^{-1}\circ f)(1)$

$=(I\circ g^{-1}\circ f)(1)$

$=(g^{-1}\circ f)(1)$

$=g^{-1}(f(1))=g^{-1}(2)$

$g^{-1}(2)=k$로 놓으면 $g(k)=2$이므로

$2k+6=2$, $2k=-4 \quad\therefore k=-2$

$\therefore (f\circ(g\circ f)^{-1}\circ f)(1)=g^{-1}(2)=-2$

14 답 ⑤

풀이

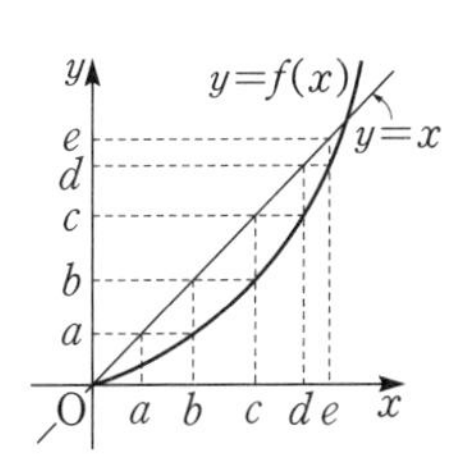

그림에서 $f^{-1}(b)=c$, $f^{-1}(c)=d$, $f^{-1}(d)=e$

$\therefore (f\circ f\circ f)^{-1}(b)=(f^{-1}\circ f^{-1}\circ f^{-1})(b)$

$=f^{-1}(f^{-1}(f^{-1}(b)))=f^{-1}(f^{-1}(c))$

$=f^{-1}(d)=e$

다른풀이 $(f\circ f\circ f)^{-1}(b)=k$라고 하면

$(f\circ f\circ f)(k)=b$

그림에서 $f(e)=d$, $f(d)=c$, $f(c)=b$이므로

$(f\circ f\circ f)(e)=f(f(f(e)))=f(f(d))$

$=f(c)=b$

$\therefore (f\circ f\circ f)^{-1}(b)=e$

01 답 (1) 분 (2) 다 (3) 다 (4) 분 (5) 분

풀이 (1), (4), (5) 분모에 x가 있으므로 분수식이다.

02 답 (1) $\frac{3x+5}{(x+1)(x+2)}$ (2) $\frac{4x-3}{x(x-3)}$ (3) $\frac{x+5}{(x-1)(x+1)}$ (4) $\frac{2x}{(x+2)(x-2)}$ (5) $\frac{10}{x(x-5)(x+5)}$

풀이 (1) $\frac{2}{x+1}+\frac{1}{x+2}=\frac{2(x+2)+(x+1)}{(x+1)(x+2)}=\frac{3x+5}{(x+1)(x+2)}$

(2) $\frac{1}{x}+\frac{3}{x-3}=\frac{(x-3)+3x}{x(x-3)}=\frac{4x-3}{x(x-3)}$

(3) $\frac{3}{x-1}-\frac{2}{x+1}=\frac{3(x+1)-2(x-1)}{(x-1)(x+1)}=\frac{x+5}{(x-1)(x+1)}$

(4) $\frac{1}{2+x}-\frac{1}{2-x}=\frac{(2-x)-(2+x)}{(2+x)(2-x)}=\frac{2x}{(x+2)(x-2)}$

(5) $\frac{1}{x(x-5)}-\frac{1}{x(x+5)}=\frac{(x+5)-(x-5)}{x(x-5)(x+5)}=\frac{10}{x(x-5)(x+5)}$

03 답 (1) $\frac{x+1}{(x-1)(x+2)}$ (2) x (3) $\frac{x-1}{(x+1)(x+3)}$

풀이 (1) $\frac{x-2}{x^2-x}\times\frac{x^2+x}{x^2-4}=\frac{x-2}{x(x-1)}\times\frac{x(x+1)}{(x+2)(x-2)}=\frac{x+1}{(x-1)(x+2)}$

(2) $\frac{x^2-25}{x^2+5x}\times\frac{x^2}{x-5}=\frac{(x+5)(x-5)}{x(x+5)}\times\frac{x^2}{x-5}=x$

(3) $\frac{x-3}{x^2-x-2}\times\frac{x^2-3x+2}{x^2-9}$

$=\frac{x-3}{(x+1)(x-2)}\times\frac{(x-1)(x-2)}{(x+3)(x-3)}$

$=\frac{x-1}{(x+1)(x+3)}$

04 답 (1) $\frac{x-4}{x+2}$ (2) $\frac{x+5}{x-5}$ (3) $\frac{x+1}{x-2}$

풀이 (1) $\frac{x-1}{x+4}\div\frac{x^2+x-2}{x^2-16}=\frac{x-1}{x+4}\times\frac{(x+4)(x-4)}{(x+2)(x-1)}=\frac{x-4}{x+2}$

(2) $\frac{x^2+x-20}{x^2-x-20}\div\frac{x-4}{x+4}=\frac{(x+5)(x-4)}{(x+4)(x-5)}\times\frac{x+4}{x-4}=\frac{x+5}{x-5}$

(3) $\frac{x^2+5x+4}{x^2-5x+6}\div\frac{x^2+3x-4}{x^2-4x+3}$

$=\frac{(x+1)(x+4)}{(x-2)(x-3)}\times\frac{(x-1)(x-3)}{(x+4)(x-1)}=\frac{x+1}{x-2}$

05 답 (1) $\frac{2x-1}{(x+4)(x+1)(x-1)}$ (2) $\frac{10x+9}{(2x+1)(x+2)(x-3)}$ (3) $\frac{1}{2x+1}$ (4) 1 (5) $\frac{5x-1}{5x+3}$

풀이 (1) $\frac{1}{x+1}+\frac{1}{x^2-1}-\frac{x+1}{x^2+3x-4}$

$=\frac{1}{x+1}+\frac{1}{(x+1)(x-1)}-\frac{x+1}{(x+4)(x-1)}$

$=\frac{(x+4)(x-1)+(x+4)-(x+1)^2}{(x+4)(x+1)(x-1)}$

$=\frac{(x^2+3x-4)+(x+4)-(x^2+2x+1)}{(x+4)(x+1)(x-1)}$

$=\frac{2x-1}{(x+4)(x+1)(x-1)}$

(2) $\frac{x-1}{x^2-x-6}-\frac{2x}{2x^2+5x+2}+\frac{5}{2x^2-5x-3}$

$=\frac{x-1}{(x+2)(x-3)}-\frac{2x}{(2x+1)(x+2)}+\frac{5}{(2x+1)(x-3)}$

$=\frac{(x-1)(2x+1)-2x(x-3)+5(x+2)}{(2x+1)(x+2)(x-3)}$

$=\frac{(2x^2-x-1)-(2x^2-6x)+(5x+10)}{(2x+1)(x+2)(x-3)}$

$=\frac{10x+9}{(2x+1)(x+2)(x-3)}$

(3) $\frac{x-3}{x^2-2x-8}\div\frac{2x+1}{x^2-3x-4}\times\frac{x+2}{x^2-2x-3}$

$=\frac{x-3}{(x+2)(x-4)}\times\frac{(x+1)(x-4)}{2x+1}\times\frac{x+2}{(x+1)(x-3)}$

$=\frac{1}{2x+1}$

(4) $\frac{x^2+x}{x^2-x}\times\frac{x^2-4x+3}{x^2+3x+2}\div\frac{x-3}{x+2}$

$=\frac{x(x+1)}{x(x-1)}\times\frac{(x-1)(x-3)}{(x+1)(x+2)}\times\frac{x+2}{x-3}=1$

(5) $\frac{3}{2x+1}\times\frac{4x^2-1}{5x+3}-\frac{x^2-2x}{x^2+2x}\div\frac{5x+3}{x+2}$

$=\frac{3}{2x+1}\times\frac{(2x+1)(2x-1)}{5x+3}-\frac{x(x-2)}{x(x+2)}\times\frac{x+2}{5x+3}$

$=\frac{3(2x-1)}{5x+3}-\frac{x-2}{5x+3}=\frac{5x-1}{5x+3}$

06 답 (1) $-\frac{2}{(x-5)(x-7)}$ (2) $\frac{x-8}{(x-2)(x-4)}$ (3) $\frac{-4x+2}{(x+1)(x-1)}$ (4) $\frac{3x-1}{(x+1)(x-1)}$

풀이 (1) $\frac{x-4}{x-5}-\frac{x-6}{x-7}=\frac{(x-5)+1}{x-5}-\frac{(x-7)+1}{x-7}$

$=\left(1+\frac{1}{x-5}\right)-\left(1+\frac{1}{x-7}\right)$

$=\frac{1}{x-5}-\frac{1}{x-7}$

$=\frac{(x-7)-(x-5)}{(x-5)(x-7)}$

$=-\frac{2}{(x-5)(x-7)}$

(2) $\frac{x-6}{x-4}-\frac{x-5}{x-2}=\frac{(x-4)-2}{x-4}-\frac{(x-2)-3}{x-2}$

$=\left(1-\frac{2}{x-4}\right)-\left(1-\frac{3}{x-2}\right)$

$=\frac{3}{x-2}-\frac{2}{x-4}$

$=\frac{3(x-4)-2(x-2)}{(x-2)(x-4)}$

$=\frac{x-8}{(x-2)(x-4)}$

(3) $\frac{2x-3}{x-1}-\frac{2x+5}{x+1}=\frac{2(x-1)-1}{x-1}-\frac{2(x+1)+3}{x+1}$

$=\left(2-\frac{1}{x-1}\right)-\left(2+\frac{3}{x+1}\right)$

$=-\frac{1}{x-1}-\frac{3}{x+1}$

$=\frac{-(x+1)-3(x-1)}{(x-1)(x+1)}$

$=\frac{-4x+2}{(x+1)(x-1)}$

(4) $\frac{x^2+x+2}{x+1}-\frac{x^2-x-1}{x-1}$

$=\frac{x(x+1)+2}{x+1}-\frac{x(x-1)-1}{x-1}$

$=\left(x+\frac{2}{x+1}\right)-\left(x-\frac{1}{x-1}\right)$

$=\frac{2}{x+1}+\frac{1}{x-1}$

$=\frac{2(x-1)+(x+1)}{(x+1)(x-1)}$

$=\frac{3x-1}{(x+1)(x-1)}$

07 답 (1) $\frac{1}{x+1}-\frac{1}{x+2}$

(2) $\frac{1}{2}\left(\frac{1}{x+2}-\frac{1}{x+4}\right)$

(3) $\frac{1}{x+1}-\frac{1}{x+3}$

(4) $2\left(\frac{1}{2x+3}-\frac{1}{2x+5}\right)$

풀이 (1) $\frac{1}{(x+1)(x+2)}$

$=\frac{1}{(x+2)-(x+1)}\left(\frac{1}{x+1}-\frac{1}{x+2}\right)$

$=\frac{1}{x+1}-\frac{1}{x+2}$

(2) $\frac{1}{(x+2)(x+4)}$

$=\frac{1}{(x+4)-(x+2)}\left(\frac{1}{x+2}-\frac{1}{x+4}\right)$

$=\frac{1}{2}\left(\frac{1}{x+2}-\frac{1}{x+4}\right)$

(3) $\frac{2}{(x+1)(x+3)}$

$=\frac{2}{(x+3)-(x+1)}\left(\frac{1}{x+1}-\frac{1}{x+3}\right)$

$=\frac{1}{x+1}-\frac{1}{x+3}$

(4) $\frac{4}{(2x+3)(2x+5)}$

$=\frac{4}{(2x+5)-(2x+3)}\left(\frac{1}{2x+3}-\frac{1}{2x+5}\right)$

$=2\left(\frac{1}{2x+3}-\frac{1}{2x+5}\right)$

08 답 (1) 분 (2) 다 (3) 분 (4) 분 (5) 다

풀이 (1), (3), (4) $y=$(분수식)이므로 분수함수이다.

(2), (5) $y=$(다항식)이므로 다항함수이다.

09 답 (1) $\{x\,|\,x\neq0$인 실수$\}$

(2) $\{x\,|\,x\neq4$인 실수$\}$

(3) $\left\{x\,\middle|\,x\neq\frac{1}{2}\text{인 실수}\right\}$

(4) $\{x\,|\,x\neq-1,\ x\neq1$인 실수$\}$

(5) 모든 실수

풀이 (5) $x^2+3>0$이므로 정의역은 모든 실수이다.

10 답 풀이 참조

풀이 (1)

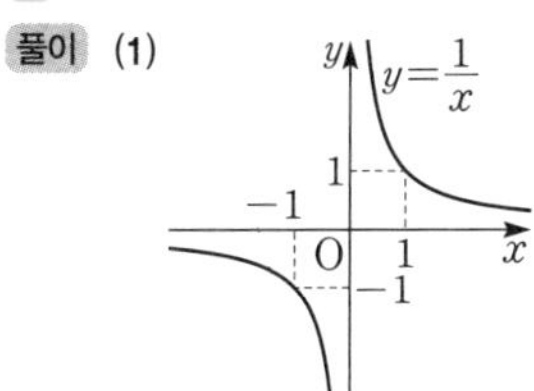

(2)

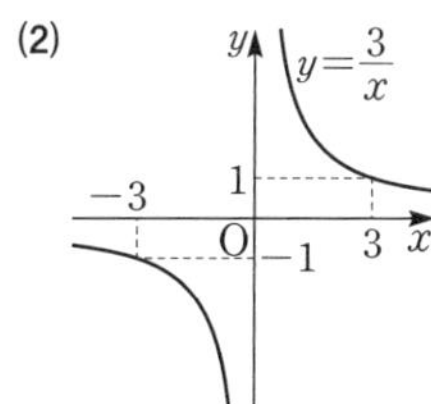

(3)

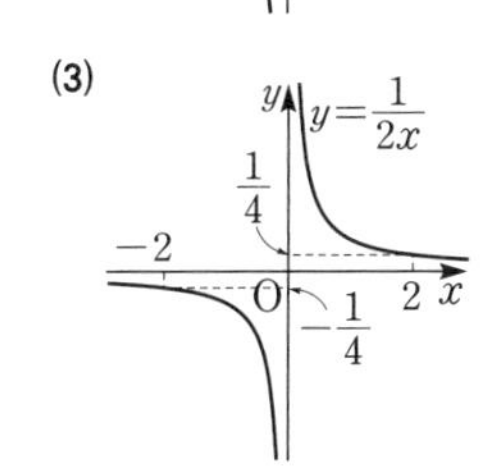

(4)

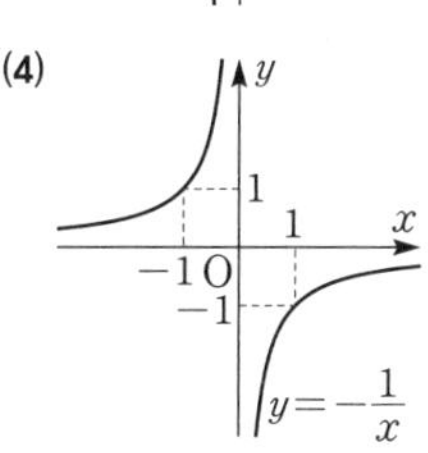

(5)

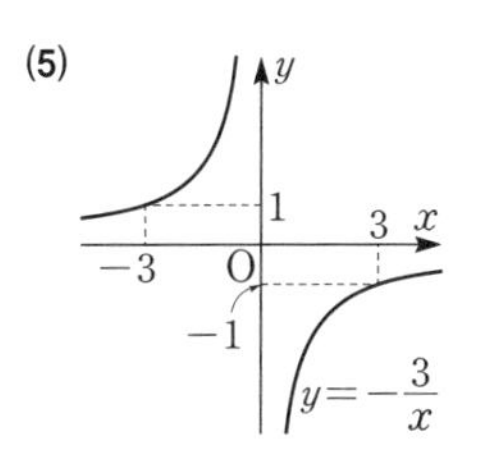

(6)

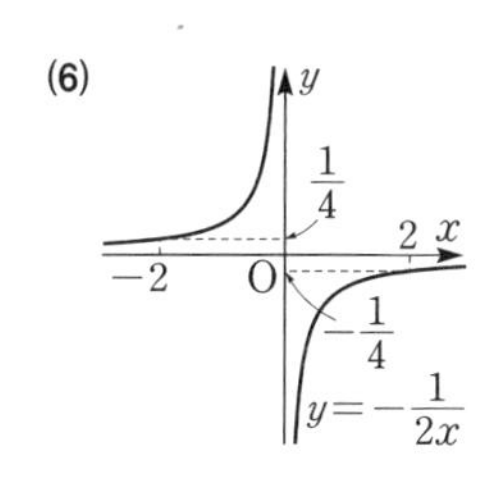

11 답 (1) $y=\frac{1}{x-2}+3$ (2) $y=\frac{2}{x+5}+6$

(3) $y=-\frac{1}{x-3}-2$ (4) $y=-\frac{3}{x+4}-1$

(5) $y=\frac{1}{3(x-4)}-4$ (6) $y=\frac{2}{5(x+1)}-2$

(7) $y=-\frac{1}{2(x-1)}+2$ (8) $y=-\frac{1}{4(x+3)}-5$

풀이 (1) 함수 $y=\frac{1}{x}$의 그래프를 x축의 방향으로 2만큼, y축의 방향으로 3만큼 평행이동하면

$y-3=\frac{1}{x-2}$ $\quad\therefore y=\frac{1}{x-2}+3$

(2) 함수 $y=\frac{2}{x}$의 그래프를 x축의 방향으로 -5만큼, y축의 방향으로 6만큼 평행이동하면

$y-6=\frac{2}{x+5}$ $\quad\therefore y=\frac{2}{x+5}+6$

(3) 함수 $y=-\frac{1}{x}$의 그래프를 x축의 방향으로 3만큼, y축의 방향으로 -2만큼 평행이동하면

$y+2=-\frac{1}{x-3}$ $\quad\therefore y=-\frac{1}{x-3}-2$

(4) 함수 $y=-\frac{3}{x}$의 그래프를 x축의 방향으로 -4만큼, y축의 방향으로 -1만큼 평행이동하면

$y+1=-\frac{3}{x+4}$ $\quad\therefore y=-\frac{3}{x+4}-1$

(5) 함수 $y=\frac{1}{3x}$의 그래프를 x축의 방향으로 4만큼, y축의 방향으로 -4만큼 평행이동하면

$y+4=\frac{1}{3(x-4)}$ $\quad\therefore y=\frac{1}{3(x-4)}-4$

(6) 함수 $y=\frac{2}{5x}$의 그래프를 x축의 방향으로 -1만큼, y축의 방향으로 -2만큼 평행이동하면

$y+2=\frac{2}{5(x+1)}$ $\quad\therefore y=\frac{2}{5(x+1)}-2$

(7) 함수 $y=-\frac{1}{2x}$의 그래프를 x축의 방향으로 1만큼, y축의 방향으로 2만큼 평행이동하면

$y-2=-\frac{1}{2(x-1)}$ $\quad\therefore y=-\frac{1}{2(x-1)}+2$

(8) 함수 $y=-\frac{1}{4x}$의 그래프를 x축의 방향으로 -3만큼, y축의 방향으로 -5만큼 평행이동하면

$y+5=-\frac{1}{4(x+3)}$ $\quad\therefore y=-\frac{1}{4(x+3)}-5$

12 답 (1) $p=4$, $q=5$
(2) $p=-2$, $q=-3$
(3) $p=-5$, $q=0$

풀이 (1) 함수 $y=\frac{1}{x}$의 그래프를 x축의 방향으로 4만큼, y축의 방향으로 5만큼 평행이동하면 $y=\frac{1}{x-4}+5$이다.
$\therefore p=4$, $q=5$

(2) 함수 $y=\frac{1}{x}$의 그래프를 x축의 방향으로 -2만큼, y축의 방향으로 -3만큼 평행이동하면 $y=\frac{1}{x+2}-3$이다.
$\therefore p=-2$, $q=-3$

(3) 함수 $y=\frac{1}{x}$의 그래프를 x축의 방향으로 -5만큼 평행이동하면 $y=\frac{1}{x+5}$이다.
$\therefore p=-5$, $q=0$

13 답 (1) $p=3$, $q=-5$
(2) $p=-7$, $q=9$
(3) $p=0$, $q=-4$

풀이 (1) 함수 $y=-\frac{1}{x}$의 그래프를 x축의 방향으로 3만큼, y축의 방향으로 -5만큼 평행이동하면 $y=-\frac{1}{x-3}-5$이다. $\quad\therefore p=3$, $q=-5$

(2) 함수 $y=-\frac{1}{x}$의 그래프를 x축의 방향으로 -7만큼, y축의 방향으로 9만큼 평행이동하면 $y=-\frac{1}{x+7}+9$이다. $\quad\therefore p=-7$, $q=9$

(3) 함수 $y=-\frac{1}{x}$의 그래프를 y축의 방향으로 -4만큼 평행행이동하면 $y=-\frac{1}{x}-4$이다. $\quad\therefore p=0$, $q=-4$

14 답 (1) 점근선의 방정식: $x=0$, $y=1$
정의역: $\{x|x\neq0$인 실수$\}$
치역: $\{y|y\neq1$인 실수$\}$

(2) 점근선의 방정식: $x=7$, $y=0$
정의역: $\{x|x\neq7$인 실수$\}$
치역: $\{y|y\neq0$인 실수$\}$

(3) 점근선의 방정식: $x=-4$, $y=9$
정의역: $\{x|x\neq-4$인 실수$\}$
치역: $\{y|y\neq9$인 실수$\}$

(4) 점근선의 방정식: $x=-8$, $y=-2$
정의역: $\{x|x\neq-8$인 실수$\}$
치역: $\{y|y\neq-2$인 실수$\}$

(5) 점근선의 방정식: $x=2$, $y=-3$
정의역: $\{x|x\neq2$인 실수$\}$
치역: $\{y|y\neq-3$인 실수$\}$

(6) 점근선의 방정식: $x=-\frac{5}{3}$, $y=1$
정의역: $\left\{x\middle|x\neq-\frac{5}{3}\text{인 실수}\right\}$
치역: $\{y|y\neq1$인 실수$\}$

15 답 풀이 참조

풀이 (1) 함수 $y=\frac{2}{x-3}+2$의 그래프는 $y=\frac{2}{x}$의 그래프를 x축의 방향으로 3만큼, y축의 방향으로 2만큼 평행이동한 것이다.

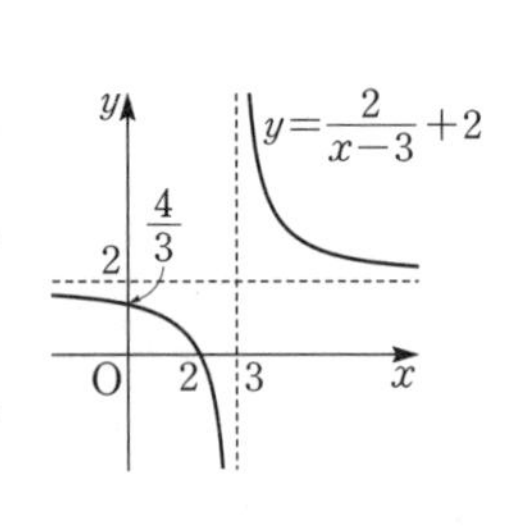

(2) 함수 $y=\frac{2}{3-x}=-\frac{2}{x-3}$의 그래프는 $y=-\frac{2}{x}$의 그래프를 x축의 방향으로 3만큼 평행이동한 것이다.

(3) 함수 $y=\frac{1}{3x}-2$의 그래프는 $y=\frac{1}{3x}$의 그래프를 y축의 방향으로 -2만큼 평행이동한 것이다.

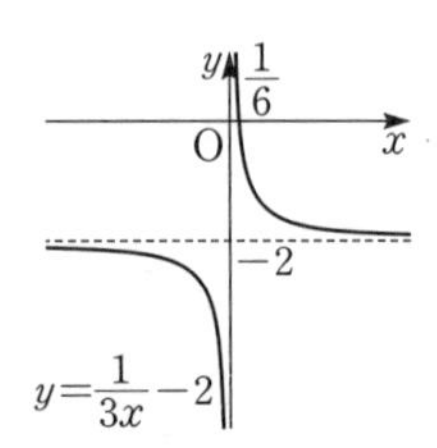

(4) 함수 $y=-\frac{1}{x+5}-3$의 그래프는 $y=-\frac{1}{x}$의 그래프를 x축의 방향으로 -5만큼, y축의 방향으로 -3만큼 평행이동한 것이다.

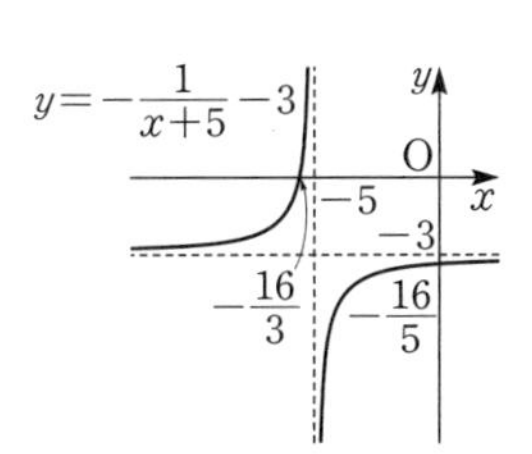

(5) 함수 $y=\frac{1}{x-7}-6$의 그래프는 $y=\frac{1}{x}$의 그래프를 x축의 방향으로 7만큼, y축의 방향으로 -6만큼 평행이동한 것이다.

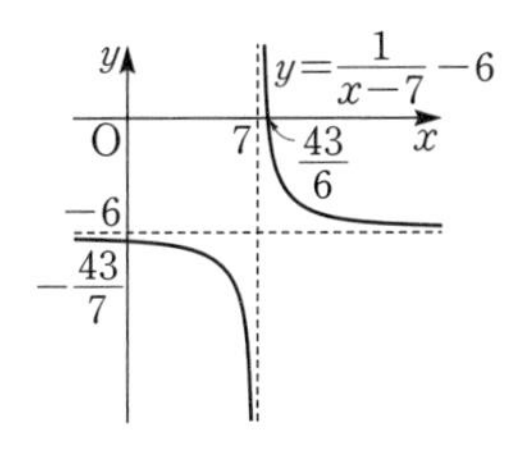

(6) 함수 $y=-\frac{2}{x+4}+1$의 그래프는 $y=-\frac{2}{x}$의 그래프를 x축의 방향으로 -4만큼, y축의 방향으로 1만큼 평행이동한 것이다.

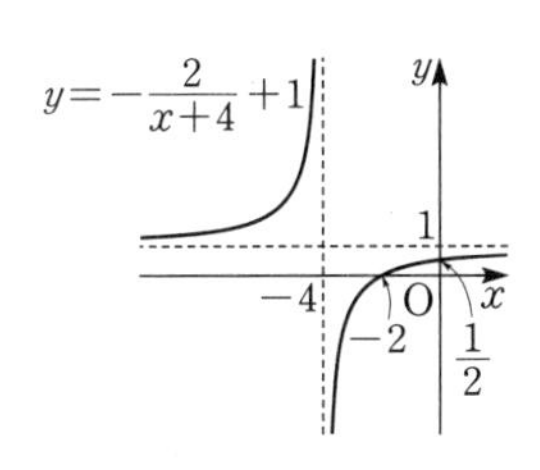

16 답 (1) $k=1$, $p=1$, $q=2$
(2) $k=-1$, $p=2$, $q=-1$
(3) $k=1$, $p=1$, $q=-2$
(4) $k=-3$, $p=-3$, $q=-4$

풀이 (1) 주어진 함수의 그래프의 점근선의 방정식이 $x=1$, $y=2$이므로

$y=\frac{k}{x-1}+2$ …… ㉠

㉠의 그래프가 점 $(0, 1)$을 지나므로

$1=\frac{k}{0-1}+2$ $\quad\therefore k=1$

$k=1$을 ㉠에 대입하면 $y=\frac{1}{x-1}+2$

$\therefore k=1$, $p=\underline{1}$, $q=\underline{2}$

(2) 주어진 함수의 그래프의 점근선의 방정식이 $x=2$, $y=-1$이므로

$y=\frac{k}{x-2}-1$ …… ㉠

㉠의 그래프가 점 $(1, 0)$을 지나므로

$0=\frac{k}{1-2}-1$ $\quad\therefore k=-1$

$k=-1$을 ㉠에 대입하면 $y=\frac{-1}{x-2}-1$

$\therefore k=-1$, $p=2$, $q=-1$

(3) 주어진 함수의 그래프의 점근선의 방정식이 $x=1$, $y=-2$이므로

$y=\frac{k}{x-1}-2$ …… ㉠

㉠의 그래프가 점 $(0, -3)$을 지나므로

$-3=\frac{k}{0-1}-2$ $\quad\therefore k=1$

$k=1$을 ㉠에 대입하면 $y=\frac{1}{x-1}-2$

$\therefore k=1$, $p=1$, $q=-2$

(4) 주어진 함수의 그래프의 점근선의 방정식이 $x=-3$, $y=-4$이므로

$y=\frac{k}{x+3}-4$ …… ㉠

㉠의 그래프가 점 $(0, -5)$를 지나므로

$-5=\frac{k}{0+3}-4$ $\quad\therefore k=-3$

$k=-3$을 ㉠에 대입하면 $y=\frac{-3}{x+3}-4$

$\therefore k=-3$, $p=-3$, $q=-4$

17 답 (1) 점근선의 방정식: $x=1$, $y=2$
정의역: $\{x|x\neq1$인 실수$\}$
치역: $\{y|y\neq2$인 실수$\}$
(2) 점근선의 방정식: $x=-1$, $y=3$
정의역: $\{x|x\neq-1$인 실수$\}$
치역: $\{y|y\neq3$인 실수$\}$
(3) 점근선의 방정식: $x=3$, $y=-1$
정의역: $\{x|x\neq3$인 실수$\}$
치역: $\{y|y\neq-1$인 실수$\}$
(4) 점근선의 방정식: $x=2$, $y=2$
정의역: $\{x|x\neq2$인 실수$\}$
치역: $\{y|y\neq2$인 실수$\}$
(5) 점근선의 방정식: $x=3$, $y=4$
정의역: $\{x|x\neq3$인 실수$\}$
치역: $\{y|y\neq4$인 실수$\}$
(6) 점근선의 방정식: $x=-6$, $y=-1$
정의역: $\{x|x\neq-6$인 실수$\}$
치역: $\{y|y\neq-1$인 실수$\}$

풀이 (1) $y=\frac{2x+1}{x-1}=\frac{2(x-1)+3}{x-1}=\frac{3}{x-1}+2$이므로

점근선의 방정식: $x=\underline{1}$, $y=\underline{2}$

정의역: $\{x|\underline{x\neq1}$인 실수$\}$, 치역: $\{y|\underline{y\neq2}$인 실수$\}$

(2) $y=\frac{3x-2}{x+1}=\frac{3(x+1)-5}{x+1}=\frac{-5}{x+1}+3$이므로

점근선의 방정식: $x=-1$, $y=3$

정의역: $\{x|x\neq-1$인 실수$\}$, 치역: $\{y|y\neq3$인 실수$\}$

(3) $y=\frac{4-x}{x-3}=\frac{-(x-3)+1}{x-3}=\frac{1}{x-3}-1$이므로

점근선의 방정식: $x=3$, $y=-1$

정의역: $\{x|x\neq3$인 실수$\}$, 치역: $\{y|y\neq-1$인 실수$\}$

(4) $y=\frac{2x-5}{x-2}=\frac{2(x-2)-1}{x-2}=\frac{-1}{x-2}+2$이므로

점근선의 방정식: $x=2$, $y=2$

정의역: $\{x|x\neq2$인 실수$\}$, 치역: $\{y|y\neq2$인 실수$\}$

(5) $y=\frac{4x-7}{x-3}=\frac{4(x-3)+5}{x-3}=\frac{5}{x-3}+4$이므로

점근선의 방정식: $x=3$, $y=4$

정의역: $\{x|x\neq3$인 실수$\}$, 치역: $\{y|y\neq4$인 실수$\}$

(6) $y=-\frac{x-1}{x+6}=\frac{-x+1}{x+6}=\frac{-(x+6)+7}{x+6}=\frac{7}{x+6}-1$

이므로 점근선의 방정식: $x=-6$, $y=-1$

정의역: $\{x|x\neq-6$인 실수$\}$, 치역: $\{y|y\neq-1$인 실수$\}$

18 답 풀이 참조

풀이 (1) $y=\frac{2x-3}{x-1}=\frac{2(x-1)-1}{x-1}$

$=-\frac{1}{x-1}+2$

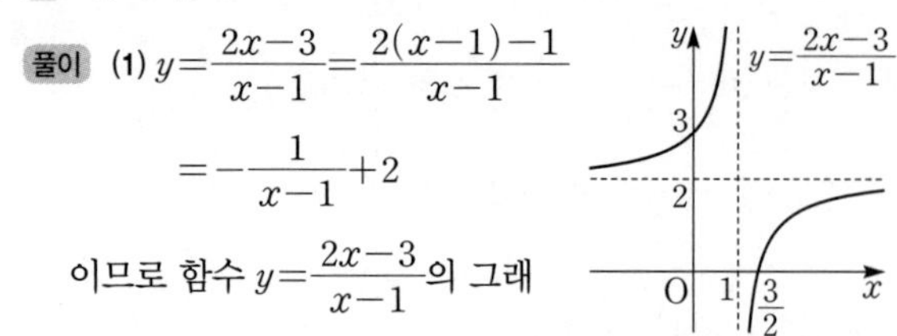

이므로 함수 $y=\frac{2x-3}{x-1}$의 그래프는 $y=-\frac{1}{x}$의 그래프를 x축의 방향으로 1만큼, y축의 방향으로 2만큼 평행이동한 것이다.

(2) $y=\frac{2x-4}{x-3}=\frac{2(x-3)+2}{x-3}$

$=\frac{2}{x-3}+2$

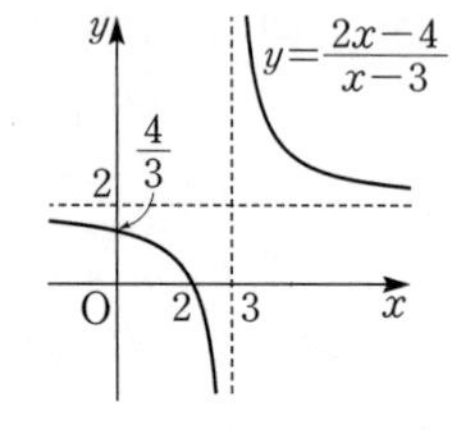

이므로 함수 $y=\frac{2x-4}{x-3}$의 그래프는 $y=\frac{2}{x}$의 그래프를 x축의 방향으로 3만큼, y축의 방향으로 2만큼 평행이동한 것이다.

(3) $y=\frac{x}{x+1}=\frac{(x+1)-1}{x+1}$

$=-\frac{1}{x+1}+1$

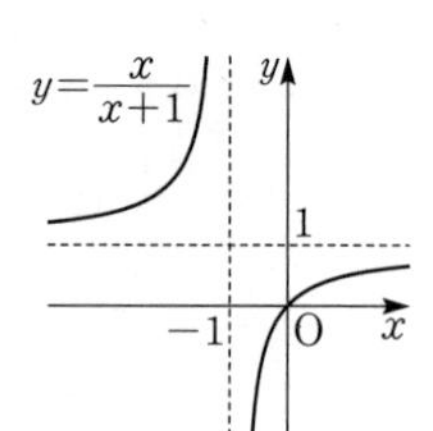

이므로 함수 $y=\frac{x}{x+1}$의 그래프는 $y=-\frac{1}{x}$의 그래프를 x축의 방향으로 -1만큼, y축의 방향으로 1만큼 평행이동한 것이다.

(4) $y=\frac{5-2x}{x-2}=\frac{-2(x-2)+1}{x-2}$

$=\frac{1}{x-2}-2$

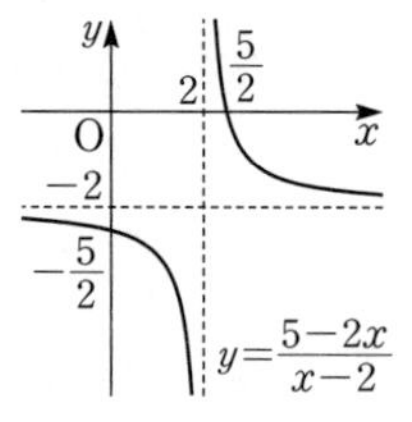

이므로 함수 $y=\frac{5-2x}{x-2}$의 그래프는 $y=\frac{1}{x}$의 그래프를 x축의 방향으로 2만큼, y축의 방향으로 -2만큼 평행이동한 것이다.

(5) $y=\frac{-x+2}{2x-1}$

$=\frac{-\frac{1}{2}(2x-1)+\frac{3}{2}}{2x-1}$

$=\frac{3}{4\left(x-\frac{1}{2}\right)}-\frac{1}{2}$

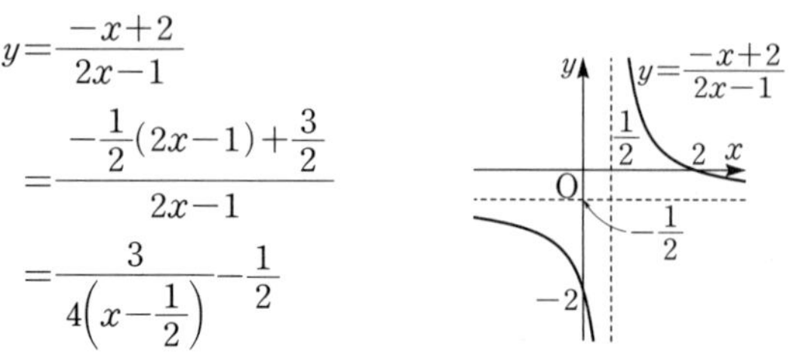

이므로 함수 $y=\frac{-x+2}{2x-1}$의 그래프는 $y=\frac{3}{4x}$의 그래프를 x축의 방향으로 $\frac{1}{2}$만큼, y축의 방향으로 $-\frac{1}{2}$만큼 평행이동한 것이다.

(6) $y=\frac{x+1}{2x+4}$

$=\frac{\frac{1}{2}(2x+4)-1}{2x+4}$

$=-\frac{1}{2(x+2)}+\frac{1}{2}$

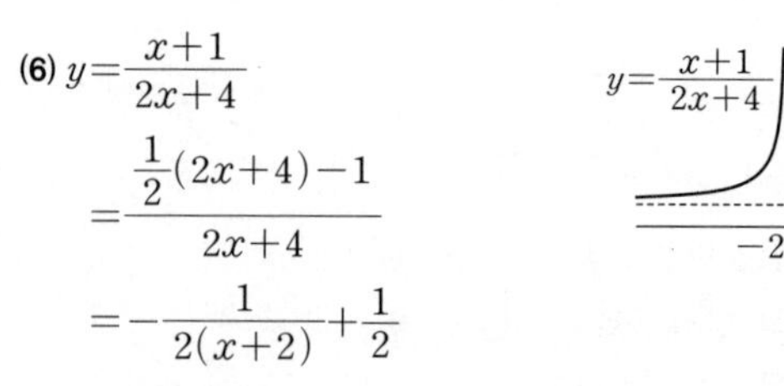

이므로 함수 $y=\frac{x+1}{2x+4}$의 그래프는 $y=-\frac{1}{2x}$의 그래프를 x축의 방향으로 -2만큼, y축의 방향으로 $\frac{1}{2}$만큼 평행이동한 것이다.

19 답 (1) $a=-1$, $b=0$, $c=-1$

(2) $a=1$, $b=1$, $c=-2$

(3) $a=2$, $b=-2$, $c=1$

(4) $a=-3$, $b=-4$, $c=1$

풀이 (1) 주어진 함수의 그래프의 점근선의 방정식이 $x=1$, $y=-1$이므로

$y=\frac{k}{x-1}-1$ …… ㉠

㉠의 그래프가 점 $(0, 0)$을 지나므로

$0=\frac{k}{0-1}-1$ $\quad\therefore k=-1$

$k=-1$을 ㉠에 대입하면

$y=\frac{-1}{x-1}-1=\frac{-1-(x-1)}{x-1}=\frac{-x}{x-1}$

$\therefore a=-1$, $b=0$, $c=-1$

(2) 주어진 함수의 그래프의 점근선의 방정식이 $x=2$, $y=1$이므로

$y=\frac{k}{x-2}+1$ …… ㉠

㉠의 그래프가 점 $(-1, 0)$을 지나므로

$0=\frac{k}{-1-2}+1$ $\quad\therefore k=3$

$k=3$을 ㉠에 대입하면

$y=\frac{3}{x-2}+1=\frac{3+(x-2)}{x-2}=\frac{x+1}{x-2}$

$\therefore a=1$, $b=1$, $c=-2$

(3) 주어진 함수의 그래프의 점근선의 방정식이 $x=-1$, $y=2$이므로

$y=\frac{k}{x+1}+2$ …… ㉠

㉠의 그래프가 점 $(0, -2)$를 지나므로

$-2=\frac{k}{0+1}+2$ $\quad\therefore k=-4$

$k=-4$를 ㉠에 대입하면

$y=\frac{-4}{x+1}+2=\frac{-4+2(x+1)}{x+1}=\frac{2x-2}{x+1}$

$\therefore a=2$, $b=-2$, $c=1$

(4) 주어진 함수의 그래프의 점근선의 방정식이 $x=-1$, $y=-3$이므로

$y=\frac{k}{x+1}-3$ …… ㉠

㉠의 그래프가 점 $(0, -4)$를 지나므로

$-4=\frac{k}{0+1}-3 \qquad \therefore k=-1$

$k=-1$을 ㉠에 대입하면

$y=\frac{-1}{x+1}-3=\frac{-1-3(x+1)}{x+1}=\frac{-3x-4}{x+1}$

$\therefore a=-3,\ b=-4,\ c=1$

20 답 (1) ○ (2) × (3) ○

풀이 (1) $y=\frac{x-4}{x-5}=\frac{(x-5)+1}{x-5}=\frac{1}{x-5}+1$

이므로 $y=\frac{1}{x}$의 그래프를 x축의 방향으로 5만큼, y축의 방향으로 1만큼 평행이동한 것이다.

(2) $y=\frac{-x}{x-1}=\frac{-(x-1)-1}{x-1}=-\frac{1}{x-1}-1$

이므로 $y=-\frac{1}{x}$의 그래프를 x축의 방향으로 1만큼, y축의 방향으로 -1만큼 평행이동한 것이다.

(3) $y=\frac{-3x+7}{x-2}=\frac{-3(x-2)+1}{x-2}=\frac{1}{x-2}-3$

이므로 $y=\frac{1}{x}$의 그래프를 x축의 방향으로 2만큼, y축의 방향으로 -3만큼 평행이동한 것이다.

21 답 (1) × (2) ○ (3) ×

풀이 (1) $y=-\frac{x+2}{x+3}=\frac{-x-2}{x+3}=\frac{-(x+3)+1}{x+3}$

$=\frac{1}{x+3}-1$

이므로 $y=\frac{1}{x}$의 그래프를 x축의 방향으로 -3만큼, y축의 방향으로 -1만큼 평행이동한 것이다.

(2) $y=\frac{x-1}{x}=-\frac{1}{x}+1$

이므로 $y=-\frac{1}{x}$의 그래프를 y축의 방향으로 1만큼 평행이동한 것이다.

(3) $y=\frac{x-3}{x-1}=\frac{(x-1)-2}{x-1}=-\frac{2}{x-1}+1$

이므로 $y=-\frac{2}{x}$의 그래프를 x축의 방향으로 1만큼, y축의 방향으로 1만큼 평행이동한 것이다.

22 답 (1) $a=1,\ b=2$ (2) $a=2,\ b=-1$

(3) $a=\frac{1}{2},\ b=1$ (4) $a=-\frac{1}{2},\ b=-1$

(5) $a=-\frac{1}{3},\ b=1$ (6) $a=0,\ b=2$

풀이 (1) $y=\frac{2x}{x-1}=\frac{2(x-1)+2}{x-1}=\frac{2}{x-1}+2$

이므로 주어진 함수의 그래프는 두 점근선 $x=1,\ y=2$의 교점 $(1,\ 2)$에 대하여 대칭이다. $\therefore a=1,\ b=2$

(2) $y=\frac{1-x}{x-2}=\frac{-(x-2)-1}{x-2}=-\frac{1}{x-2}-1$

이므로 주어진 함수의 그래프는 두 점근선 $x=2$, $y=-1$의 교점 $(2,\ -1)$에 대하여 대칭이다.

$\therefore a=2,\ b=-1$

(3) $y=\frac{2x+3}{2x-1}=\frac{(2x-1)+4}{2x-1}$

$=\frac{4}{2x-1}+1=\frac{2}{x-\frac{1}{2}}+1$

이므로 주어진 함수의 그래프는 두 점근선 $x=\frac{1}{2},\ y=1$의 교점 $\left(\frac{1}{2},\ 1\right)$에 대하여 대칭이다. $\therefore a=\frac{1}{2},\ b=1$

(4) $y=\frac{-2x+3}{2x+1}=\frac{-(2x+1)+4}{2x+1}$

$=\frac{4}{2x+1}-1=\frac{2}{x+\frac{1}{2}}-1$

이므로 주어진 함수의 그래프는 두 점근선 $x=-\frac{1}{2}$, $y=-1$의 교점 $\left(-\frac{1}{2},\ -1\right)$에 대하여 대칭이다.

$\therefore a=-\frac{1}{2},\ b=-1$

(5) $y=\frac{3x+2}{3x+1}=\frac{(3x+1)+1}{3x+1}$

$=\frac{1}{3x+1}+1=\frac{1}{3\left(x+\frac{1}{3}\right)}+1$

이므로 주어진 함수의 그래프는 두 점근선 $x=-\frac{1}{3}$, $y=1$의 교점 $\left(-\frac{1}{3},\ 1\right)$에 대하여 대칭이다.

$\therefore a=-\frac{1}{3},\ b=1$

(6) $y=\frac{8x-1}{4x}=-\frac{1}{4x}+2$

이므로 주어진 함수의 그래프는 두 점근선 $x=0,\ y=2$의 교점 $(0,\ 2)$에 대하여 대칭이다. $\therefore a=0,\ b=2$

23 답 (1) $a=4,\ b=2$ (2) $a=2,\ b=2$

(3) $a=-1,\ b=5$ (4) $a=-\frac{3}{2},\ b=\frac{5}{2}$

풀이 (1) $y=\frac{3x}{x+1}=\frac{3(x+1)-3}{x+1}=-\frac{3}{x+1}+3$

이므로 주어진 함수의 그래프는 점 $(-1,\ 3)$을 지나고 기울기가 ±1인 두 직선에 대하여 대칭이다.

$x=-1,\ y=3$을 주어진 두 직선의 방정식에 대입하면

$3=-1+a,\ 3=1+b \qquad \therefore a=4,\ b=2$

(2) $y=\frac{2x-1}{x}=-\frac{1}{x}+2$

이므로 주어진 함수의 그래프는 점 $(0,\ 2)$를 지나고 기울기가 ±1인 두 직선에 대하여 대칭이다.

$x=0,\ y=2$를 주어진 두 직선의 방정식에 대입하면

$a=2,\ b=2$

(3) $y=\frac{2x-8}{x-3}=\frac{2(x-3)-2}{x-3}=-\frac{2}{x-3}+2$

이므로 주어진 함수의 그래프는 점 $(3,\ 2)$를 지나고 기울기가 ±1인 두 직선에 대하여 대칭이다.

$x=3,\ y=2$를 주어진 두 직선의 방정식에 대입하면

$2=3+a,\ 2=-3+b \qquad \therefore a=-1,\ b=5$

(4) $y=\dfrac{x+2}{2x-4}=\dfrac{(x-2)+4}{2(x-2)}=\dfrac{2}{x-2}+\dfrac{1}{2}$

이므로 주어진 함수의 그래프는 점 $\left(2,\ \dfrac{1}{2}\right)$을 지나고 기울기가 ±1인 두 직선에 대하여 대칭이다.

$x=2$, $y=\dfrac{1}{2}$을 주어진 두 직선의 방정식에 대입하면

$\dfrac{1}{2}=2+a$, $\dfrac{1}{2}=-2+b$ $\quad\therefore a=-\dfrac{3}{2}$, $b=\dfrac{5}{2}$

24 답 (1) $\{y\,|\,y\le0$ 또는 $y\ge2\}$

(2) $\left\{y\,\middle|\,y\le\dfrac{3}{4}\right.$ 또는 $\left.y\ge\dfrac{13}{4}\right\}$

(3) $\{y\,|\,y\le2$ 또는 $y\ge4\}$

(4) $\left\{y\,\middle|\,y\le-\dfrac{7}{3}\right.$ 또는 $\left.y\ge-\dfrac{5}{3}\right\}$

풀이 (1) $y=\dfrac{x+1}{x-1}=\dfrac{(x-1)+2}{x-1}$

$=\dfrac{2}{x-1}+1$

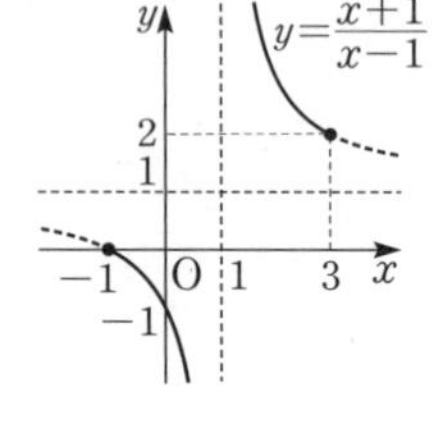

이므로 함수 $y=\dfrac{x+1}{x-1}$의 그래프는 그림과 같다.

$x=-1$일 때 $y=0$, $x=3$일 때 $y=2$이므로 치역은

$\{y\,|\,y\le0$ 또는 $y\ge2\}$

(2) $y=\dfrac{2x+1}{x-2}=\dfrac{2(x-2)+5}{x-2}$

$=\dfrac{5}{x-2}+2$

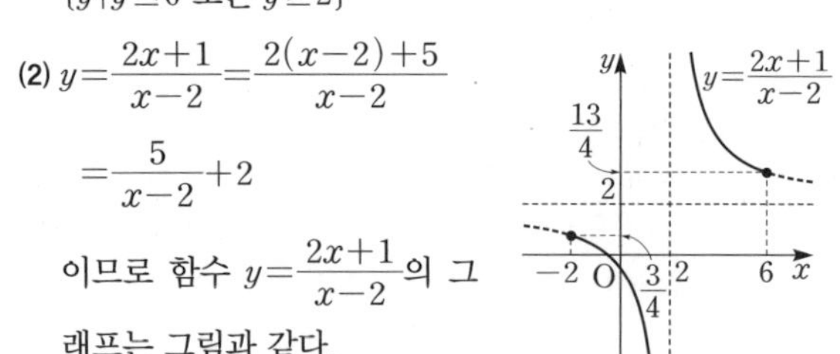

이므로 함수 $y=\dfrac{2x+1}{x-2}$의 그래프는 그림과 같다.

$x=-2$일 때 $y=\dfrac{3}{4}$, $x=6$일 때 $y=\dfrac{13}{4}$이므로 치역은

$\left\{y\,\middle|\,y\le\dfrac{3}{4}\right.$ 또는 $\left.y\ge\dfrac{13}{4}\right\}$

(3) $y=\dfrac{3x-2}{x}=-\dfrac{2}{x}+3$

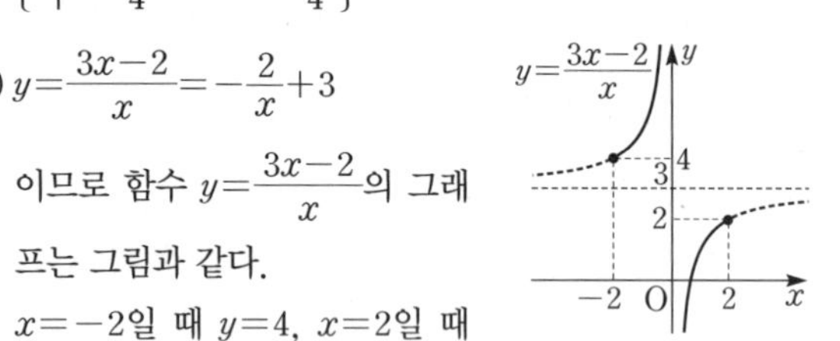

이므로 함수 $y=\dfrac{3x-2}{x}$의 그래프는 그림과 같다.

$x=-2$일 때 $y=4$, $x=2$일 때 $y=2$이므로 치역은

$\{y\,|\,y\le2$ 또는 $y\ge4\}$

(4) $y=-\dfrac{2x+5}{x+2}=\dfrac{-2x-5}{x+2}$

$=\dfrac{-2(x+2)-1}{x+2}$

$=-\dfrac{1}{x+2}-2$

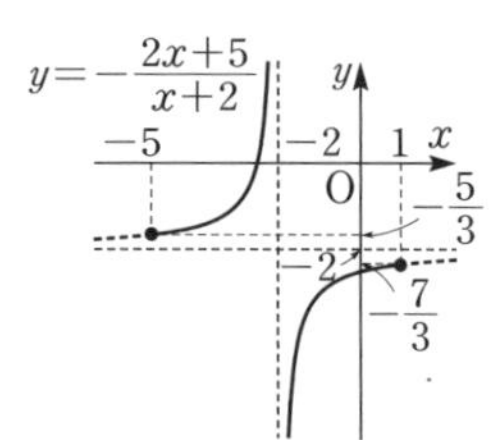

이므로 함수 $y=-\dfrac{2x+5}{x+2}$의 그래프는 그림과 같다.

$x=-5$일 때 $y=-\dfrac{5}{3}$, $x=1$일 때 $y=-\dfrac{7}{3}$이므로 치역은 $\left\{y\,\middle|\,y\le-\dfrac{7}{3}\right.$ 또는 $\left.y\ge-\dfrac{5}{3}\right\}$

25 답 (1) 최댓값: $\dfrac{4}{5}$, 최솟값: 0

(2) 최댓값: 5, 최솟값: $\dfrac{7}{3}$

(3) 최댓값: $-\dfrac{11}{5}$, 최솟값: -3

(4) 최댓값: $\dfrac{15}{4}$, 최솟값: 3

(5) 최댓값: 2, 최솟값: 0

(6) 최댓값: $-\dfrac{7}{2}$, 최솟값: -5

풀이 (1) $y=\dfrac{x+1}{x+2}=\dfrac{(x+2)-1}{x+2}$

$=-\dfrac{1}{x+2}+1$

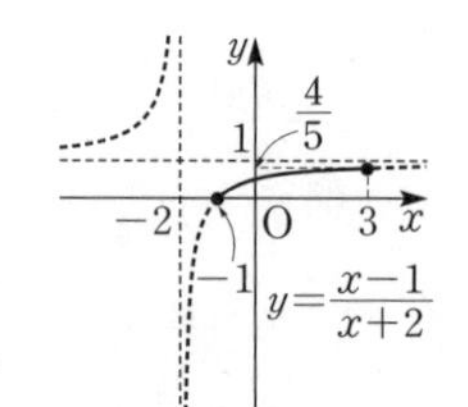

이므로 함수 $y=\dfrac{x+1}{x+2}$의 그래프는 그림과 같다.

$x=-1$일 때 $y=0$, $x=3$일 때 $y=\dfrac{4}{5}$이므로 최댓값은 $\dfrac{4}{5}$, 최솟값은 0이다.

(2) $y=\dfrac{2x+3}{x}=\dfrac{3}{x}+2$이므로 함수 $y=\dfrac{2x+3}{x}$의 그래프는 그림과 같다.

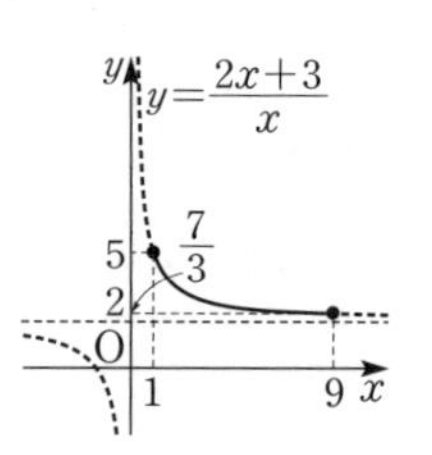

$x=1$일 때 $y=5$, $x=9$일 때 $y=\dfrac{7}{3}$이므로 최댓값은 5, 최솟값은 $\dfrac{7}{3}$이다.

(3) $y=\dfrac{-2x-5}{x+3}$

$=\dfrac{-2(x+3)+1}{x+3}$

$=\dfrac{1}{x+3}-2$

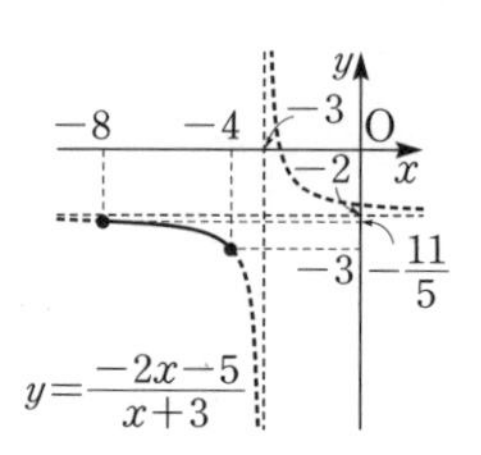

이므로 함수 $y=\dfrac{-2x-5}{x+3}$의 그래프는 그림과 같다.

$x=-8$일 때 $y=-\dfrac{11}{5}$, $x=-4$일 때 $y=-3$이므로 최댓값은 $-\dfrac{11}{5}$, 최솟값은 -3이다.

(4) $y=\dfrac{4x-9}{x-2}=\dfrac{4(x-2)-1}{x-2}$

$=-\dfrac{1}{x-2}+4$

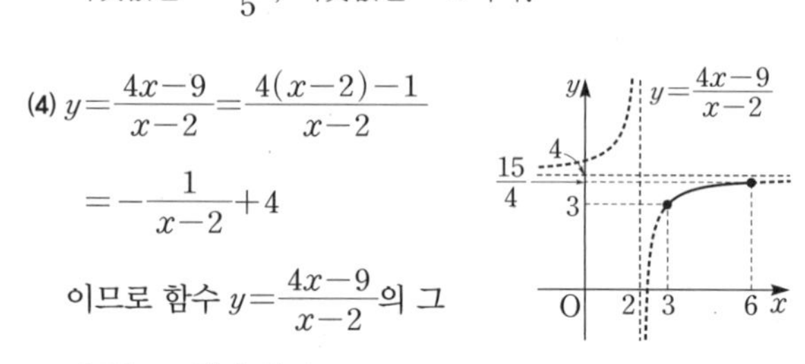

이므로 함수 $y=\dfrac{4x-9}{x-2}$의 그래프는 그림과 같다.

$x=3$일 때 $y=3$, $x=6$일 때 $y=\dfrac{15}{4}$이므로 최댓값은 $\dfrac{15}{4}$, 최솟값은 3이다.

(5) $y=\frac{3x}{x-1}=\frac{3(x-1)+3}{x-1}$

$=\frac{3}{x-1}+3$

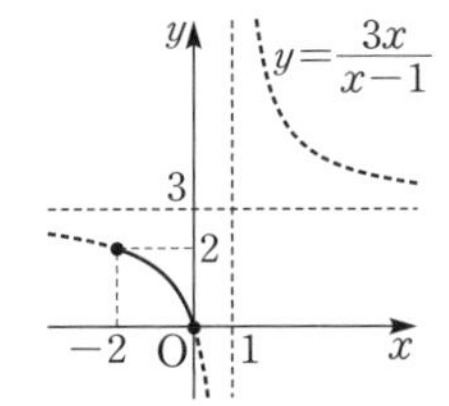

이므로 함수 $y=\frac{3x}{x-1}$의 그래프는 그림과 같다.

$x=-2$일 때 $y=2$, $x=0$일 때 $y=0$이므로 최댓값은 2, 최솟값은 0이다.

(6) $y=\frac{10-3x}{x-4}$

$=\frac{-3(x-4)-2}{x-4}$

$=-\frac{2}{x-4}-3$

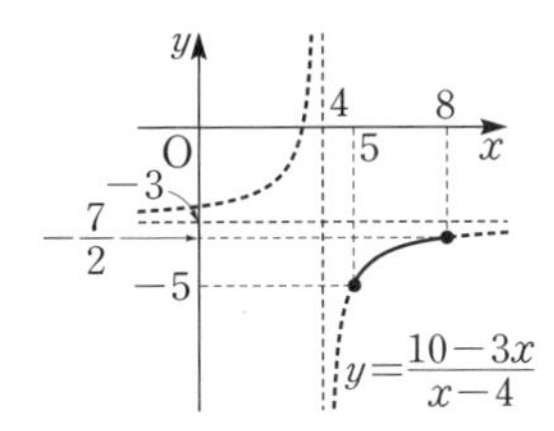

이므로 함수 $y=\frac{10-3x}{x-4}$의 그래프는 그림과 같다.

$x=5$일 때 $y=-5$, $x=8$일 때 $y=-\frac{7}{2}$이므로 최댓값은 $-\frac{7}{2}$, 최솟값은 -5이다.

26 답 (1) $y=\frac{-2x+3}{x+1}$ (2) $y=\frac{-x+4}{x-5}$ (3) $y=\frac{3x+1}{x-4}$ (4) $y=\frac{5x-6}{2x-1}$

풀이 (1) x와 y를 서로 바꾸면

$x=\frac{-y+3}{y+2}$

y를 x에 대한 식으로 나타내면

$x(y+2)=-y+3$

$xy+2x=-y+3$

$y(x+1)=-2x+3$

$\therefore y=\frac{-2x+3}{x+1}$

(2) x와 y를 서로 바꾸면

$x=\frac{5y+4}{y+1}$

y를 x에 대한 식으로 나타내면

$x(y+1)=5y+4$

$xy+x=5y+4$

$y(x-5)=-x+4$

$\therefore y=\frac{-x+4}{x-5}$

(3) x와 y를 서로 바꾸면

$x=\frac{4y+1}{y-3}$

y를 x에 대한 식으로 나타내면

$x(y-3)=4y+1$

$xy-3x=4y+1$

$y(x-4)=3x+1$

$\therefore y=\frac{3x+1}{x-4}$

(4) x와 y를 서로 바꾸면

$x=\frac{y-6}{2y-5}$

y를 x에 대한 식으로 나타내면

$x(2y-5)=y-6$

$2xy-5x=y-6$

$y(2x-1)=5x-6$

$\therefore y=\frac{5x-6}{2x-1}$

27 답 (1) -2 (2) 5 (3) -4 (4) -1

풀이 (1) $y=\frac{3}{x+a}+2$로 놓고, x와 y를 서로 바꾸면

$x=\frac{3}{y+a}+2$

y를 x에 대한 식으로 나타내면

$x-2=\frac{3}{y+a}$

$y+a=\frac{3}{x-2}$

$y=\frac{3}{x-2}-a$

$\therefore f^{-1}(x)=\frac{3}{x-2}-a$

$f(x)=f^{-1}(x)$이므로

$\frac{3}{x+a}+2=\frac{3}{x-2}-a$

$\therefore a=-2$

(2) $y=\frac{2}{x-5}+a$로 놓고, x와 y를 서로 바꾸면

$x=\frac{2}{y-5}+a$

y를 x에 대한 식으로 나타내면

$x-a=\frac{2}{y-5}$

$y-5=\frac{2}{x-a}$

$y=\frac{2}{x-a}+5$

$\therefore f^{-1}(x)=\frac{2}{x-a}+5$

$f(x)=f^{-1}(x)$이므로

$\frac{2}{x-5}+a=\frac{2}{x-a}+5$

$\therefore a=5$

(3) $y=\frac{4x-3}{x+a}$로 놓고, x와 y를 서로 바꾸면

$x=\frac{4y-3}{y+a}$

y를 x에 대한 식으로 나타내면

$x(y+a)=4y-3$

$xy+ax=4y-3$

$y(x-4)=-ax-3$

$y=\frac{-ax-3}{x-4}$

$\therefore f^{-1}(x)=\frac{-ax-3}{x-4}$

$f(x)=f^{-1}(x)$이므로

$\frac{4x-3}{x+a}=\frac{-ax-3}{x-4}$

$\therefore a=-4$

(4) $y=1-\frac{1}{x+a}=\frac{x+a-1}{x+a}$로 놓고, x와 y를 서로 바꾸면

$x=\frac{y+a-1}{y+a}$

y를 x에 대한 식으로 나타내면

$x(y+a)=y+a-1$

$xy+ax=y+a-1$에서

$y(x-1)=-ax+a-1$

$y=\frac{-ax+a-1}{x-1}$

$\therefore f^{-1}(x)=\frac{-ax+a-1}{x-1}$

$f(x)=f^{-1}(x)$이므로

$\frac{x+a-1}{x+a}=\frac{-ax+a-1}{x-1}$

$\therefore a=-1$

중단원 점검문제 | V-2. 유리식과 유리함수 092-093쪽

01 답 4

풀이 $\frac{1}{x}+\frac{2}{x-1}-\frac{3}{x+1}$

$=\frac{(x-1)(x+1)+2x(x+1)-3x(x-1)}{x(x-1)(x+1)}$

$=\frac{x^2-1+2x^2+2x-3x^2+3x}{x(x-1)(x+1)}$

$=\frac{5x-1}{x(x-1)(x+1)}$

따라서 $a=0$, $b=5$, $c=-1$이므로 $a+b+c=4$

02 답 1

풀이 $\frac{x^2-y^2}{x^2-2xy+y^2}\times\frac{x^2+xy-2y^2}{x^2+xy}\div\frac{x^2-4y^2}{x^2-2xy}$

$=\frac{(x+y)(x-y)}{(x-y)^2}\times\frac{(x+2y)(x-y)}{x(x+y)}\times\frac{x(x-2y)}{(x+2y)(x-2y)}$

$=1$

03 답 $\frac{3}{x(x+3)}$

풀이 $\frac{1}{x^2+x}+\frac{1}{x^2+3x+2}+\frac{1}{x^2+5x+6}$

$=\frac{1}{x(x+1)}+\frac{1}{(x+1)(x+2)}+\frac{1}{(x+2)(x+3)}$

$=\frac{1}{x}-\frac{1}{x+1}+\frac{1}{x+1}-\frac{1}{x+2}+\frac{1}{x+2}-\frac{1}{x+3}$

$=\frac{1}{x}-\frac{1}{x+3}=\frac{3}{x(x+3)}$

04 답 ㄴ, ㄹ

풀이 ㄱ, ㄷ. 다항함수

ㄴ, ㄹ. 분수함수

05 답 7

풀이 주어진 함수의 그래프의 점근선의 방정식이 $x=2$, $y=3$이므로

$y=\frac{b}{x-2}+3$ ······ ㉠

㉠의 그래프가 점 $(0, 2)$를 지나므로

$2=\frac{b}{0-2}+3$

$\therefore b=2$

$b=2$를 ㉠에 대입하면

$y=\frac{2}{x-2}+3$

따라서 $a=2$, $b=2$, $c=3$이므로

$a+b+c=7$

06 답 2

풀이 유리함수 $y=\frac{1}{x+1}-3$의 그래프를 y축의 방향으로 a만큼 평행이동하면

$y=\frac{1}{x+1}-3+a$

이 그래프가 점 $(0, 0)$을 지나므로

$0=\frac{1}{0+1}-3+a$

$\therefore a=2$

07 답 -3

풀이 $y=\frac{ax-2}{x+b}=\frac{a(x+b)-ab-2}{x+b}=\frac{-ab-2}{x+b}+a$

이므로 주어진 함수의 그래프의 점근선의 방정식은

$x=-b$, $y=a$이다.

$-b=1$, $a=-2$이므로 $a=-2$, $b=-1$

$\therefore a+b=-3$

다른풀이 유리함수 $y=\frac{ax-2}{x+b}$의 그래프의 점근선의 방정식이 $x=1$, $y=-2$이므로

$x=-b=1$, $y=\frac{a}{1}=-2$

따라서 $a=-2$, $b=-1$이므로

$a+b=-3$

08 답 제1사분면

풀이 $y=\frac{-3x-4}{x+1}=\frac{-3(x+1)-1}{x+1}=-\frac{1}{x+1}-3$

이므로 함수 $y=-\frac{1}{x}$의 그래프를 x축의 방향으로 -1만큼, y축의 방향으로 -3만큼 평행이동한 그래프이다.

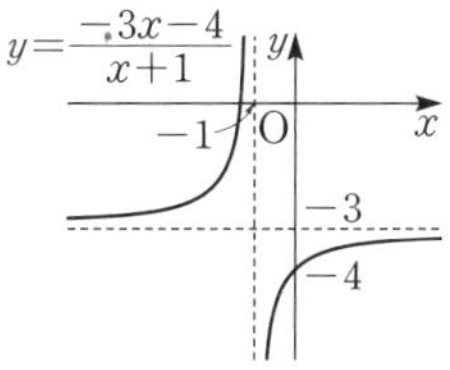

따라서 함수 $y=\frac{-3x-4}{x+1}$의 그래프는 그림과 같으므로 제1사분면을 지나지 않는다.

09 답 4

풀이 $y=\frac{-x+5}{x-2}=\frac{-(x-2)+3}{x-2}=\frac{3}{x-2}-1$

이므로 주어진 유리함수의 그래프는 $y=\frac{3}{x}$의 그래프를 x축의 방향으로 2만큼, y축의 방향으로 -1만큼 평행이동한 것이다.

따라서 $a=3$, $b=2$, $c=-1$이므로

$a+b+c=4$

10 답 4

풀이 $y=\frac{x+k}{x+1}$

$=\frac{(x+1)+k-1}{x+1}$

$=\frac{k-1}{x+1}+1$

따라서 함수 $y=\frac{x+k}{x+1}$의 그래프를 평행이동시켜 $y=\frac{3}{x}$의 그래프와 겹쳐지도록 하려면

$k-1=3 \quad \therefore k=4$

11 답 5

풀이 $y=\frac{4x-5}{x-1}$

$=\frac{4(x-1)-1}{x-1}$

$=-\frac{1}{x-1}+4$

이므로 주어진 함수의 그래프는 두 점근선 $x=1$, $y=4$의 교점 $(1, 4)$에 대하여 대칭이다.

따라서 $p=1$, $q=4$이므로

$p+q=5$

12 답 $\{y|y\le-3$ 또는 $y\ge0\}$

풀이 $y=\frac{4-2x}{x-1}$

$=\frac{-2(x-1)+2}{x-1}$

$=\frac{2}{x-1}-2$

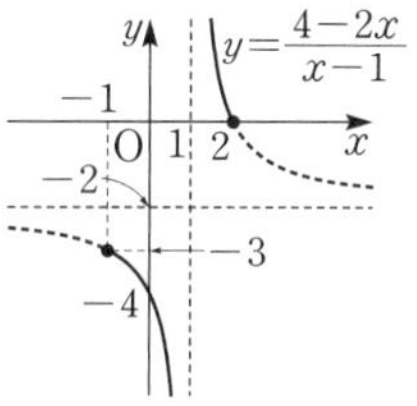

이므로 함수 $y=\frac{4-2x}{x-1}$의 그래프는 그림과 같다.

$x=-1$일 때 $y=-3$, $x=2$일 때 $y=0$이므로 치역은

$\{y|y\le-3$ 또는 $y\ge0\}$

13 답 1

풀이 $x=a$ (단, $a<0$)일 때 최솟값 -8, $x=-2$일 때 최댓값 b를 가지므로 유리함수 $y=\frac{4}{x}$에 $(a, -8)$, $(-2, b)$를 대입하면 $-8=\frac{4}{a}$, $b=\frac{4}{-2}$

$\therefore a=-\frac{1}{2}$, $b=-2$

$\therefore ab=1$

14 답 5

풀이 $y=\frac{2x+a}{x+2}$로 놓고, x와 y를 서로 바꾸면

$x=\frac{2y+a}{y+2}$

y를 x에 대한 식으로 나타내면

$x(y+2)=2y+a$

$xy+2x=2y+a$

$y(x-2)=-2x+a$

$\therefore y=\frac{-2x+a}{x-2}$

$\frac{3-2x}{x-b}=\frac{-2x+a}{x-2}$이므로

$a=3$, $b=2$

$\therefore a+b=5$

01 답 (1) 무 (2) 유 (3) 유 (4) 유 (5) 무 (6) 무

풀이 (1), (5), (6) 근호 안에 문자가 있고, 유리식으로 나타낼 수 없으므로 무리식이다.

02 답 (1) $x\geq2$ (2) $-1\leq x\leq3$ (3) $4\leq x\leq5$ (4) $x>-\frac{1}{4}$ (5) $5<x\leq7$ (6) $3<x\leq6$

풀이 (1) $\sqrt{2x-4}$에서 $2x-4\geq0$이어야 하므로 $x\geq2$

(2) $\sqrt{3-x}$에서 $3-x\geq0$이어야 하므로 $x\leq3$

$\sqrt{x+1}$에서 $x+1\geq0$이어야 하므로 $x\geq-1$

$\therefore -1\leq x\leq3$

(3) $\sqrt{3x-12}$에서 $3x-12\geq0$이어야 하므로 $x\geq4$

$\sqrt{10-2x}$에서 $10-2x\geq0$이어야 하므로 $x\leq5$

$\therefore 4\leq x\leq5$

(4) $\frac{1}{\sqrt{4x+1}}$에서 $4x+1>0$이어야 하므로 $x>-\frac{1}{4}$

(5) $\sqrt{7-x}$에서 $7-x\geq0$이어야 하므로 $x\leq7$

$\frac{1}{\sqrt{x-5}}$에서 $x-5>0$이어야 하므로 $x>5$

$\therefore 5<x\leq7$

(6) $\sqrt{6-x}$에서 $6-x\geq0$이어야 하므로 $x\leq6$

$\frac{1}{\sqrt{x-3}}$에서 $x-3>0$이어야 하므로 $x>3$

$\therefore 3<x\leq6$

03 답 (1) 양 (2) 음 (3) 양 (4) 음 (5) 양

풀이 (1) $a<0$일 때, $-a>0$

$\sqrt{a^2}=|a|=-a$이므로 양수이다.

(2) $-\sqrt{a^2}=-|a|=-(-a)=a$이므로 음수이다.

(3) $\sqrt{(-a)^2}=|-a|=-a$이므로 양수이다.

(4) $-\sqrt{(-a)^2}=-|-a|=-(-a)=a$이므로 음수이다.

(5) $(-\sqrt{-a})^2=(\sqrt{-a})^2=-a$이므로 양수이다.

04 답 (1) 1 (2) 4 (3) 1

풀이 (1) $1<a<2$일 때

$\sqrt{a^2-2a+1}+\sqrt{a^2-4a+4}$

$=\sqrt{(a-1)^2}+\sqrt{(a-2)^2}=|a-1|+|a-2|$

$=(a-1)-(a-2)=1$

(2) $-1<a<3$일 때

$\sqrt{9-6a+a^2}+\sqrt{a^2+2a+1}$

$=\sqrt{(a-3)^2}+\sqrt{(a+1)^2}=|a-3|+|a+1|$

$=-(a-3)+(a+1)=4$

(3) $-\frac{1}{2}<a<\frac{1}{2}$일 때

$\sqrt{a^2+a+\frac{1}{4}}+\sqrt{a^2-a+\frac{1}{4}}$

$=\sqrt{\left(a+\frac{1}{2}\right)^2}+\sqrt{\left(a-\frac{1}{2}\right)^2}=\left|a+\frac{1}{2}\right|+\left|a-\frac{1}{2}\right|$

$=\left(a+\frac{1}{2}\right)-\left(a-\frac{1}{2}\right)=1$

05 답 (1) $\sqrt{x+1}-1$ (2) $\sqrt{x}-\sqrt{x-1}$ (3) $\sqrt{x+2}+\sqrt{x-2}$ (4) $\frac{x+y-2\sqrt{xy}}{x-y}$ (5) $\frac{\sqrt{1+x}-\sqrt{1-x}}{2}$ (6) $-2x+1-2\sqrt{x(x-1)}$

풀이 (1) $\frac{x}{\sqrt{x+1}+1}=\frac{x(\sqrt{x+1}-1)}{(\sqrt{x+1}+1)(\sqrt{x+1}-1)}$

$=\frac{x(\sqrt{x+1}-1)}{x+1-1}=\sqrt{x+1}-1$

(2) $\frac{1}{\sqrt{x}+\sqrt{x-1}}=\frac{\sqrt{x}-\sqrt{x-1}}{(\sqrt{x}+\sqrt{x-1})(\sqrt{x}-\sqrt{x-1})}$

$=\frac{\sqrt{x}-\sqrt{x-1}}{x-(x-1)}=\sqrt{x}-\sqrt{x-1}$

(3) $\frac{4}{\sqrt{x+2}-\sqrt{x-2}}$

$=\frac{4(\sqrt{x+2}+\sqrt{x-2})}{(\sqrt{x+2}-\sqrt{x-2})(\sqrt{x+2}+\sqrt{x-2})}$

$=\frac{4(\sqrt{x+2}+\sqrt{x-2})}{(x+2)-(x-2)}=\sqrt{x+2}+\sqrt{x-2}$

(4) $\frac{\sqrt{x}-\sqrt{y}}{\sqrt{x}+\sqrt{y}}=\frac{(\sqrt{x}-\sqrt{y})^2}{(\sqrt{x}+\sqrt{y})(\sqrt{x}-\sqrt{y})}$

$=\frac{x+y-2\sqrt{xy}}{x-y}$

(5) $\frac{x}{\sqrt{1+x}+\sqrt{1-x}}$

$=\frac{x(\sqrt{1+x}-\sqrt{1-x})}{(\sqrt{1+x}+\sqrt{1-x})(\sqrt{1+x}-\sqrt{1-x})}$

$=\frac{x(\sqrt{1+x}-\sqrt{1-x})}{1+x-(1-x)}$

$=\frac{\sqrt{1+x}-\sqrt{1-x}}{2}$

(6) $\frac{\sqrt{x-1}+\sqrt{x}}{\sqrt{x-1}-\sqrt{x}}=\frac{(\sqrt{x-1}+\sqrt{x})^2}{(\sqrt{x-1}-\sqrt{x})(\sqrt{x-1}+\sqrt{x})}$

$=\frac{x-1+x+2\sqrt{x(x-1)}}{x-1-x}$

$=-2x+1-2\sqrt{x(x-1)}$

06 답 (1) $\frac{2\sqrt{x}}{x-y}$ (2) $\frac{2\sqrt{x}}{x-1}$ (3) 0 (4) $-\frac{2}{x}$ (5) $2x$ (6) $\frac{2x}{y}$

풀이 (1) $\frac{1}{\sqrt{x}+\sqrt{y}}+\frac{1}{\sqrt{x}-\sqrt{y}}=\frac{\sqrt{x}-\sqrt{y}+\sqrt{x}+\sqrt{y}}{(\sqrt{x}+\sqrt{y})(\sqrt{x}-\sqrt{y})}$

$=\frac{2\sqrt{x}}{x-y}$

(2) $\frac{1}{\sqrt{x}+1}+\frac{1}{\sqrt{x}-1}=\frac{\sqrt{x}-1+\sqrt{x}+1}{(\sqrt{x}+1)(\sqrt{x}-1)}$

$=\frac{2\sqrt{x}}{x-1}$

(3) $\frac{1}{\sqrt{x+1}+\sqrt{x}}-\sqrt{x+1}+\sqrt{x}$

$=\frac{\sqrt{x+1}-\sqrt{x}}{(\sqrt{x+1}+\sqrt{x})(\sqrt{x+1}-\sqrt{x})}-\sqrt{x+1}+\sqrt{x}$

$=\frac{\sqrt{x+1}-\sqrt{x}}{x+1-x}-\sqrt{x+1}+\sqrt{x}$

$=\sqrt{x+1}-\sqrt{x}-\sqrt{x+1}+\sqrt{x}=0$

(4) $\dfrac{1}{1+\sqrt{1+x}}+\dfrac{1}{1-\sqrt{1+x}}$

$=\dfrac{(1-\sqrt{1+x})+(1+\sqrt{1+x})}{(1+\sqrt{1+x})(1-\sqrt{1+x})}$

$=\dfrac{2}{1-(1+x)}=-\dfrac{2}{x}$

(5) $\dfrac{\sqrt{x}}{\sqrt{x-1}+\sqrt{x}}-\dfrac{\sqrt{x}}{\sqrt{x-1}-\sqrt{x}}$

$=\dfrac{\sqrt{x}(\sqrt{x-1}-\sqrt{x})-\sqrt{x}(\sqrt{x-1}+\sqrt{x})}{(\sqrt{x-1}+\sqrt{x})(\sqrt{x-1}-\sqrt{x})}$

$=\dfrac{-2x}{x-1-x}=2x$

(6) $\dfrac{\sqrt{x+y}-\sqrt{x-y}}{\sqrt{x+y}+\sqrt{x-y}}+\dfrac{\sqrt{x+y}+\sqrt{x-y}}{\sqrt{x+y}-\sqrt{x-y}}$

$=\dfrac{(\sqrt{x+y}-\sqrt{x-y})^2+(\sqrt{x+y}+\sqrt{x-y})^2}{(\sqrt{x+y}+\sqrt{x-y})(\sqrt{x+y}-\sqrt{x-y})}$

$=\dfrac{2\{(x+y)+(x-y)\}}{(x+y)-(x-y)}=\dfrac{4x}{2y}=\dfrac{2x}{y}$

07 답 (1) ○ (2) × (3) ○ (4) × (5) ○ (6) ○

풀이 (1) $\sqrt{2x}$가 무리식이므로 $y=\sqrt{2x}$는 무리함수이다.

(2) $-\sqrt{2}x$가 다항식이므로 $y=-\sqrt{2}x$는 다항함수이다.

(4) $\sqrt{(x-1)^2}=|x-1|$이 다항식이므로 $y=\sqrt{(x-1)^2}$은 다항함수이다.

08 답 (1) $\{x|x\geq2\}$ (2) $\{x|x\leq3\}$ (3) $\left\{x\middle|x\geq\dfrac{5}{2}\right\}$ (4) $\{x|x\leq0\}$ (5) $\{x|x\leq5\}$ (6) $\{x|-2\leq x\leq2\}$

풀이 (1) $x-2\geq0$에서 $x\geq2$

따라서 주어진 함수의 정의역은 $\{x|x\geq2\}$이다.

(2) $3-x\geq0$에서 $x\leq3$

따라서 주어진 함수의 정의역은 $\{x|x\leq3\}$이다.

(3) $2x-5\geq0$에서 $x\geq\dfrac{5}{2}$

따라서 주어진 함수의 정의역은 $\left\{x\middle|x\geq\dfrac{5}{2}\right\}$이다.

(4) $-x\geq0$에서 $x\leq0$

따라서 주어진 함수의 정의역은 $\{x|x\leq0\}$이다.

(5) $15-3x\geq0$에서 $x\leq5$

따라서 주어진 함수의 정의역은 $\{x|x\leq5\}$이다.

(6) $4-x^2\geq0$에서 $(x+2)(x-2)\leq0$

$\therefore -2\leq x\leq2$

따라서 주어진 함수의 정의역은 $\{x|-2\leq x\leq2\}$이다.

09 답 풀이 참조

풀이 (1)

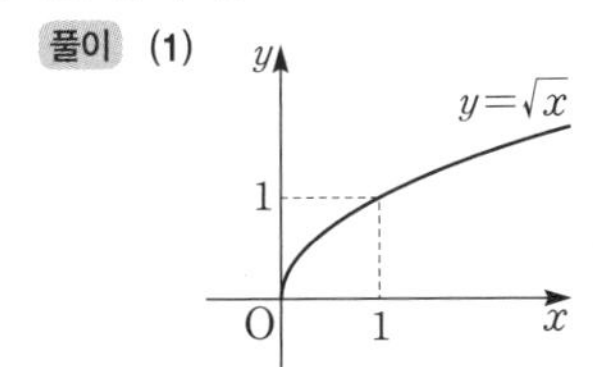

(2)

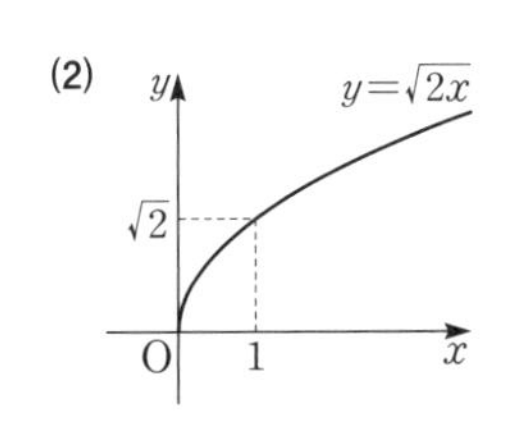

(3)

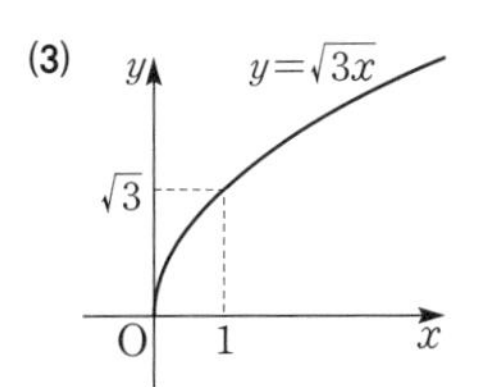

(4)

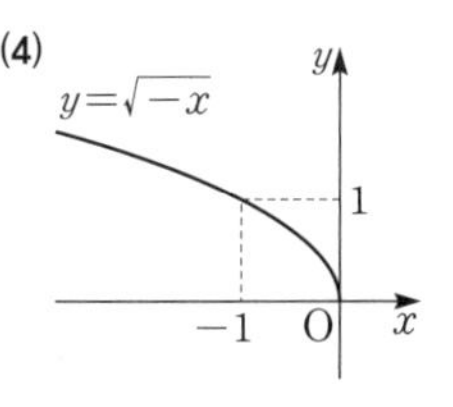

(5)

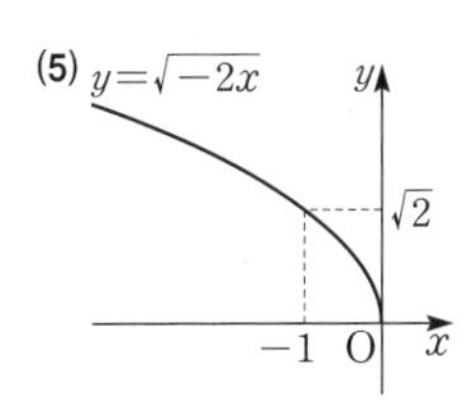

(6)

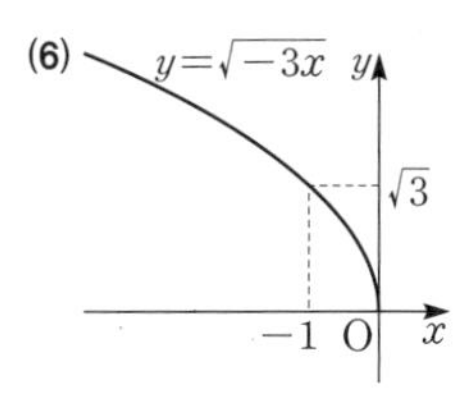

10 답 풀이 참조

풀이 (1)

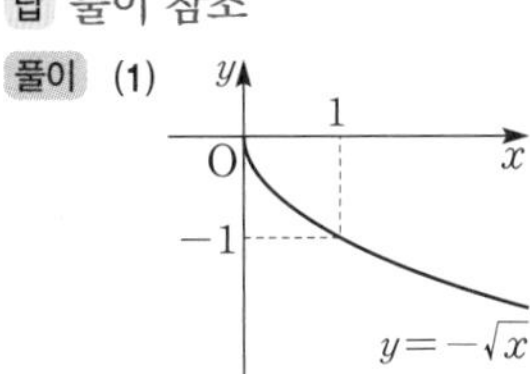

(2)

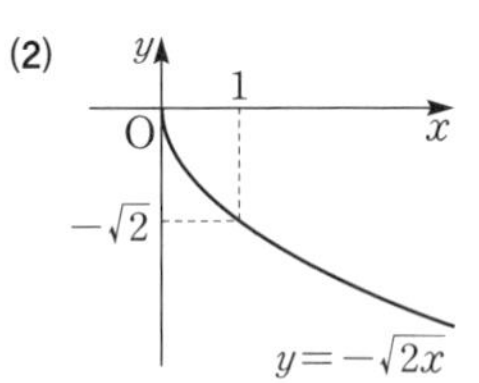

(3)

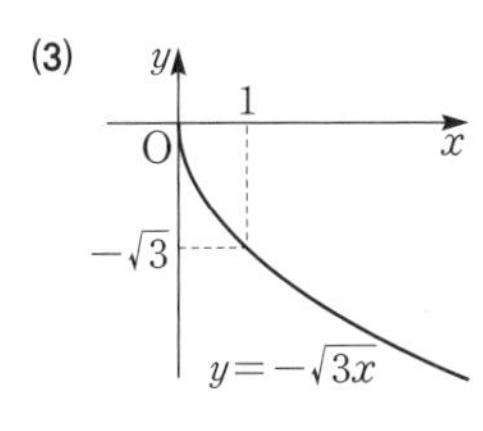

(4)

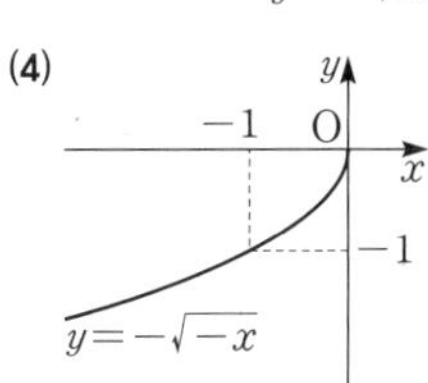

(5)

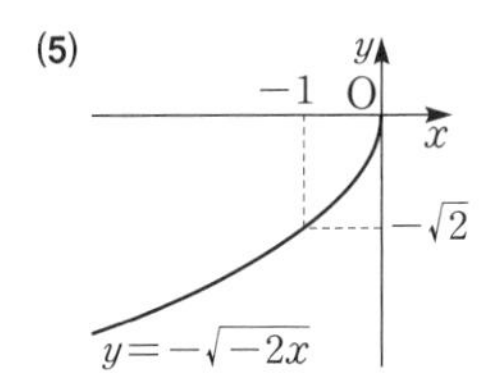

(6)

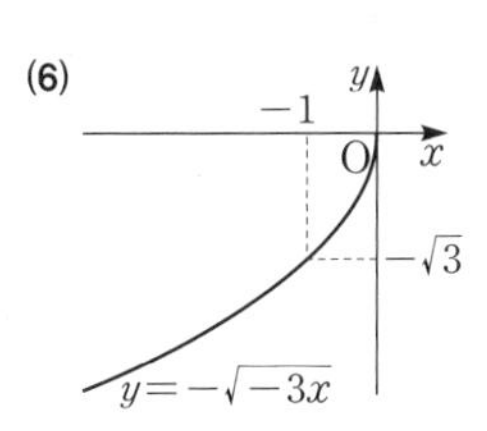

11 답 풀이 참조

풀이

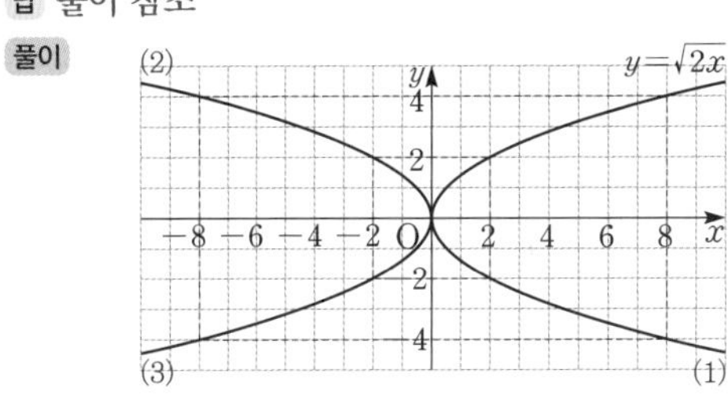

(1) $y=-\sqrt{2x}$

(2) $y=\sqrt{-2x}$

(3) $y=-\sqrt{-2x}$

12 답 풀이 참조

풀이

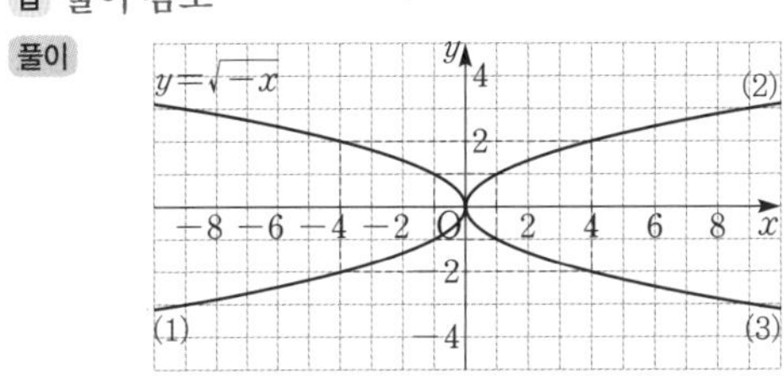

(1) $y=-\sqrt{-x}$

(2) $y=\sqrt{x}$

(3) $y=-\sqrt{x}$

13 답 (1) $y=\sqrt{x-2}+3$ (2) $y=-\sqrt{2(x+5)}+4$
(3) $y=\sqrt{-(x-3)}-2$ (4) $y=-\sqrt{-3(x+4)}-4$
(5) $y=\sqrt{x+2}-2$ (6) $y=-\sqrt{2(x-3)}+2$

풀이 (1) 함수 $y=\sqrt{x}$의 그래프를 x축의 방향으로 2만큼, y축의 방향으로 3만큼 평행이동하면
$y-3=\sqrt{x-2}$ $\quad\therefore y=\sqrt{x-2}+3$

(2) 함수 $y=-\sqrt{2x}$의 그래프를 x축의 방향으로 -5만큼, y축의 방향으로 4만큼 평행이동하면
$y-4=-\sqrt{2(x+5)}$ $\quad\therefore y=-\sqrt{2(x+5)}+4$

(3) 함수 $y=\sqrt{-x}$의 그래프를 x축의 방향으로 3만큼, y축의 방향으로 -2만큼 평행이동하면
$y+2=\sqrt{-(x-3)}$ $\quad\therefore y=\sqrt{-(x-3)}-2$

(4) 함수 $y=-\sqrt{-3x}$의 그래프를 x축의 방향으로 -4만큼, y축의 방향으로 -4만큼 평행이동하면
$y+4=-\sqrt{-3(x+4)}$ $\quad\therefore y=-\sqrt{-3(x+4)}-4$

(5) 함수 $y=\sqrt{x+1}$의 그래프를 x축의 방향으로 -1만큼, y축의 방향으로 -2만큼 평행이동하면
$y+2=\sqrt{(x+1)+1}$ $\quad\therefore y=\sqrt{x+2}-2$

(6) 함수 $y=-\sqrt{2x-4}$의 그래프를 x축의 방향으로 1만큼, y축의 방향으로 2만큼 평행이동하면
$y-2=-\sqrt{2(x-1)-4}$ $\quad\therefore y=-\sqrt{2(x-3)}+2$

14 답 (1) 정의역: $\{x|x\geq-2\}$, 치역: $\{y|y\geq4\}$
(2) 정의역: $\{x|x\geq-1\}$, 치역: $\{y|y\geq2\}$
(3) 정의역: $\{x|x\geq3\}$, 치역: $\{y|y\leq-4\}$
(4) 정의역: $\{x|x\leq5\}$, 치역: $\{y|y\geq5\}$
(5) 정의역: $\{x|x\leq-2\}$, 치역: $\{y|y\geq3\}$
(6) 정의역: $\{x|x\leq1\}$, 치역: $\left\{y\middle|y\leq\frac{1}{2}\right\}$

15 답 풀이 참조

풀이 (1) $y=\sqrt{2(x-1)}+1$의 그래프는 $y=\sqrt{2x}$의 그래프를 x축의 방향으로 1만큼, y축의 방향으로 1만큼 평행이동한 것이다.

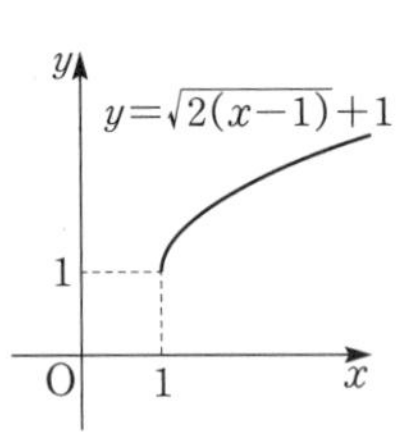

(2) $y=\sqrt{x+3}$의 그래프는 $y=\sqrt{x}$의 그래프를 x축의 방향으로 -3만큼 평행이동한 것이다.

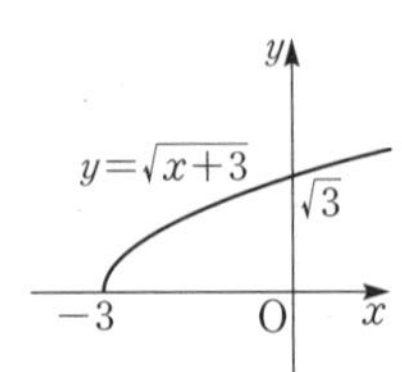

(3) $y=-\sqrt{x}+2$의 그래프는 $y=-\sqrt{x}$의 그래프를 y축의 방향으로 2만큼 평행이동한 것이다.

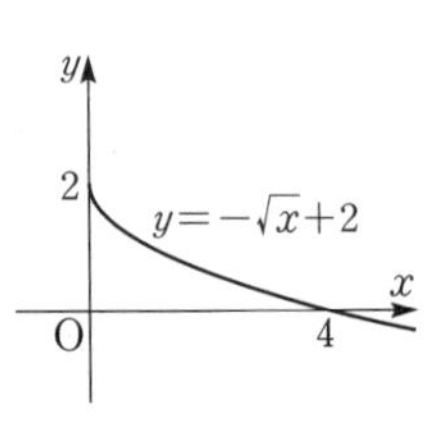

(4) $y=-\sqrt{3(x+2)}-1$의 그래프는 $y=-\sqrt{3x}$의 그래프를 x축의 방향으로 -2만큼, y축의 방향으로 -1만큼 평행이동한 것이다.

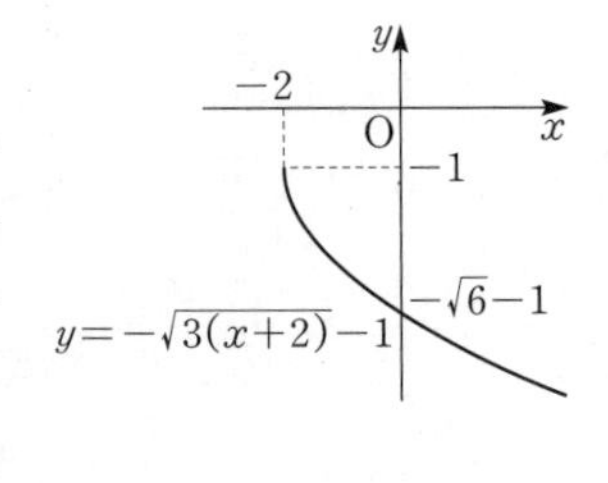

(5) $y=-\sqrt{-x}-3$의 그래프는 $y=-\sqrt{-x}$의 그래프를 y축의 방향으로 -3만큼 평행이동한 것이다.

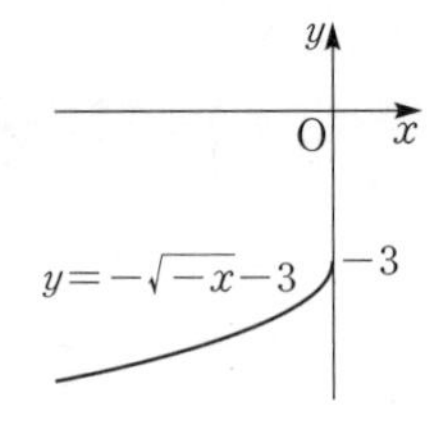

(6) $y=-\sqrt{-2(x-2)}+2$의 그래프는 $y=-\sqrt{-2x}$의 그래프를 x축의 방향으로 2만큼, y축의 방향으로 2만큼 평행이동한 것이다.

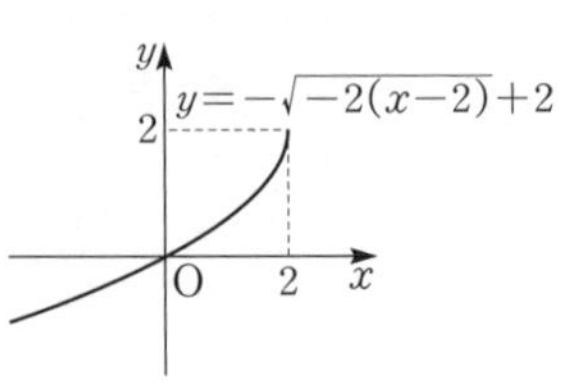

16 답 풀이 참조

풀이 (1) $y=\sqrt{2x+4}+2$
$=\sqrt{2(x+2)}+2$
이므로 $y=\sqrt{2x+4}+2$의 그래프는 $y=\sqrt{2x}$의 그래프를 x축의 방향으로 -2만큼, y축의 방향으로 2만큼 평행이동한 것이다.

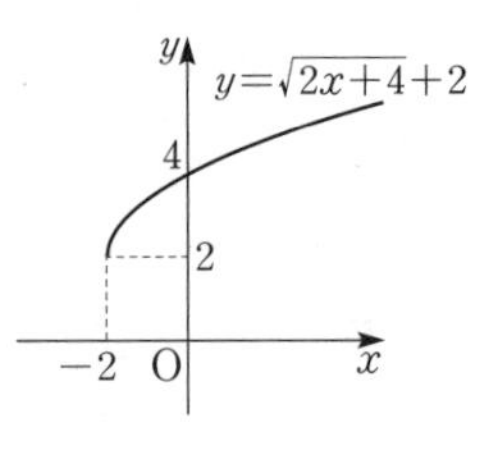

(2) $y=\sqrt{2-x}-1$
$=\sqrt{-(x-2)}-1$
이므로 $y=\sqrt{2-x}-1$의 그래프는 $y=\sqrt{-x}$의 그래프를 x축의 방향으로 2만큼, y축의 방향으로 -1만큼 평행이동한 것이다.

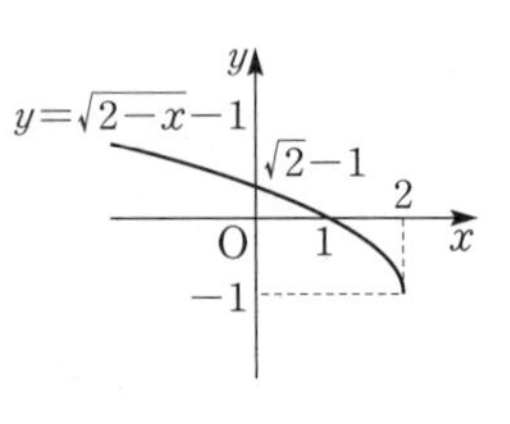

(3) $y=-\sqrt{3x+6}+3$
$=-\sqrt{3(x+2)}+3$
이므로 $y=-\sqrt{3x+6}+3$의 그래프는 $y=-\sqrt{3x}$의 그래프를 x축의 방향으로 -2만큼, y축의 방향으로 3만큼 평행이동한 것이다.

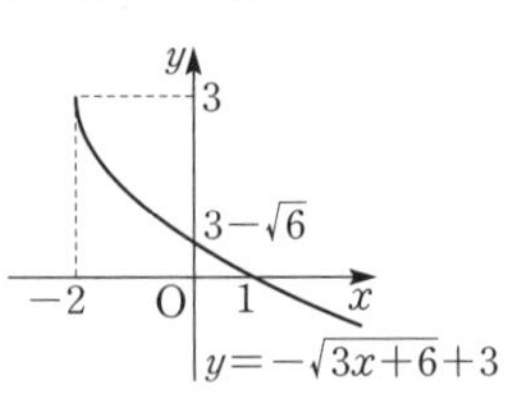

(4) $y=\sqrt{-x+\frac{1}{2}}+\frac{1}{2}$
$=\sqrt{-\left(x-\frac{1}{2}\right)}+\frac{1}{2}$

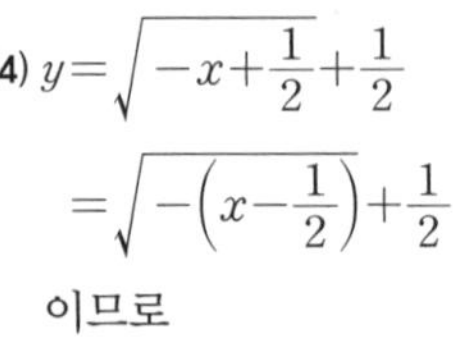

이므로
$y=\sqrt{-x+\frac{1}{2}}+\frac{1}{2}$의
그래프는 $y=\sqrt{-x}$의 그래프를 x축의 방향으로 $\frac{1}{2}$만큼, y축의 방향으로 $\frac{1}{2}$만큼 평행이동한 것이다.

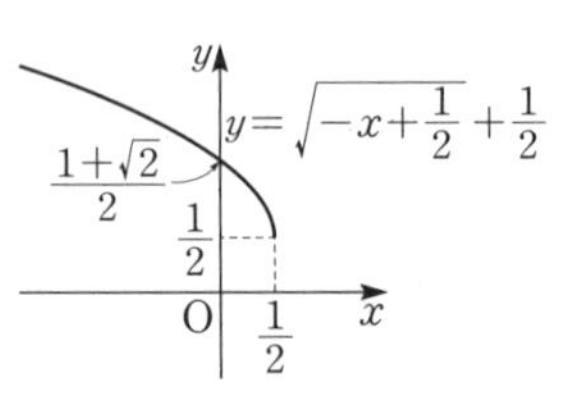

(5) $y=-\sqrt{2-2x}-2$

$=-\sqrt{-2(x-1)}-2$

이므로 $y=-\sqrt{2-2x}-2$의 그래프는 $y=-\sqrt{-2x}$의 그래프를 x축의 방향으로 1만큼, y축의 방향으로 -2만큼 평행이동한 것이다.

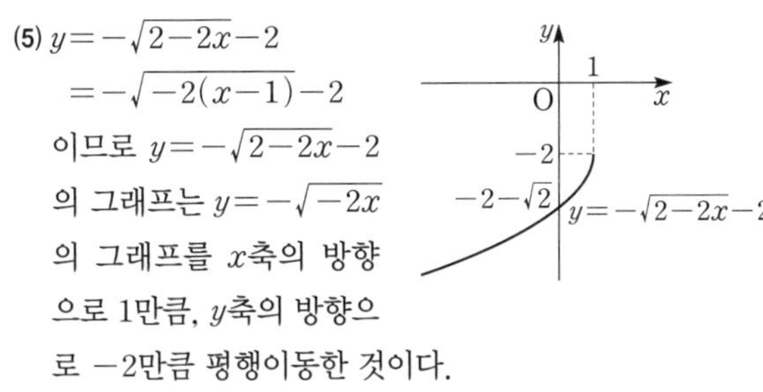

(6) $y=1-\sqrt{8-4x}$

$=-\sqrt{-4(x-2)}+1$

이므로 $y=1-\sqrt{8-4x}$의 그래프는 $y=-\sqrt{-4x}$의 그래프를 x축의 방향으로 2만큼, y축의 방향으로 1만큼 평행이동한 것이다.

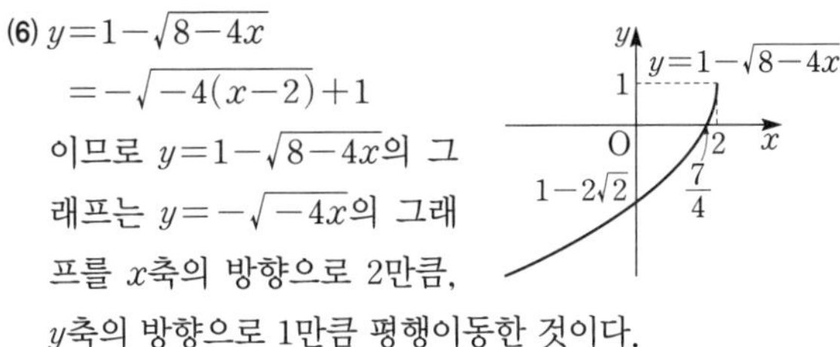

17 답 (1) $a=4$, $b=4$, $c=-2$

(2) $a=-2$, $b=4$, $c=-1$

(3) $a=2$, $b=4$, $c=1$

(4) $a=-1$, $b=1$, $c=1$

풀이 (1) 주어진 함수의 그래프는 $y=\sqrt{ax}$ $(a>0)$의 그래프를 x축의 방향으로 -1만큼, y축의 방향으로 -2만큼 평행이동한 것이므로 함수의 식을

$y=\sqrt{a(x+1)}-2$ …… ㉠

로 놓을 수 있다.

㉠의 그래프가 점 $(0, 0)$을 지나므로

$0=\sqrt{a}-2$, $\sqrt{a}=2$ $\quad\therefore a=4$

$a=4$를 ㉠에 대입하면

$y=\sqrt{4(x+1)}-2$ $\quad\therefore y=\sqrt{4x+4}-2$

$\therefore a=4$, $b=4$, $c=-2$

(2) 주어진 함수의 그래프는 $y=\sqrt{ax}$ $(a<0)$의 그래프를 x축의 방향으로 2만큼, y축의 방향으로 -1만큼 평행이동한 것이므로 함수의 식을

$y=\sqrt{a(x-2)}-1$ …… ㉠

로 놓을 수 있다.

㉠의 그래프가 점 $(0, 1)$을 지나므로

$1=\sqrt{-2a}-1$, $\sqrt{-2a}=2$ $\quad\therefore a=-2$

$a=-2$를 ㉠에 대입하면

$y=\sqrt{-2(x-2)}-1$ $\quad\therefore y=\sqrt{-2x+4}-1$

$\therefore a=-2$, $b=4$, $c=-1$

(3) 주어진 함수의 그래프는 $y=-\sqrt{ax}$ $(a>0)$의 그래프를 x축의 방향으로 -2만큼, y축의 방향으로 1만큼 평행이동한 것이므로 함수의 식을

$y=-\sqrt{a(x+2)}+1$ …… ㉠

로 놓을 수 있다.

㉠의 그래프가 점 $(0, -1)$을 지나므로

$-1=-\sqrt{2a}+1$, $\sqrt{2a}=2$ $\quad\therefore a=2$

$a=2$를 ㉠에 대입하면

$y=-\sqrt{2(x+2)}+1$ $\quad\therefore y=-\sqrt{2x+4}+1$

$\therefore a=2$, $b=4$, $c=1$

(4) 주어진 함수의 그래프는 $y=-\sqrt{ax}$ $(a<0)$의 그래프를 x축의 방향으로 1만큼, y축의 방향으로 1만큼 평행이동한 것이므로 함수의 식을

$y=-\sqrt{a(x-1)}+1$ …… ㉠

로 놓을 수 있다.

㉠의 그래프가 점 $(0, 0)$을 지나므로

$0=-\sqrt{-a}+1$, $\sqrt{-a}=1$ $\quad\therefore a=-1$

$a=-1$을 ㉠에 대입하면

$y=-\sqrt{-(x-1)}+1$ $\quad\therefore y=-\sqrt{-x+1}+1$

$\therefore a=-1$, $b=1$, $c=1$

18 답 (1) $\{y\,|\,3\le y\le 5\}$ (2) $\{y\,|\,-3\le y\le -1\}$

(3) $\{y\,|\,4\le y\le 6\}$ (4) $\{y\,|\,-3\le y\le -2\}$

풀이 (1) $y=\sqrt{2x-2}+1=\sqrt{2(x-1)}+1$이므로 그래프는 그림과 같다.

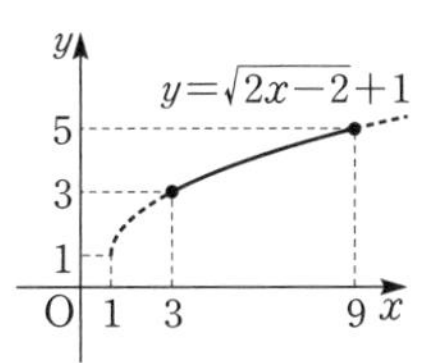

$x=3$일 때 $y=3$, $x=9$일 때 $y=5$이므로 치역은 $\{y\,|\,3\le y\le 5\}$

(2) $y=-\sqrt{x+3}-1$의 그래프는 그림과 같다.

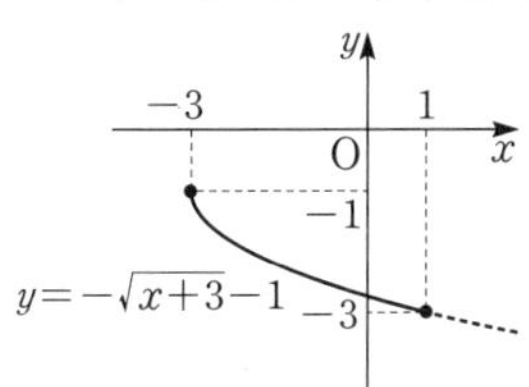

$x=-3$일 때 $y=-1$, $x=1$일 때 $y=-3$이므로 치역은 $\{y\,|\,-3\le y\le -1\}$

(3) $y=\sqrt{4-2x}+2=\sqrt{-2(x-2)}+2$이므로 그래프는 그림과 같다.

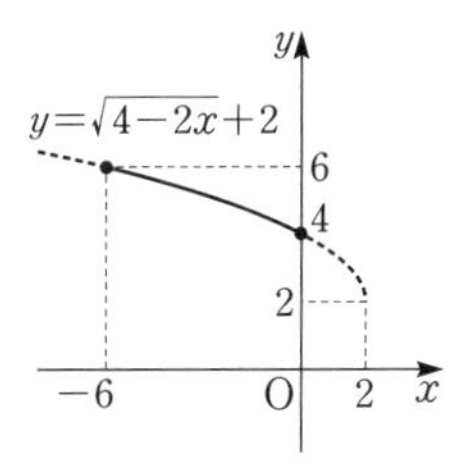

$x=-6$일 때 $y=6$, $x=0$일 때 $y=4$이므로 치역은 $\{y\,|\,4\le y\le 6\}$

(4) $y=-\sqrt{1-x}=-\sqrt{-(x-1)}$이므로 그래프는 그림과 같다.

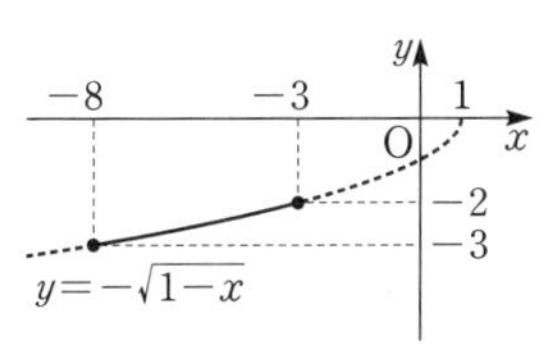

$x=-8$일 때 $y=-3$, $x=-3$일 때 $y=-2$이므로 치역은 $\{y\,|\,-3\le y\le -2\}$

19 답 (1) $a=2$, $b=1$ (2) $a=-3$, $b=-3$
(3) $a=4$, $b=4$

풀이 (1) $y=\sqrt{-2x+a}+b$에서 $y-b=\sqrt{-2x+a}$이므로

$-2x+a\ge 0$, $y-b\ge 0$ $\quad\therefore x\le \frac{a}{2}$, $y\ge b$

따라서 정의역은 $\left\{x \,\middle|\, x\le \frac{a}{2}\right\}$이고, 치역은 $\{y|y\ge b\}$이므로 $\frac{a}{2}=1$, $b=1$ $\quad\therefore a=2$, $b=1$

(2) $y=\sqrt{-x+a}+b$에서 $y-b=\sqrt{-x+a}$이므로

$-x+a\ge 0$, $y-b\ge 0$ $\quad\therefore x\le a$, $y\ge b$

따라서 정의역은 $\{x|x\le a\}$이고, 치역은 $\{y|y\ge b\}$이므로 $a=-3$, $b=-3$

(3) $y=-\sqrt{-4x+a}+b$에서 $y-b=-\sqrt{-4x+a}$이므로

$-4x+a\ge 0$, $y-b\le 0$ $\quad\therefore x\le \frac{a}{4}$, $y\le b$

따라서 정의역은 $\left\{x \,\middle|\, x\le \frac{a}{4}\right\}$이고, 치역은 $\{y|y\le b\}$이므로 $\frac{a}{4}=1$, $b=4$ $\quad\therefore a=4$, $b=4$

20 답 (1) 최댓값: 1, 최솟값: 0
(2) 최댓값: 4, 최솟값: 0
(3) 최댓값: 2, 최솟값: -1
(4) 최댓값: -1, 최솟값: -3
(5) 최댓값: 8, 최솟값: 6
(6) 최댓값: 4, 최솟값: 2

풀이 (1) 함수 $y=\sqrt{x+1}-1$의 그래프는 그림과 같다.

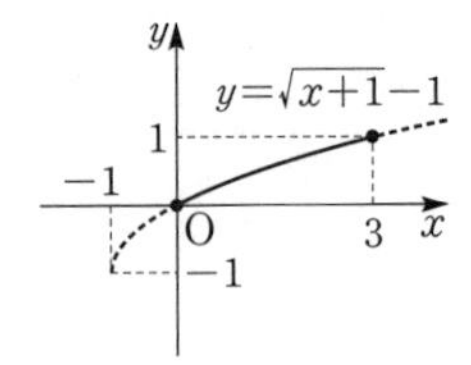

$x=0$일 때 $y=0$, $x=3$일 때 $y=1$이므로 최댓값은 1, 최솟값은 0이다.

(2) $y=\sqrt{6-2x}=\sqrt{-2(x-3)}$이므로 함수 $y=\sqrt{6-2x}$의 그래프는 다음 그림과 같다.

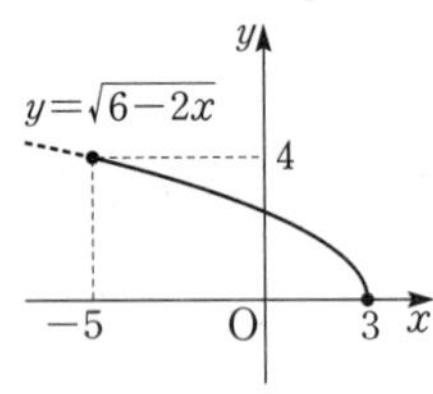

$x=-5$일 때 $y=4$, $x=3$일 때 $y=0$이므로 최댓값은 4, 최솟값은 0이다.

(3) $y=-\sqrt{3x-6}+2=-\sqrt{3(x-2)}+2$이므로 함수 $y=-\sqrt{3x-6}+2$의 그래프는 그림과 같다.

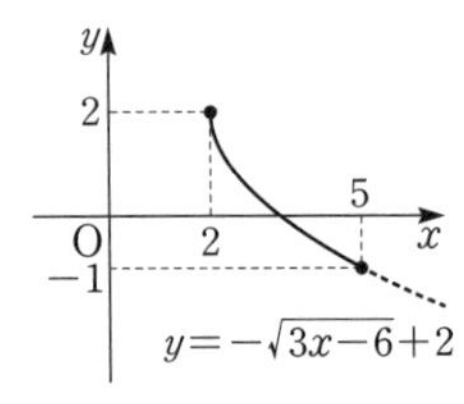

$x=2$일 때 $y=2$, $x=5$일 때 $y=-1$이므로 최댓값은 2, 최솟값은 -1이다.

(4) $y=-\sqrt{2x+8}+1=-\sqrt{2(x+4)}+1$이므로 함수 $y=-\sqrt{2x+8}+1$의 그래프는 그림과 같다.

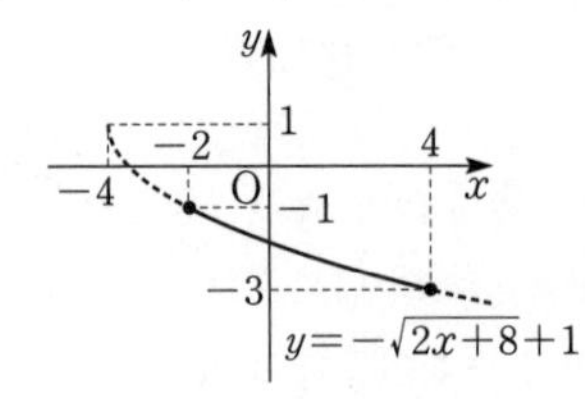

$x=-2$일 때 $y=-1$, $x=4$일 때 $y=-3$이므로 최댓값은 -1, 최솟값은 -3이다.

(5) $y=\sqrt{1-4x}+5=\sqrt{-4\left(x-\frac{1}{4}\right)}+5$이므로 함수 $y=\sqrt{1-4x}+5$의 그래프는 그림과 같다.

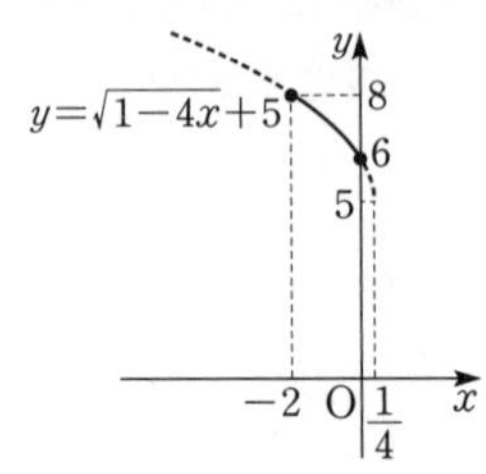

$x=-2$일 때 $y=8$, $x=0$일 때 $y=6$이므로 최댓값은 8, 최솟값은 6이다.

(6) $y=5-\sqrt{3-2x}=-\sqrt{-2\left(x-\frac{3}{2}\right)}+5$이므로 함수 $y=5-\sqrt{3-2x}$의 그래프는 그림과 같다.

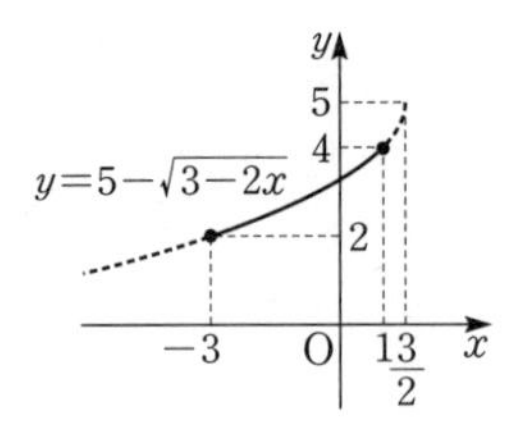

$x=-3$일 때 $y=2$, $x=1$일 때 $y=4$이므로 최댓값은 4, 최솟값은 2이다.

21 답 (1) $y=x^2-4x+5$ $(x\ge 2)$
(2) $y=1-x^2$ $(x\ge 0)$
(3) $y=x^2-8x+19$ $(x\le 4)$
(4) $y=\frac{1}{2}x^2-3x+5$ $(x\ge 3)$
(5) $y=x^2-2x+5$ $(x\le 1)$
(6) $y=-\frac{1}{2}x^2-x+\frac{9}{2}$ $(x\le -1)$

풀이 (1) $y=\sqrt{x-1}+2$에서 $y-2=\sqrt{x-1}$이므로

$x-1\ge 0$, $y-2\ge 0$ $\quad\therefore x\ge 1$, $y\ge 2$

$\therefore y-2=\sqrt{x-1}$ $(x\ge 1, y\ge 2)$ …… ㉠

㉠에서 x와 y를 서로 바꾸면

$x-2=\sqrt{y-1}$ $(y\ge 1, x\ge 2)$

양변을 제곱하면 $x^2-4x+4=y-1$

$y=x^2-4x+5$ $(x\ge 2)$

(2) $y=\sqrt{1-x}$이므로

$1-x\ge 0$, $y\ge 0$ $\quad\therefore x\le 1$, $y\ge 0$

$\therefore y=\sqrt{1-x}$ $(x\le 1, y\ge 0)$ …… ㉠

㉠에서 x와 y를 서로 바꾸면

$x=\sqrt{1-y}$ $(y\le1,\ x\ge0)$

양변을 제곱하면 $x^2=1-y$

$\therefore\ y=1-x^2$ $(x\ge0)$

(3) $y=-\sqrt{x-3}+4$에서

$y-4=-\sqrt{x-3}$이므로

$x-3\ge0,\ y-4\le0$　　$\therefore\ x\ge3,\ y\le4$

$\therefore\ y-4=-\sqrt{x-3}$ $(x\ge3,\ y\le4)$　　…… ㉠

㉠에서 x와 y를 서로 바꾸면

$x-4=-\sqrt{y-3}$ $(y\ge3,\ x\le4)$

양변을 제곱하면 $x^2-8x+16=y-3$

$\therefore\ y=x^2-8x+19$ $(x\le4)$

(4) $y=\sqrt{2x-1}+3$에서

$y-3=\sqrt{2x-1}$이므로

$2x-1\ge0,\ y-3\ge0$　　$\therefore\ x\ge\frac{1}{2},\ y\ge3$

$\therefore\ y-3=\sqrt{2x-1}$ $\left(x\ge\frac{1}{2},\ y\ge3\right)$　　…… ㉠

㉠에서 x와 y를 서로 바꾸면

$x-3=\sqrt{2y-1}$ $\left(y\ge\frac{1}{2},\ x\ge3\right)$

양변을 제곱하면 $x^2-6x+9=2y-1$

$\therefore\ y=\frac{1}{2}x^2-3x+5$ $(x\ge3)$

(5) $y=-\sqrt{x-4}+1$에서

$y-1=-\sqrt{x-4}$이므로

$x-4\ge0,\ y-1\le0$　　$\therefore\ x\ge4,\ y\le1$

$\therefore\ y-1=-\sqrt{x-4}$ $(x\ge4,\ y\le1)$　　…… ㉠

㉠에서 x와 y를 서로 바꾸면

$x-1=-\sqrt{y-4}$ $(y\ge4,\ x\le1)$

양변을 제곱하면 $x^2-2x+1=y-4$

$\therefore\ y=x^2-2x+5$ $(x\le1)$

(6) $y=-\sqrt{10-2x}-1$에서

$y+1=-\sqrt{10-2x}$이므로

$10-2x\ge0,\ y+1\le0$　　$\therefore\ x\le5,\ y\le-1$

$\therefore\ y+1=-\sqrt{10-2x}$ $(x\le5,\ y\le-1)$　　…… ㉠

㉠에서 x와 y를 서로 바꾸면

$x+1=-\sqrt{10-2y}$ $(y\le5,\ x\le-1)$

양변을 제곱하면 $x^2+2x+1=10-2y$

$\therefore\ y=-\frac{1}{2}x^2-x+\frac{9}{2}$ $(x\le-1)$

22 답 (1) $(2,\ 2)$　　(2) $(5,\ 5)$

풀이 (1) 두 함수 $f(x)$와 $g(x)$의 그래프의 교점은 함수 $y=\sqrt{x+2}$ 의 그래프와 직선 $y=x$의 교점과 같다.

$\sqrt{x+2}=x$의 양변을 제곱하면

$x+2=x^2,\ x^2-x-2=0$

$(x+1)(x-2)=0$

주어진 함수 $y=\sqrt{x+2}$에서 $y\ge0$이므로 역함수의 정의역은 $\{x\mid x\ge0\}$이다.　　$\therefore\ x=2$

따라서 교점의 좌표는 $(2,\ 2)$이다.

(2) 두 함수 $f(x)$와 $g(x)$의 그래프의 교점은 함수 $y=\sqrt{x+4}+2$의 그래프와 직선 $y=x$의 교점과 같다.

$\sqrt{x+4}+2=x$에서 $\sqrt{x+4}=x-2$

양변을 제곱하면

$x+4=x^2-4x+4,\ x^2-5x=0$

$x(x-5)=0$

주어진 함수 $y=\sqrt{x+4}+2$에서 $y\ge2$이므로 역함수의 정의역은 $\{x\mid x\ge2\}$이다.　　$\therefore\ x=5$

따라서 교점의 좌표는 $(5,\ 5)$이다.

23 답 (1) $(3,\ 3)$　　(2) $(3,\ 3)$

풀이 (1) 함수 $y=\sqrt{2x+3}$에서 x와 y를 서로 바꾸면 $x=\sqrt{2y+3}$이므로 주어진 두 함수는 역함수 관계이다.

두 함수의 그래프의 교점은 함수 $y=\sqrt{2x+3}$의 그래프와 직선 $y=x$의 교점과 같다.

$\sqrt{2x+3}=x$의 양변을 제곱하면

$2x+3=x^2,\ x^2-2x-3=0$

$(x+1)(x-3)=0$

주어진 함수 $y=\sqrt{2x+3}$에서 $y\ge0$이므로 역함수의 정의역은 $\{x\mid x\ge0\}$이다.　　$\therefore\ x=3$

따라서 교점의 좌표는 $(3,\ 3)$이다.

(2) 함수 $y=\sqrt{x+6}$에서 x와 y를 서로 바꾸면 $x=\sqrt{y+6}$이므로 주어진 두 함수는 역함수 관계이다.

두 함수의 그래프의 교점은 함수 $y=\sqrt{x+6}$의 그래프와 직선 $y=x$의 교점과 같다.

$\sqrt{x+6}=x$의 양변을 제곱하면

$x+6=x^2,\ x^2-x-6=0$

$(x+2)(x-3)=0$

주어진 함수 $y=\sqrt{x+6}$에서 $y\ge0$이므로 역함수의 정의역은 $\{x\mid x\ge0\}$이다.　　$\therefore\ x=3$

따라서 교점의 좌표는 $(3,\ 3)$이다.

24 답 (1) $\frac{5}{2}$　　(2) $\sqrt{2}$　　(3) $\sqrt{11}$　　(4) 8

풀이 (1) $(f^{-1}\circ g)^{-1}(0)=(g^{-1}\circ f)(0)=g^{-1}(f(0))$
$=g^{-1}(1)$

$g^{-1}(1)=k$로 놓으면 $g(k)=1$이므로

$\sqrt{2k-4}=1,\ 2k-4=1$　　$\therefore\ k=\frac{5}{2}$

$\therefore\ (f^{-1}\circ g)^{-1}(0)=g^{-1}(1)=\frac{5}{2}$

(2) $(f\circ g^{-1})^{-1}(2)=(g\circ f^{-1})(2)=g(f^{-1}(2))$

$f^{-1}(2)=k$로 놓으면 $f(k)=2$이므로

$\sqrt{k+1}=2,\ k+1=4$　　$\therefore\ k=3$

$\therefore\ (f\circ g^{-1})^{-1}(2)=g(3)=\sqrt{2}$

(3) $(g\circ f^{-1})^{-1}(4)=(f\circ g^{-1})(4)=f(g^{-1}(4))$

$g^{-1}(4)=k$로 놓으면 $g(k)=4$이므로

$\sqrt{2k-4}=4,\ 2k-4=16$

$2k=20$　　$\therefore\ k=10$

$\therefore\ (g\circ f^{-1})^{-1}(4)=f(10)=\sqrt{11}$

(4) $(g^{-1}\circ f)^{-1}\left(\frac{13}{2}\right)=(f^{-1}\circ g)\left(\frac{13}{2}\right)$

$=f^{-1}\left(g\left(\frac{13}{2}\right)\right)$

$=f^{-1}(3)$

$f^{-1}(3)=k$로 놓으면 $f(k)=3$이므로

$\sqrt{k+1}=3,\ k+1=9\qquad \therefore k=8$

$\therefore (g^{-1}\circ f)^{-1}\left(\frac{13}{2}\right)=f^{-1}(3)=8$

25 답 **(1)** ① $1\le k<\frac{5}{4}$ ② $k<1$ 또는 $k=\frac{5}{4}$ ③ $k>\frac{5}{4}$

(2) ① $-\frac{3}{2}\le k<\frac{1}{2}$ ② $k<-\frac{3}{2}$ 또는 $k=\frac{1}{2}$

③ $k>\frac{1}{2}$

(3) ① $2\le k<\frac{9}{4}$ ② $k<2$ 또는 $k=\frac{9}{4}$ ③ $k>\frac{9}{4}$

풀이 **(1)** $y=\sqrt{x+1}$의 그래프와 직선 $y=x+k$의 교점의 개수가 바뀌는 경우는 그림에서 직선 $y=x+k$가 l 또는 m일 때이다.

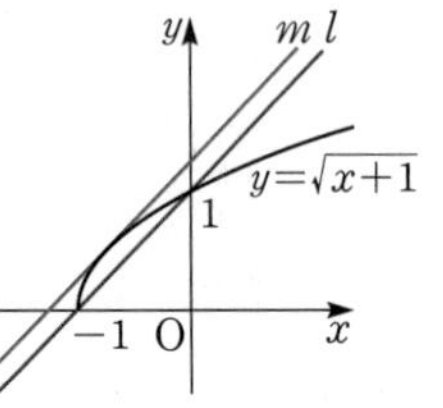

(i) l은 직선 $y=x+k$가 점 $(-1,\ 0)$을 지날 때이므로 $0=-1+k\qquad \therefore k=1$

(ii) m은 $y=\sqrt{x+1}$의 그래프와 직선 $y=x+k$가 접할 때이므로 $\sqrt{x+1}=x+k$의 양변을 제곱하면

$x+1=x^2+2kx+k^2$

$x^2+(2k-1)x+k^2-1=0$

이 이차방정식의 판별식을 D라고 하면

$D=(2k-1)^2-4(k^2-1)=0$

$-4k+5=0\qquad \therefore k=\frac{5}{4}$

① 서로 다른 두 점에서 만날 때는 직선 $y=x+k$가 l일 때부터 m의 아래쪽에 있을 때까지이므로

$1\le k<\frac{5}{4}$

② 한 점에서 만날 때는 직선 $y=x+k$가 l의 아래쪽에 있거나 m일 때이므로

$k<1$ 또는 $k=\frac{5}{4}$

③ 만나지 않을 때는 직선 $y=x+k$가 m의 위쪽에 있을 때이므로

$k>\frac{5}{4}$

(2) $y=\sqrt{4x-12}=\sqrt{4(x-3)}$의 그래프와 직선 $y=\frac{1}{2}x+k$의 교점의 개수가 바뀌는 경우는 그림에서 직선 $y=\frac{1}{2}x+k$가 l 또는 m일 때이다.

(i) l은 직선 $y=\frac{1}{2}x+k$가 점 $(3,\ 0)$을 지날 때이므로

$0=\frac{3}{2}+k\qquad \therefore k=-\frac{3}{2}$

(ii) m은 $y=\sqrt{4x-12}$의 그래프와 직선 $y=\frac{1}{2}x+k$가 접할 때이므로 $\sqrt{4x-12}=\frac{1}{2}x+k$의 양변을 제곱하면

$4x-12=\frac{1}{4}x^2+kx+k^2$

$\frac{1}{4}x^2+(k-4)x+k^2+12=0$

이 이차방정식의 판별식을 D라고 하면

$D=(k-4)^2-(k^2+12)=0$

$-8k+4=0\qquad \therefore k=\frac{1}{2}$

① 서로 다른 두 점에서 만날 때는 $y=\frac{1}{2}x+k$가 l일 때부터 m의 아래쪽에 있을 때까지이므로

$-\frac{3}{2}\le k<\frac{1}{2}$

② 한 점에서 만날 때는 직선 $y=\frac{1}{2}x+k$가 l의 아래쪽에 있거나 m일 때이므로

$k<-\frac{3}{2}$ 또는 $k=\frac{1}{2}$

③ 만나지 않을 때는 직선 $y=\frac{1}{2}x+k$가 m의 위쪽에 있을 때이므로

$k>\frac{1}{2}$

(3) $y=\sqrt{2-x}=\sqrt{-(x-2)}$의 그래프와 직선 $y=-x+k$의 교점의 개수가 바뀌는 경우는 그림에서 직선 $y=-x+k$가 l 또는 m일 때이다.

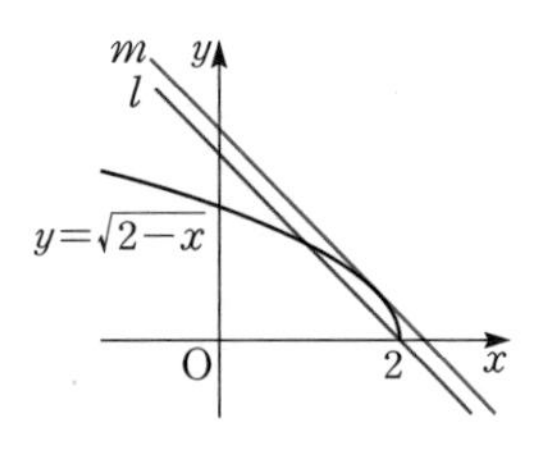

(i) l은 직선 $y=-x+k$가 점 $(2,\ 0)$을 지날 때이므로

$0=-2+k\qquad \therefore k=2$

(ii) m은 $y=\sqrt{2-x}$의 그래프와 직선 $y=-x+k$가 접할 때이므로 $\sqrt{2-x}=-x+k$의 양변을 제곱하면

$2-x=x^2-2kx+k^2$

$x^2-(2k-1)x+k^2-2=0$

이 이차방정식의 판별식을 D라고 하면

$D=(2k-1)^2-4(k^2-2)=0$

$-4k+9=0\qquad \therefore k=\frac{9}{4}$

① 서로 다른 두 점에서 만날 때는 직선 $y=-x+k$가 l일 때부터 m의 아래쪽에 있을 때까지이므로

$2\le k<\frac{9}{4}$

② 한 점에서 만날 때는 직선 $y=-x+k$가 l의 아래쪽에 있거나 m일 때이므로 $k<2$ 또는 $k=\frac{9}{4}$

③ 만나지 않을 때는 직선 $y=-x+k$가 m의 위쪽에 있을 때이므로

$k>\frac{9}{4}$

중단원 점검문제 | V-3. 무리식과 무리함수 109-110쪽

01 답 5

풀이 $\sqrt{6-2x}$에서 $6-2x\geq0$이어야 하므로 $x\leq3$

$\frac{1}{\sqrt{3x-4}}$에서 $3x-4>0$이어야 하므로 $x>\frac{4}{3}$

$\therefore \frac{4}{3}<x\leq3$

따라서 정수 x는 2, 3이므로 구하는 값은 $2+3=5$

02 답 2

풀이 $0<x\leq1$이므로

$$\sqrt{1+\frac{2x+1}{x^2}}-\sqrt{1-\frac{2x-1}{x^2}}$$
$$=\sqrt{\frac{x^2+2x+1}{x^2}}-\sqrt{\frac{x^2-2x+1}{x^2}}$$
$$=\sqrt{\frac{(x+1)^2}{x^2}}-\sqrt{\frac{(x-1)^2}{x^2}}$$
$$=\sqrt{\left(\frac{x+1}{x}\right)^2}-\sqrt{\left(\frac{x-1}{x}\right)^2}$$
$$=\frac{x+1}{x}-\left(-\frac{x-1}{x}\right)=\frac{x+1}{x}+\frac{x-1}{x}$$
$$=\frac{2x}{x}=2$$

03 답 1

풀이 $$\frac{x}{\sqrt{2x+1}-1}-\frac{x}{\sqrt{2x+1}+1}$$
$$=\frac{x(\sqrt{2x+1}+1)-x(\sqrt{2x+1}-1)}{(\sqrt{2x+1}-1)(\sqrt{2x+1}+1)}$$
$$=\frac{2x}{(2x+1)-1}=\frac{2x}{2x}=1$$

04 답 ㄴ, ㄹ

풀이 ㄱ, ㄷ. 다항함수

ㄴ, ㄹ. 무리함수

05 답 ㄹ

풀이 ㄱ. 함수 $y=\sqrt{-3x}$의 그래프를 x축에 대하여 대칭이동한 것이다.

ㄴ. 함수 $y=\sqrt{-3x}$의 그래프를 원점에 대하여 대칭이동한 후 y축의 방향으로 1만큼 평행이동한 것이다.

ㄷ. $y=\sqrt{3x+1}-1=\sqrt{3\left(x+\frac{1}{3}\right)}-1$이므로 함수 $y=\sqrt{-3x}$의 그래프를 y축에 대하여 대칭이동한 후 x축의 방향으로 $-\frac{1}{3}$만큼, y축의 방향으로 -1만큼 평행이동한 것이다.

ㄹ. $y=\sqrt{-3x-1}+1=\sqrt{-3\left(x+\frac{1}{3}\right)}+1$이므로 함수 $y=\sqrt{-3x}$의 그래프를 x축의 방향으로 $-\frac{1}{3}$만큼, y축의 방향으로 1만큼 평행이동한 것이다.

따라서 평행이동하여 함수 $y=\sqrt{-3x}$의 그래프와 겹쳐지는 것은 ㄹ이다.

다른풀이 함수 $y=\sqrt{-3x}$의 그래프를 x축의 방향으로 p만큼, y축의 방향으로 q만큼 평행이동한 그래프의 식은 $y=\sqrt{-3(x-p)}+q=\sqrt{-3x+3p}+q$이다.

따라서 이 식과 같은 꼴을 찾으면 ㄹ이다.

06 답 3

풀이 $y=\sqrt{ax}$의 그래프를 x축의 방향으로 1만큼, y축의 방향으로 2만큼 평행이동한 그래프를 나타내는 식은

$y=\sqrt{a(x-1)}+2$

이 그래프가 점 $(4, 5)$를 지나므로

$5=\sqrt{3a}+2$, $\sqrt{3a}=3$

$3a=9$

$\therefore a=3$

07 답 -3

풀이 $y=\sqrt{-2x+4}-3=\sqrt{-2(x-2)}-3$

이므로 $y=\sqrt{-2x+4}-3$의 그래프는 $y=\sqrt{-2x}$의 그래프를 x축의 방향으로 2만큼, y축의 방향으로 -3만큼 평행이동한 것이다.

따라서 $a=-2$, $b=2$, $c=-3$이므로

$a+b+c=-3$

08 답 제4사분면

풀이 함수 $y=-\sqrt{x-2}-1$의 그래프는 그림과 같다.

따라서 제4사분면만을 지난다.

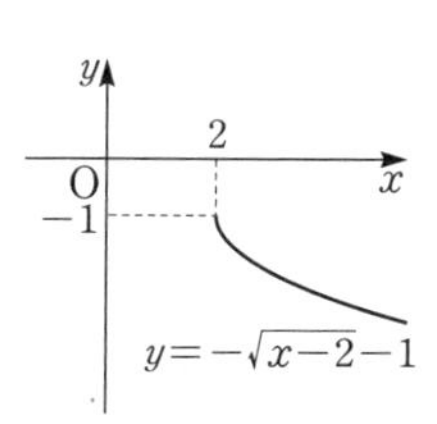

09 답 -4

풀이 함수 $y=f(x)$의 그래프는 $y=-\sqrt{ax}$ $(a<0)$의 그래프를 x축의 방향으로 4만큼, y축의 방향으로 2만큼 평행이동한 것이므로

$f(x)=-\sqrt{a(x-4)}+2$

이 그래프가 점 $(0, -2)$를 지나므로

$f(0)=-\sqrt{-4a}+2=-2$

$\sqrt{-4a}=4$, $-4a=16$

$\therefore a=-4$

따라서 $f(x)=-\sqrt{-4(x-4)}+2$이므로

$f(-5)=-\sqrt{-4\times(-5-4)}+2=-4$

10 답 2

풀이 함수 $y=-\sqrt{x-1}+1$의 그래프는 그림과 같다.

$x=1$일 때 $y=1$, $x=5$일 때 $y=-1$이므로 치역은 $\{y|-1\leq y\leq1\}$이다.

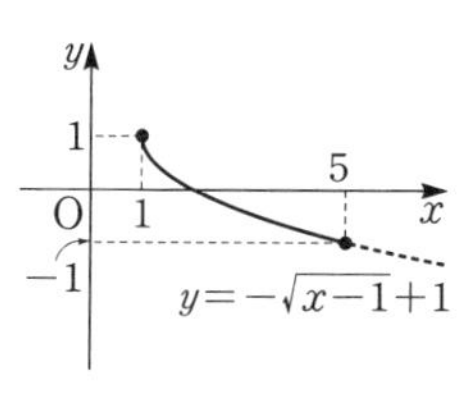

따라서 $a=-1$, $b=1$이므로

$b-a=2$

11 답 5

풀이 함수 $y=\sqrt{4x+a}+1$의 정의역은 $\{x|0\le x\le 2\}$, 치역은 $\{y|2\le y\le b\}$이다.

$x=0$일 때 $y=2$이므로 $2=\sqrt{a}+1$, $a=1$

$x=2$일 때 $y=b$이므로

$b=\sqrt{8+a}+1=\sqrt{8+1}+1=4$

$\therefore a+b=1+4=5$

12 답 6

풀이 $y=x^2-4x+1(x\ge 2)$의 x와 y를 서로 바꾸면

$x=y^2-4y+1$

y를 x에 대한 식으로 나타내면

$y^2-4y+4=x+3$

$(y-2)^2=x+3$

$\therefore y=\sqrt{x+3}+2\ (x\ge -3,\ y\ge 2)$

따라서 $a=3$, $b=2$이므로

$ab=6$

13 답 8

풀이 함수 $y=\sqrt{x}+2$에서 x와 y를 서로 바꾸면 $x=\sqrt{y}+2$이므로 주어진 두 함수는 역함수 관계이다.

두 함수의 그래프의 교점은 함수 $y=\sqrt{x}+2$의 그래프와 직선 $y=x$의 교점과 같다.

$\sqrt{x}+2=x$에서 $\sqrt{x}=x-2$의 양변을 제곱하면

$x=x^2-4x+4$

$x^2-5x+4=0$

$(x-1)(x-4)=0$

주어진 함수 $y=\sqrt{x}+2$에서 $y\ge 2$이므로 역함수의 정의역은 $\{x|x\ge 2\}$이다.

$\therefore x=4$

따라서 교점의 좌표는 $(4,\ 4)$이고 $a=4$, $b=4$이므로

$a+b=8$

14 답 5

풀이 $(f^{-1}\circ g)^{-1}(4)=(g^{-1}\circ f)(4)$

$=g^{-1}(f(4))$

$=g^{-1}(3)$

$g^{-1}(3)=k$로 놓으면 $g(k)=3$이므로

$\sqrt{2k-1}=3$

$2k-1=9$

$\therefore k=5$

$\therefore (f^{-1}\circ g)^{-1}(4)=g^{-1}(3)$

$=5$

15 답 $0\le k<\frac{1}{2}$

풀이 무리함수 $y=\sqrt{2x}$의 그래프는 그림과 같다.

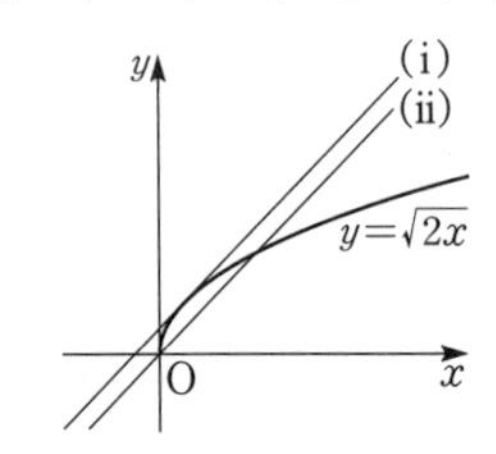

(i) $y=\sqrt{2x}$의 그래프와 직선 $y=x+k$가 접할 때,

$\sqrt{2x}=x+k$의 양변을 제곱하면

$2x=x^2+2kx+k^2$

$x^2+2(k-1)x+k^2=0$

이 이차방정식의 판별식을 D라고 하면

$\frac{D}{4}=(k-1)^2-k^2=0$

$-2k+1=0$

$\therefore k=\frac{1}{2}$

(ii) 직선 $y=x+k$가 원점을 지날 때

$0=0+k\qquad \therefore k=0$

(i), (ii)에 의하여 실수 k의 값의 범위는

$0\le k<\frac{1}{2}$

VI 경우의 수

VI-1 | 경우의 수 112~134쪽

01 답 (1) 6 (2) 3 (3) 4

풀이 (1) 나올 수 있는 모든 경우는 1, 2, 3, 4, 5, 6이므로 경우의 수는 6이다.

(2) 2의 배수의 눈이 나오는 경우는 2, 4, 6이므로 경우의 수는 3이다.

(3) 6의 약수의 눈이 나오는 경우는 1, 2, 3, 6이므로 경우의 수는 4이다.

02 답 (1) 9 (2) 5 (3) 3

풀이 (1) 나올 수 있는 모든 경우는 1, 2, 3, 4, 5, 6, 7, 8, 9이므로 경우의 수는 9이다.

(2) 홀수가 적힌 공이 나오는 경우는 1, 3, 5, 7, 9이므로 경우의 수는 5이다.

(3) 9의 약수가 적힌 공이 나오는 경우는 1, 3, 9이므로 경우의 수는 3이다.

03 답 (1) 3 (2) 2 (3) 5

풀이 (1) 파란 공은 3개이므로 파란 공이 나오는 경우의 수는 3이다.

(2) 빨간 공은 2개이므로 빨간 공이 나오는 경우의 수는 2이다.

(3) 흰 공은 5개이므로 흰 공이 나오는 경우의 수는 5이다.

04 답 (1) 2 (2) 2

풀이 (1) 같은 면이 나오는 경우는 (앞면, 앞면), (뒷면, 뒷면)이므로 경우의 수는 2이다.

(2) 서로 다른 면이 나오는 경우는 (앞면, 뒷면), (뒷면, 앞면)이므로 경우의 수는 2이다.

05 답 (1) 12 (2) 6 (3) 6 (4) 12 (5) 4 (6) 2

풀이 (1)

A < A < B, C ; B < A, C ; C < A, B

B < A < A, C ; C — A

C < A < A, B ; B — A

따라서 구하는 경우의 수는 12이다.

(2)

1 < 2 — 3 ; 3 — 2

2 < 1 — 3 ; 3 — 1

3 < 1 — 2 ; 2 — 1

따라서 구하는 자연수의 개수는 6이다.

(3) A를 가장 앞에 세우고 3명의 학생 B, C, D를 세우는 수형도를 그려 보면 다음과 같다.

B < C — D ; D — C

C < B — D ; D — B

D < B — C ; C — B

따라서 구하는 경우의 수는 6이다.

(4)

A < B < B — C, C — B ; C — B — B

B < A < B — C, C — B ; B < A — C, C — A ; C < A — B, B — A

C < A — B — B ; B < A — B, B — A

따라서 구하는 경우의 수는 12이다.

(5) $a_1 \neq 4$, $a_3 = 3$에서 a_1은 1 또는 2, a_3은 3만 올 수 있으므로 수형도를 그려 보면 다음과 같다.

1 < 2 — 3 — 4 ; 4 — 3 — 2

2 < 1 — 3 — 4 ; 4 — 3 — 1

따라서 구하는 자연수의 개수는 4이다.

(6) A B C

B < C — A ; A — C(×)

C < A — B ; B(×) — A

따라서 구하는 경우의 수는 2이다.

06 답 (1) 9 (2) 20

풀이 (1) 합의 법칙에 의하여 구하는 경우의 수는 $5+4=9$

(2) 곱의 법칙에 의하여 구하는 경우의 수는 $5\times4=20$

07 답 (1) 10 (2) 24

풀이 (1) 합의 법칙에 의하여 구하는 경우의 수는 $6+4=10$

(2) 곱의 법칙에 의하여 구하는 경우의 수는 $6\times4=24$

08 답 (1) 15 (2) 56

풀이 (1) 합의 법칙에 의하여 구하는 경우의 수는 $7+8=15$

(2) 곱의 법칙에 의하여 구하는 경우의 수는 $7\times8=56$

09 답 (1) 14　(2) 90

풀이 (1) 합의 법칙에 의하여 구하는 경우의 수는
$6+5+3=14$
(2) 곱의 법칙에 의하여 구하는 경우의 수는 $6\times5\times3=90$

10 답 (1) 15　(2) 16　(3) 38

풀이 (1) $A \rightarrow B \rightarrow D$의 경로로 가는 경우는
$3\times1=3$(가지)
$A \rightarrow C \rightarrow D$의 경로로 가는 경우는
$2\times2=4$(가지)
$A \rightarrow B \rightarrow C \rightarrow D$의 경로로 가는 경우는
$3\times1\times2=6$(가지)
$A \rightarrow C \rightarrow B \rightarrow D$의 경로로 가는 경우는
$2\times1\times1=2$(가지)
따라서 합의 법칙에 의하여 구하는 방법의 수는
$3+4+6+2=\underline{15}$
(2) $A \rightarrow B \rightarrow D$의 경로로 가는 경우는
$2\times2=4$(가지)
$A \rightarrow C \rightarrow D$의 경로로 가는 경우는
$3\times4=12$(가지)
따라서 합의 법칙에 의하여 구하는 방법의 수는
$4+12=16$
(3) $A \rightarrow B \rightarrow D$의 경로로 가는 경우는
$3\times2=6$(가지)
$A \rightarrow C \rightarrow D$의 경로로 가는 경우는
$2\times3=6$(가지)
$A \rightarrow B \rightarrow C \rightarrow D$의 경로로 가는 경우는
$3\times2\times3=18$(가지)
$A \rightarrow C \rightarrow B \rightarrow D$의 경로로 가는 경우는
$2\times2\times2=8$(가지)
따라서 합의 법칙에 의하여 구하는 방법의 수는
$6+6+18+8=38$

11 답 (1) 9　(2) 6　(3) 6

풀이 주사위의 눈의 수는 1, 2, 3, ⋯, 6이므로 눈의 수의 합은 2, 3, 4, ⋯, 12이다.
(1) 4의 배수가 될 때는 4 또는 8 또는 12이다.
(i) 눈의 수의 합이 4가 되는 경우는
(1, 3), (2, 2), (3, 1)의 3가지
(ii) 눈의 수의 합이 8이 되는 경우는
(2, 6), (3, 5), (4, 4), (5, 3), (6, 2)의 5가지
(iii) 눈의 수의 합이 12가 되는 경우는
(6, 6)의 1가지
따라서 합의 법칙에 의하여 구하는 경우의 수는
$3+5+1=\underline{9}$
(2) 4 이하가 될 때는 2 또는 3 또는 4이다.
(i) 눈의 수의 합이 2가 되는 경우는 (1, 1)의 1가지
(ii) 눈의 수의 합이 3이 되는 경우는
(1, 2), (2, 1)의 2가지
(iii) 눈의 수의 합이 4가 되는 경우는
(1, 3), (2, 2), (3, 1)의 3가지
따라서 합의 법칙에 의하여 구하는 경우의 수는
$1+2+3=6$
(3) 6의 배수가 될 때는 6 또는 12이다.
(i) 눈의 수의 합이 6이 되는 경우는
(1, 5), (2, 4), (3, 3), (4, 2), (5, 1)의 5가지
(ii) 눈의 수의 합이 12가 되는 경우
(6, 6)의 1가지
따라서 합의 법칙에 의하여 구하는 경우의 수는
$5+1=6$

12 답 (1) 6　(2) 5　(3) 7　(4) 16

풀이 (1) z의 계수가 가장 크므로 z를 기준으로 구한다.
(i) $z=1$일 때, $x+2y=10$이므로
$(x, y)=(8, 1), (6, 2), (4, 3), (2, 4)$의 4가지
(ii) $z=2$일 때, $x+2y=5$이므로
$(x, y)=(3, 1), (1, 2)$의 2가지
따라서 구하는 방법의 수는 $4+2=\underline{6}$
(2) z의 계수가 가장 크므로 z를 기준으로 구한다.
(i) $z=1$일 때, $x+2y=8$이므로
$(x, y)=(6, 1), (4, 2), (2, 3)$의 3가지
(ii) $z=2$일 때, $x+2y=5$이므로
$(x, y)=(3, 1), (1, 2)$의 2가지
따라서 구하는 방법의 수는 $3+2=5$
(3) y의 계수가 가장 크므로 y를 기준으로 구한다.
(i) $y=1$일 때, $x+2z=14$이므로
$(x, z)=(12, 1), (10, 2), (8, 3), (6, 4), (4, 5), (2, 6)$의 6가지
(ii) $y=2$일 때, $x+2z=4$이므로
$(x, z)=(2, 1)$의 1가지
따라서 구하는 방법의 수는 $6+1=7$
(4) x의 계수가 가장 크므로 x를 기준으로 구한다.
(i) $x=1$일 때, $2y+z=16$이므로
$(y, z)=(1, 14), (2, 12), (3, 10), (4, 8), (5, 6), (6, 4), (7, 2)$의 7가지
(ii) $x=2$일 때, $2y+z=12$이므로
$(y, z)=(1, 10), (2, 8), (3, 6), (4, 4), (5, 2)$의 5가지
(iii) $x=3$일 때, $2y+z=8$이므로
$(y, z)=(1, 6), (2, 4), (3, 2)$의 3가지
(iv) $x=4$일 때, $2y+z=4$이므로
$(y, z)=(1, 2)$의 1가지
따라서 구하는 방법의 수는 $7+5+3+1=16$

13 답 (1) 6　(2) 8　(3) 9　(4) 24

풀이 (1) a, b 각각에 대하여 x, y, z 중 하나가 곱해진다.
따라서 구하는 항의 개수는 $2\times\underline{3}=\underline{6}$
(2) a, b, c, d 각각에 대하여 x, y 중 하나가 곱해진다.
따라서 구하는 항의 개수는 $4\times2=8$

(3) 1, x, x^2 각각에 대하여 1, x^3, x^6 중 하나가 곱해진다.
따라서 구하는 항의 개수는 $3\times3=9$

(4) a, b 각각에 대하여 c, d, e 중 하나, f, g, h, i 중 하나가 곱해진다.
따라서 구하는 항의 개수는 $2\times3\times4=24$

다른 풀이

(1)

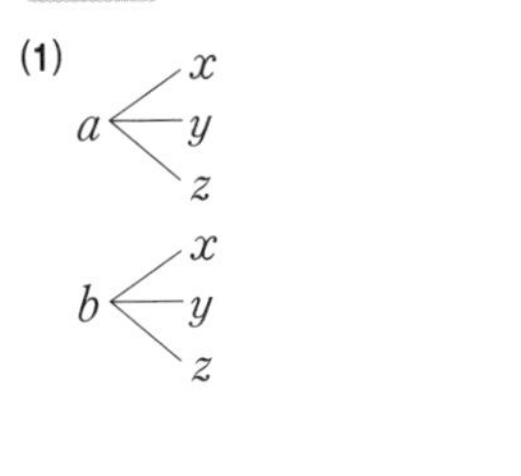

∴ 6가지

(2)

a – x, y
b – x, y
c – x, y
d – x, y

∴ 8가지

(3)

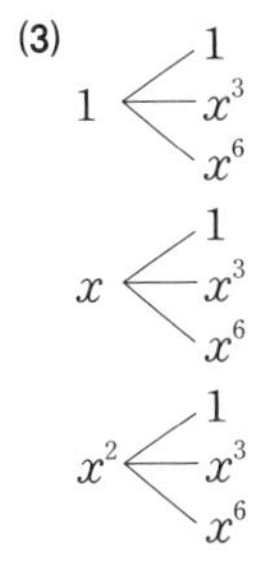

∴ 9가지

(4)

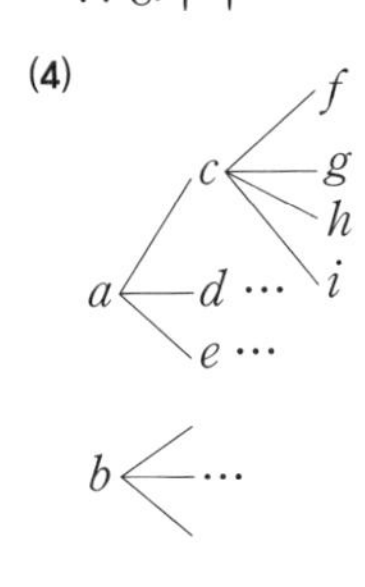

∴ 24가지

14 답 (1) 9 (2) 9 (3) 12 (4) 24

풀이 (1) 36을 소인수분해하면 $36=2^2\times3^2$이므로 36의 양의 약수는 2^2의 양의 약수인 1, 2, 2^2 중에서 하나의 수, 3^2의 양의 약수인 1, 3, 3^2 중에서 하나의 수를 각각 선택하여 곱한 수이다.

×	1	2	2^2
1	1×1	1×2	1×2^2
3	3×1	3×2	3×2^2
3^2	$3^2\times1$	$3^2\times2$	$3^2\times2^2$

따라서 곱의 법칙에 의하여 36의 양의 약수의 개수는
$3\times3=9$

(2) 100을 소인수분해하면 $100=2^2\times5^2$이므로 100의 양의 약수는 2^2의 양의 약수인 1, 2, 2^2 중에서 하나의 수, 5^2의 양의 약수인 1, 5, 5^2 중에서 하나의 수를 각각 선택하여 곱한 수이다.
따라서 곱의 법칙에 의하여 100의 양의 약수의 개수는
$3\times3=9$

(3) 108을 소인수분해하면 $108=2^2\times3^3$이므로 108의 양의 약수는 2^2의 양의 약수인 1, 2, 2^2 중에서 하나의 수, 3^3의 양의 약수인 1, 3, 3^2, 3^3 중에서 하나의 수를 각각 선택하여 곱한 수이다.
따라서 곱의 법칙에 의하여 108의 양의 약수의 개수는
$3\times4=12$

(4) 360을 소인수분해하면 $360=2^3\times3^2\times5$이므로 360의 양의 약수는 2^3의 양의 약수인 1, 2, 2^2, 2^3 중에서 하나의 수, 3^2의 양의 약수인 1, 3, 3^2 중에서 하나의 수, 5의 양의 약수인 1, 5 중에서 하나의 수를 각각 선택하여 곱한 수이다.
따라서 곱의 법칙에 의하여 360의 양의 약수의 개수는
$4\times3\times2=24$

다른 풀이 자연수 $p^l\times q^m\times r^n$ (p, q, r는 서로 다른 소수, l, m, n은 자연수)의 양의 약수의 개수는 $(l+1)(m+1)(n+1)$이다.

(1) $36=2^2\times3^2$이므로 양의 약수의 개수는
$(2+1)\times(2+1)=9$

(2) $100=2^2\times5^2$이므로 양의 약수의 개수는
$(2+1)\times(2+1)=9$

(3) $108=2^2\times3^3$이므로 양의 약수의 개수는
$(2+1)\times(3+1)=12$

(4) $360=2^3\times3^2\times5$이므로 양의 약수의 개수는
$(3+1)\times(2+1)\times(1+1)=24$

15 답 (1) 48 (2) 48 (3) 72

풀이 (1) A에 칠할 수 있는 색은 4가지
B에 칠할 수 있는 색은 A에 칠한 색을 제외한 3가지
C에 칠할 수 있는 색은 A, B에 칠한 색을 제외한 2가지
D에 칠할 수 있는 색은 A, C에 칠한 색을 제외한 2가지
따라서 구하는 방법의 수는
$4\times3\times2\times2=48$

(2) A에 칠할 수 있는 색은 4가지
B에 칠할 수 있는 색은 A에 칠한 색을 제외한 3가지
C에 칠할 수 있는 색은 A, B에 칠한 색을 제외한 2가지
D에 칠할 수 있는 색은 B, C에 칠한 색을 제외한 2가지
따라서 구하는 방법의 수는
$4\times3\times2\times2=48$

(3) A에 칠할 수 있는 색은 4가지
B에 칠할 수 있는 색은 A에 칠한 색을 제외한 3가지
C에 칠할 수 있는 색은 B에 칠한 색을 제외한 3가지
D에 칠할 수 있는 색은 B, C에 칠한 색을 제외한 2가지
따라서 구하는 방법의 수는
$4\times3\times3\times2=72$

16 답 (1) ① 23 ② 19 (2) ① 44 ② 26 (3) ① 29 ② 24

풀이 (1) ① 100원짜리 1개로 지불할 수 있는 방법
➡ 0개, 1개의 2가지
50원짜리 2개로 지불할 수 있는 방법
➡ 0개, 1개, 2개의 3가지
10원짜리 3개로 지불할 수 있는 방법
➡ 0개, 1개, 2개, 3개의 4가지
모두 0개인 경우는 지불하는 방법이 아니다.
따라서 구하는 방법의 수는
$2\times3\times4-1=23$

② 100원짜리 1개로 만들 수 있는 금액
➡ 0원, 100원 …… ㉠
50원짜리 2개로 만들 수 있는 금액

➡ 0원, 50원, 100원 …… ㉡

10원짜리 3개로 만들 수 있는 금액

➡ 0원, 10원, 20원, 30원

그런데 ㉠, ㉡에서 100원이 중복되므로 100원짜리 1개를 50원짜리 2개로 생각하면 구하는 금액의 수는 50원짜리 4개, 10원짜리 3개로 지불할 수 있는 방법의 수와 같다.

50원짜리 4개로 지불할 수 있는 방법

➡ 0개, 1개, 2개, 3개, 4개의 5가지

10원짜리 3개로 지불할 수 있는 방법

➡ 0개, 1개, 2개, 3개의 4가지

0원인 경우는 지불하는 금액이 아니다.

따라서 구하는 금액의 수는

$5\times4-1=\underline{19}$

(2) ① 500원짜리 2개로 지불할 수 있는 방법

➡ 0개, 1개, 2개의 3가지

100원짜리 2개로 지불할 수 있는 방법

➡ 0개, 1개, 2개의 3가지

50원짜리 4개로 지불할 수 있는 방법

➡ 0개, 1개, 2개, 3개, 4개의 5가지

모두 0개인 경우는 지불하는 방법이 아니다.

따라서 구하는 방법의 수는

$3\times3\times5-1=44$

② 500원짜리 2개로 만들 수 있는 금액

➡ 0원, 500원, 1000원

100원짜리 2개로 만들 수 있는 금액

➡ 0원, 100원, 200원 …… ㉠

50원짜리 4개로 만들 수 있는 금액

➡ 0원, 50원, 100원, 150원, 200원 …… ㉡

그런데 ㉠, ㉡에서 100원, 200원이 중복되므로 100원짜리 2개를 50원짜리 4개로 생각하면 구하는 금액의 수는 500원짜리 2개, 50원짜리 8개로 지불할 수 있는 방법의 수와 같다.

500원짜리 2개로 지불할 수 있는 방법

➡ 0개, 1개, 2개의 3가지

50원짜리 8개로 지불할 수 있는 방법

➡ 0개, 1개, 2개, …, 8개의 9가지

0원인 경우는 지불하는 금액이 아니다.

따라서 구하는 금액의 수는

$3\times9-1=26$

(3) ① 1000원짜리 1장으로 지불할 수 있는 방법

➡ 0개, 1개의 2가지

500원짜리 2개로 지불할 수 있는 방법

➡ 0개, 1개, 2개의 3가지

100원짜리 4개로 지불할 수 있는 방법

➡ 0개, 1개, 2개, 3개, 4개의 5가지

모두 0개인 경우는 지불하는 방법이 아니다.

따라서 구하는 방법의 수는

$2\times3\times5-1=29$

② 1000원짜리 1장으로 만들 수 있는 금액

➡ 0원, 1000원 …… ㉠

500원짜리 2개로 만들 수 있는 금액

➡ 0원, 500원, 1000원 …… ㉡

100원짜리 4개로 만들 수 있는 금액

➡ 0원, 100원, 200원, 300원, 400원

그런데 ㉠, ㉡에서 1000원이 중복되므로 1000원짜리 1장을 500원짜리 2개로 생각하면 구하는 금액의 수는 500원짜리 4개, 100원짜리 4개로 지불할 수 있는 방법의 수와 같다.

500원짜리 4개로 지불할 수 있는 방법

➡ 0개, 1개, 2개, 3개, 4개의 5가지

100원짜리 4개로 지불할 수 있는 방법

➡ 0개, 1개, 2개, 3개, 4개의 5가지

0원인 경우는 지불하는 금액이 아니다.

따라서 구하는 금액의 수는

$5\times5-1=24$

다른 풀이 단위가 다른 화폐가 각각 p개, q개, r개일 때, 지불할 수 있는 방법의 수는 $(p+1)(q+1)(r+1)-1$이다.

(1) ① $(1+1)\times(2+1)\times(3+1)-1=23$

(2) ① $(2+1)\times(2+1)\times(4+1)-1=44$

(3) ① $(1+1)\times(2+1)\times(4+1)-1=29$

17 **답** **(1)** ${}_4P_3$ **(2)** ${}_8P_4$ **(3)** ${}_5P_5$ **(4)** ${}_{10}P_1$

풀이 **(1)** 서로 다른 4개에서 3개를 택하여 일렬로 나열하는 방법의 수는 $\underline{{}_4P_3}$

18 **답** **(1)** 90 **(2)** 210 **(3)** 720 **(4)** 5 **(5)** 1 **(6)** 24

풀이 **(1)** ${}_{10}P_2=10\times9=\underline{90}$

(2) ${}_7P_3=7\times6\times5=210$

(3) ${}_6P_6=6!=6\times5\times4\times3\times2\times1=720$

(6) $4!=4\times3\times2\times1=24$

19 **답** **(1)** 6 **(2)** 4 **(3)** 5 **(4)** 6 **(5)** 7 **(6)** 9

풀이 **(1)** ${}_nP_2=30$에서 $n(n-1)=6\times5$이므로 $n=\underline{6}$

(2) ${}_nP_n=24$에서

$n(n-1)\cdots2\cdot1=4\times3\times2\times1$이므로 $n=4$

(3) ${}_nP_3\times3!=360$에서 ${}_nP_3\times6=360$

${}_nP_3=60$에서 $n(n-1)(n-2)=5\times4\times3$이므로

$n=5$

(4) ${}_nP_2=5n$에서 $n(n-1)=5n$

${}_nP_2$에서 $n\geq2$이므로 $n-1=5$ $\quad\therefore n=6$

(5) ${}_nP_4=20{}_nP_2$에서

$n(n-1)(n-2)(n-3)=20n(n-1)$

${}_nP_4$에서 $n\geq4$이므로 $(n-2)(n-3)=20$

$(n-2)(n-3)=5\times4$ $\quad\therefore n=7$

(6) ${}_nP_3:{}_nP_2=7:1$에서 ${}_nP_3=7{}_nP_2$이므로

$n(n-1)(n-2)=7n(n-1)$

${}_nP_3$에서 $n\geq3$이므로 $n-2=7$ $\quad\therefore n=9$

20 답 (1) 3 (2) 2 (3) 2
(4) 6 (5) 2 (6) 4

풀이 (1) ${}_5P_r=60=5\times4\times3$이므로 $r=\underline{3}$

(2) ${}_8P_r=56=8\times7$이므로 $r=2$

(3) ${}_{10}P_r=90=10\times9$이므로 $r=2$

(4) ${}_rP_r=720$에서

$r(r-1)\cdots3\cdot2\cdot1=6\times5\times4\times3\times2\times1$이므로

$r=6$

(5) ${}_9P_r\times5!=8640$에서 ${}_9P_r\times120=8640$

${}_9P_r=72=9\times8$이므로 $r=2$

(6) ${}_6P_r=15{}_4P_3$에서 ${}_6P_r=15\times4\times3\times2$

${}_6P_r=6\times5\times4\times3$이므로 $r=4$

21 답 (1) 72 (2) 6 (3) 90 (4) 336 (5) 20
(6) 24 (7) 380 (8) 24 (9) 120 (10) 60

풀이 (1) 서로 다른 9개에서 2개를 택하는 순열의 수와 같으므로 ${}_9P_2=9\times8=\underline{72}$

(2) ${}_3P_3=3!=3\times2\times1=6$

(3) ${}_{10}P_2=10\times9=90$

(4) ${}_8P_3=8\times7\times6=336$

(5) ${}_5P_2=5\times4=20$

(6) ${}_4P_4=4\times3\times2\times1=24$

(7) ${}_{20}P_2=20\times19=380$

(8) ${}_4P_3=4\times3\times2=24$

(9) ${}_5P_5=5\times4\times3\times2\times1=120$

(10) ${}_5P_3=5\times4\times3=60$

22 답 (1) 144 (2) 240 (3) 1440
(4) 48 (5) 288 (6) 1440

풀이 (1) 여학생 3명을 한 사람으로 생각하여 4명을 일렬로 세우는 경우의 수는 $4!=24$

여학생 3명이 자리를 바꾸는 경우의 수는 $3!=6$

따라서 구하는 경우의 수는 $24\times6=\underline{144}$

(2) A, B를 한 사람으로 생각하여 5명을 일렬로 세우는 경우의 수는 $5!=120$

A, B가 자리를 바꾸는 경우의 수는 $2!=2$

따라서 구하는 경우의 수는 $120\times2=240$

(3) a와 c를 한 문자로 생각하여 6개를 일렬로 세우는 경우의 수는 $6!=720$

a와 c가 자리를 바꾸는 경우의 수는 $2!=2$

따라서 구하는 경우의 수는 $720\times2=1440$

(4) 모음 e와 o를 한 문자로 생각하여 4개를 일렬로 세우는 경우의 수는 $4!=24$

e와 o가 자리를 바꾸는 경우의 수는 $2!=2$

따라서 구하는 경우의 수는 $24\times2=48$

(5) 중학생 4명을 한 사람, 고등학생 3명을 한 사람으로 생각하여 2명을 일렬로 세우는 경우의 수는 $2!=2$

중학생 4명이 자리를 바꾸는 경우의 수는 $4!=24$

고등학생 3명이 자리를 바꾸는 경우의 수는 $3!=6$

따라서 구하는 경우의 수는 $2\times24\times6=288$

(6) 국어책 3권을 한 권, 영어책 2권을 한 권으로 생각하여 5권을 일렬로 꽂는 경우의 수는 $5!=120$

국어책 3권의 자리를 바꾸어 꽂는 경우의 수는

$3!=6$

영어책 2권의 자리를 바꾸어 꽂는 경우의 수는

$2!=2$

따라서 구하는 경우의 수는 $120\times6\times2=1440$

23 답 (1) 1440 (2) 72 (3) 480
(4) 14400 (5) 144

풀이 (1) 남학생 4명을 일렬로 세우는 경우의 수는 $4!=24$

∨Ⓝ∨Ⓝ∨Ⓝ∨Ⓝ∨ (∨㉠남∨남∨남∨남∨)

남학생의 양 끝과 사이사이의 5개의 자리에 여학생 3명을 세우는 경우의 수는 ${}_5P_3=60$

따라서 구하는 경우의 수는 $24\times60=\underline{1440}$

(2) A, B를 제외한 학생 3명을 일렬로 세우는 경우의 수는

$3!=6$

∨(학)∨(학)∨(학)∨

이들의 양 끝과 사이사이의 4개의 자리에 A, B 2명을 세우는 경우의 수는 ${}_4P_2=12$

따라서 구하는 경우의 수는 $6\times12=72$

(3) 4개의 자음 b, c, d, f를 일렬로 나열하는 경우의 수는

$4!=24$

∨(자)∨(자)∨(자)∨(자)∨

자음의 양 끝과 사이사이의 5개의 자리에 모음 a, e 2개를 나열하는 경우의 수는 ${}_5P_2=20$

따라서 구하는 경우의 수는 $24\times20=480$

(4) 2학년 학생 5명을 일렬로 세우는 경우의 수는

$5!=120$

∨②∨②∨②∨②∨②∨

2학년의 학생 양 끝과 사이사이의 6개의 자리에 1학년 학생 3명을 세우는 경우의 수는 ${}_6P_3=120$

따라서 구하는 경우의 수는 $120\times120=14400$

(5) 과학책 3권을 일렬로 꽂는 경우의 수는 $3!=6$

∨(과)∨(과)∨(과)∨

과학책의 양 끝과 사이사이의 4개의 자리에 수학책 3권을 꽂는 경우의 수는 ${}_4P_3=24$

따라서 구하는 경우의 수는 $6\times24=144$

24 답 (1) 120 (2) 210 (3) 20 (4) 30 (5) 24

풀이 (1) 맨 앞에 A를 세우고 나머지 5명 중에서 4명을 택하여 일렬로 세우면 되므로 구하는 경우의 수는 ${}_5P_4=\underline{120}$

(2) 맨 뒤에 선생님을 세우고 나머지 7명 중에서 3명을 택하여 일렬로 세우면 되므로 구하는 경우의 수는 ${}_7P_3=210$

(3) 회장으로 F를 뽑고 나머지 5명 중에서 부회장 1명, 총무 1명을 뽑으면 되므로 구하는 경우의 수는 ${}_5P_2=20$

(4) 맨 뒤에 g를 나열하고 나머지 6개 중에서 2개를 택하여 일렬로 나열하면 되므로 ${}_6P_2=30$

(5) 맨 앞에 a를 나열하고 나머지 4개 중에서 3개를 택하여 일렬로 나열하면 되므로 ${}_4P_3=24$

25 답 (1) 576 (2) 70 (3) 84 (4) 108 (5) 3600

풀이 (1) (i) 6개의 문자를 일렬로 나열하는 경우의 수는 $6!=720$

(ii) 양 끝에 모두 모음이 오는 경우의 수는

(o, a, e 중 2개를 양 끝에 나열하는 경우의 수)

×(나머지 4개를 나열하는 경우의 수)

이므로 ${}_3P_2\times4!=6\times24=144$

(i), (ii)에서 구하는 경우의 수는 $720-144=576$

(2) (i) 10명의 학생 중에서 회장 1명, 부회장 1명을 뽑는 경우의 수는 ${}_{10}P_2=90$

(ii) 회장과 부회장이 모두 여학생인 경우의 수는

여학생 5명 중에서 회장 1명, 부회장 1명을 뽑는 경우의 수와 같으므로 ${}_5P_2=20$

(i), (ii)에서 구하는 경우의 수는 $90-20=70$

(3) (i) 5개의 문자를 일렬로 나열하는 경우의 수는 $5!=120$

(ii) 양 끝에 모두 자음이 오는 경우의 수는

(p, w, r 중 2개를 양 끝에 나열하는 경우의 수)

×(나머지 3개를 나열하는 경우의 수)

이므로 ${}_3P_2\times3!=6\times6=36$

(i), (ii)에서 구하는 경우의 수는 $120-36=84$

(4) (i) 5개의 문자를 일렬로 나열하는 경우의 수는 $5!=120$

(ii) a, b, c 중에서 어느 것도 이웃하지 않도록 나열하는 경우의 수는

(d, e를 나열하는 경우의 수)×

(d와 e 사이와 양 끝에 a, b, c를 나열하는 경우의 수)

이므로 $2!\times{}_3P_3=2\times6=12$

(i), (ii)에서 구하는 경우의 수는 $120-12=108$

(5) (i) 7개의 문자를 일렬로 나열하는 경우의 수는 $7!=5040$

(ii) a, e, i 중에서 어느 것도 이웃하지 않도록 나열하는 경우의 수는

(s, p, c, l을 나열하는 경우의 수)

×(s, p, c, l 사이와 양 끝에 a, e, i를 나열하는 경우의 수)

이므로 $4!\times{}_5P_3=24\times60=1440$

(i), (ii)에서 구하는 경우의 수는 $5040-1440=3600$

26 답 (1) 72 (2) 1152

풀이 (1) (i) 남㉠여남㉠여남㉠여로 서는 경우

남학생 자리에 3명을 일렬로 세우는 경우의 수는 $3!$

여학생 자리에 3명을 일렬로 세우는 경우의 수는 $3!$

이므로 $3!\times3!=36$

(ii) 여남여남여남으로 서는 경우

여학생 자리에 3명을 일렬로 세우는 경우의 수는 $3!$

남학생 자리에 3명을 일렬로 세우는 경우의 수는 $3!$

이므로 $3!\times3!=36$

(i), (ii)에서 구하는 경우의 수는 $36+36=72$

(2) (i) 영중영중영중영중으로 꽂는 경우

영어책 자리에 4권을 일렬로 꽂는 경우의 수는 $4!$

중국어책 자리에 4권을 일렬로 꽂는 경우의 수는 $4!$

이므로 $4!\times4!=576$

(ii) 중영중영중영중영으로 꽂는 경우

중국어책 자리에 4권을 일렬로 꽂는 경우의 수는 $4!$

영어책 자리에 4권을 일렬로 꽂는 경우의 수는 $4!$

이므로 $4!\times4!=576$

(i), (ii)에서 구하는 경우의 수는 $576+576=1152$

27 답 (1) 12 (2) 144

풀이 (1) 고등학생 2명을 일렬로 세우고 양 끝과 그 사이에 중학생 3명을 세우면 된다.

중고중고중

따라서 구하는 경우의 수는 $2!\times3!=12$

(2) 모음 u, i, e 3개를 일렬로 나열하고 양 끝과 그 사이사이에 자음 j, s, t, c 4개를 나열하면 된다.

자모자모자모자

따라서 구하는 경우의 수는 $3!\times4!=144$

28 답 (1) 11 (2) 68

풀이 (1) a□□□ 꼴인 문자열의 개수는 $3!=6$

ba□□, bc□□ 꼴인 문자열의 개수는 $2\times2!=4$

bd□□ 꼴인 문자열에서 $bdac$의 순서는 1번째

따라서 $bdac$가 나타나는 순서는 $6+4+1=11$

(2) ㄱ□□□□, ㄴ□□□□ 꼴인 문자열의 개수는

$2\times4!=48$

ㄷㄱ□□□, ㄷㄴ□□□, ㄷㄹ□□□ 꼴인 문자열의 개수는 $3\times3!=18$

ㄷㅁ□□□ 꼴인 문자열의 순서는

ㄷㅁㄱㄴㄹ, ㄷㅁㄱㄹㄴ, …

이므로 ㄷㅁㄱㄹㄴ은 2번째이다.

따라서 ㄷㅁㄱㄹㄴ이 나타나는 순서는

$48+18+2=68$

29 답 (1) $dacb$ (2) ㄹㄱㄷㄴㅁ

풀이 (1) a□□□ 꼴인 문자열의 개수는 $3!=6$

b□□□ 꼴인 문자열의 개수는 $3!=6$

c□□□ 꼴인 문자열의 개수는 $3!=6$

a 또는 b 또는 c를 시작으로 하는 문자열이 모두 18개이므로 20번째로 나타나는 문자열은 d□□□ 꼴인 문자열에서 2번째에 있다.

d□□□ 꼴인 문자열의 순서는 $dabc$, $dacb$, …

따라서 구하는 문자열은 $dacb$이다.

(2) ㄱ□□□□ 꼴인 문자열의 개수는 $4!=24$

ㄴ□□□□ 꼴인 문자열의 개수는 $4!=24$

ㄷ□□□□ 꼴인 문자열의 개수는 $4!=24$

ㄱ 또는 ㄴ 또는 ㄷ을 시작으로 하는 문자열이 모두 72개이므로 75번째로 나타나는 문자열은 ㄹ□□□□ 꼴인 문자열에서 3번째에 있다.

ㄹ□□□□ 꼴인 문자열의 순서는

ㄹㄱㄴㄷㅁ, ㄹㄱㄴㅁㄷ, ㄹㄱㄷㄴㅁ, …

따라서 구하는 문자열은 ㄹㄱㄷㄴㅁ이다.

30 답 (1) 48 (2) 120 (3) 300 (4) 720

풀이 (1) 백의 자리에는 0이 올 수 없으므로 백의 자리에 올 수 있는 숫자는 1, 2, 3, 4의 4가지이다.
십, 일의 자리에는 백의 자리에 온 숫자를 제외한 4개의 숫자 중에서 2개를 택하여 일렬로 배열하면 되므로
$_4P_2=12$
따라서 구하는 자연수의 개수는
$4\times\underline{12}=\underline{48}$

(2) 5개의 숫자 중에서 4개를 택하여 일렬로 배열하면 되므로 $_5P_4=120$

(3) 천의 자리에는 0이 올 수 없으므로 천의 자리에 올 수 있는 숫자는 1, 2, 3, 4, 5의 5가지이다.
백, 십, 일의 자리에는 천의 자리에 온 숫자를 제외한 5개의 숫자 중에서 3개를 택하여 일렬로 배열하면 되므로
$_5P_3=60$
따라서 구하는 자연수의 개수는
$5\times60=300$

(4) 천의 자리에는 0이 올 수 없으므로 천의 자리에 올 수 있는 숫자는 1, 2, 3, 4, 5, 6의 6가지이다.
백, 십, 일 자리에는 천의 자리에 온 숫자를 제외한 6개의 숫자 중에서 3개를 택하여 일렬로 배열하면 되므로
$_6P_3=120$
따라서 구하는 자연수의 개수는
$6\times120=720$

31 답 (1) 30 (2) 156

풀이 (1) (i) □□0 꼴
4개의 숫자 1, 2, 3, 4에서 서로 다른 2개의 숫자를 택하여 일렬로 배열하면 되므로 $_4P_2=\underline{12}$
(ii) □□2, □□4 꼴
백의 자리에는 0이 올 수 없으므로 3개의 숫자가 올 수 있고, 십의 자리에는 백의 자리와 일의 자리에 온 숫자를 제외한 3개의 숫자가 올 수 있으므로
$3\times3\times2=18$
(i), (ii)에서 구하는 짝수의 개수는 $12+18=\underline{30}$

(2) (i) □□□0 꼴
5개의 숫자 1, 2, 3, 4, 5에서 서로 다른 3개의 숫자를 택하여 일렬로 배열하면 되므로 $_5P_3=60$
(ii) □□□2, □□□4 꼴
천의 자리에는 0이 올 수 없으므로 4개의 숫자가 올 수 있고, 백, 십의 자리에는 천의 자리와 일의 자리에 온 숫자를 제외한 4개의 숫자에서 2개를 택하여 일렬로 배열하면 되므로 $4\times{}_4P_2\times2=96$
(i), (ii)에서 구하는 짝수의 개수는 $60+96=156$

32 답 (1) 15 (2) 72

풀이 (1) (i) □04, □20, □40 꼴
3개의 숫자에서 1개의 숫자를 택하면 되므로
$_3P_1\times3=3\times3=9$

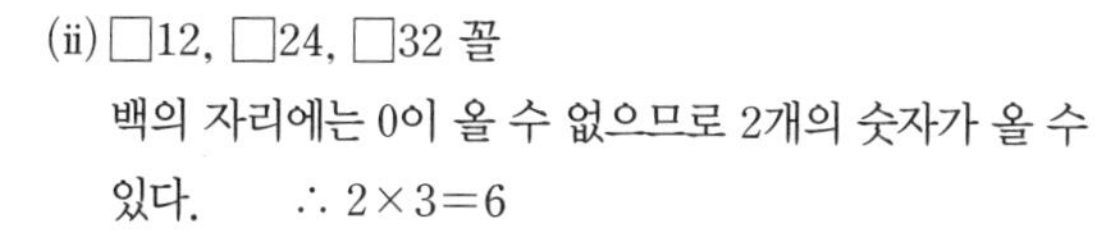

(ii) □12, □24, □32 꼴
백의 자리에는 0이 올 수 없으므로 2개의 숫자가 올 수 있다. $\therefore 2\times3=6$
(i), (ii)에서 구하는 4의 배수의 개수는
$9+6=\underline{15}$

(2) (i) □□04, □□20, □□40 꼴
4개의 숫자에서 서로 다른 2개의 숫자를 택하여 일렬로 배열하면 되므로 $_4P_2\times3=36$
(ii) □□12, □□24, □□32, □□52 꼴
천의 자리에는 0이 올 수 없으므로 3개의 숫자가 올 수 있다. 백의 자리에는 천, 십, 일의 자리에 온 숫자를 제외한 3개의 숫자가 올 수 있다.
$\therefore 3\times3\times4=36$
(i), (ii)에서 구하는 4의 배수의 개수는
$36+36=72$

33 답 (1) 14 (2) 16 (3) 36 (4) 60

풀이 (1) 1□□□ 꼴인 자연수의 개수는 $3!=6$
2□□□ 꼴인 자연수의 개수는 $3!=6$
31□□ 꼴인 자연수의 개수는 $2!=2$
따라서 3200보다 작은 자연수의 개수는
$6+6+\underline{2}=\underline{14}$

(2) 23□□ 꼴인 자연수의 개수는 $2!=2$
24□□ 꼴인 자연수의 개수는 $2!=2$
3□□□ 꼴인 자연수의 개수는 $3!=6$
4□□□ 꼴인 자연수의 개수는 $3!=6$
따라서 2300보다 큰 자연수의 개수는
$2+2+6+6=16$

(3) 1□□□□ 꼴인 자연수의 개수는 $4!=24$
21□□□ 꼴인 자연수의 개수는 $3!=6$
23□□□ 꼴인 자연수의 개수는 $3!=6$
따라서 24000보다 작은 자연수의 개수는
$24+6+6=36$

(4) 34□□□ 꼴인 자연수의 개수는 $3!=6$
35□□□ 꼴인 자연수의 개수는 $3!=6$
4□□□□ 꼴인 자연수의 개수는 $4!=24$
5□□□□ 꼴인 자연수의 개수는 $4!=24$
따라서 34000보다 큰 자연수의 개수는
$6+6+24+24=60$

34 답 (1) $_5C_3$ (2) $_8C_2$ (3) $_4C_4$ (4) $_7C_6$ (5) $_9C_1$

풀이 (1) 서로 다른 5개에서 3개를 택하는 방법의 수는 $\underline{_5C_3}$

35 답 (1) 190 (2) 120 (3) 1 (4) 1 (5) 105 (6) 30

풀이 (1) $_{20}C_2=\frac{_{20}P_2}{2!}=\frac{20\times19}{2\times1}=\underline{190}$

(2) $_{10}C_3=\frac{_{10}P_3}{3!}=\frac{10\times9\times8}{3\times2\times1}=120$

(5) $_{15}C_{13}={}_{15}C_2=\frac{_{15}P_2}{2!}=\frac{15\times14}{2\times1}=105$

(6) $_{30}C_{29}={}_{30}C_1=30$

36 답 (1) 6 (2) 6 (3) 7
(4) 8 (5) 10 (6) 15

풀이 (1) ${}_{n}C_{3}=20$에서 $\frac{n(n-1)(n-2)}{3\times2\times1}=20$이므로
$n(n-1)(n-2)=6\times5\times4 \quad \therefore n=\underline{6}$

(2) ${}_{n}C_{2}=15$에서 $\frac{n(n-1)}{2\times1}=15$이므로
$n(n-1)=6\times5 \quad \therefore n=6$

(3) ${}_{n}C_{3}=35$에서 $\frac{n(n-1)(n-2)}{3\times2\times1}=35$이므로
$n(n-1)(n-2)=7\times6\times5$
$\therefore n=7$

(4) ${}_{n}C_{3}={}_{n}C_{n-3}$이므로 ${}_{n}C_{n-3}={}_{n}C_{5}$에서
$n-3=5 \quad \therefore n=\underline{8}$

(5) ${}_{n}C_{4}={}_{n}C_{n-4}$이므로 ${}_{n}C_{n-4}={}_{n}C_{6}$에서
$n-4=6 \quad \therefore n=10$

(6) ${}_{n}C_{7}={}_{n}C_{n-7}$이므로 ${}_{n}C_{n-7}={}_{n}C_{8}$에서
$n-7=8 \quad \therefore n=15$

37 답 (1) 3 (2) 7 (3) 2, 6
(4) 3, 7 (5) 6 (6) 10

풀이 (1) ${}_{7}C_{3}={}_{7}C_{4}$이므로 $r=\underline{3}$

(2) ${}_{12}C_{5}={}_{12}C_{7}$이므로 $r=7$

(3) ${}_{8}C_{r}=28=\frac{8\times7}{2\times1}$이므로 $r=\underline{2}$
${}_{8}C_{2}={}_{8}C_{6}$이므로 $r=6$
$\therefore r=\underline{2}$ 또는 $r=6$

(4) ${}_{10}C_{r}=120=\frac{10\times9\times8}{3\times2\times1}$이므로 $r=3$
${}_{10}C_{3}={}_{10}C_{7}$이므로 $r=7$
$\therefore r=3$ 또는 $r=7$

(5) ${}_{9}C_{r}={}_{9}C_{9-r}$이므로 ${}_{9}C_{9-r}={}_{9}C_{r-3}$에서
$9-r=r-3,\ 2r=12 \quad \therefore r=6$

(6) ${}_{14}C_{r}={}_{14}C_{14-r}$이므로 ${}_{14}C_{14-r}={}_{14}C_{r-6}$에서
$14-r=r-6,\ 2r=20 \quad \therefore r=10$

38 답 (1) 15 (2) 10 (3) 84 (4) 435 (5) 56

풀이 (1) 서로 다른 6개에서 2개를 택하는 조합의 수와 같으므로 ${}_{6}C_{2}=\frac{6\times5}{2\times1}=\underline{15}$

(2) ${}_{5}C_{2}=\frac{5\times4}{2\times1}=10$

(3) ${}_{9}C_{3}=\frac{9\times8\times7}{3\times2\times1}=84$

(4) ${}_{30}C_{2}=\frac{30\times29}{2\times1}=435$

(5) ${}_{8}C_{3}=\frac{8\times7\times6}{3\times2\times1}=56$

39 답 (1) 90 (2) 105

풀이 (1) 남학생 6명 중에서 2명을 뽑는 경우의 수는 ${}_{6}C_{2}=15$
여학생 4명 중에서 2명을 뽑는 경우의 수는 ${}_{4}C_{2}=6$
따라서 구하는 경우의 수는
$15\times6=\underline{90}$

(2) 검은 공 5개 중에서 1개를 뽑는 경우의 수는 ${}_{5}C_{1}=5$
흰 공 7개 중에서 2개를 뽑는 경우의 수는 ${}_{7}C_{2}=21$
따라서 구하는 경우의 수는
$5\times21=105$

40 답 (1) 24 (2) 77

풀이 (1) 남학생 6명 중에서 3명을 뽑는 경우의 수는
${}_{6}C_{3}=20$
여학생 4명 중에서 3명을 뽑는 경우의 수는
${}_{4}C_{3}={}_{4}C_{1}=\underline{4}$
따라서 구하는 경우의 수는
$20+4=\underline{24}$

(2) 검은 공 8개 중에서 5개를 뽑는 경우의 수는
${}_{8}C_{5}={}_{8}C_{3}=56$
흰 공 7개 중에서 5개를 뽑는 경우의 수는
${}_{7}C_{5}={}_{7}C_{2}=21$
따라서 구하는 경우의 수는
$56+21=77$

41 답 (1) 8 (2) 10 (3) 6
(4) 84 (5) 680 (6) 715

풀이 (1) 특정한 2명을 미리 뽑아 놓고 나머지 8명에서 $\underline{1}$명을 뽑으면 되므로 ${}_{8}C_{1}=\underline{8}$

(2) A를 미리 뽑아 놓고 나머지 5개에서 3개를 뽑으면 되므로 ${}_{5}C_{3}=10$

(3) 9의 약수는 1, 3, 9의 3개이므로 9개의 구슬 중에서 3개를 미리 뽑아 놓고 나머지 6개에서 1개를 뽑으면 되므로
${}_{6}C_{1}=6$

(4) 특정한 남학생 1명을 미리 뽑아 놓고 나머지 9명에서 3명을 뽑으면 되므로 ${}_{9}C_{3}=84$

(5) 특정한 야구 선수 3명을 미리 뽑아 놓고 나머지 17명 중에서 3명을 뽑으면 되므로 ${}_{17}C_{3}=680$

(6) 특정한 고등학생 4명을 미리 뽑아 놓고 나머지 13명에서 4명을 뽑으면 되므로 ${}_{13}C_{4}=715$

42 답 (1) 56 (2) 10 (3) 126 (4) 330 (5) 220

풀이 (1) 특정한 2명을 제외한 나머지 8명에서 $\underline{3}$명을 뽑으면 되므로 ${}_{8}C_{3}=\underline{56}$

(2) F를 제외한 나머지 5개에서 3개를 뽑으면 되므로
${}_{5}C_{3}=10$

(3) 특정한 남학생 2명을 제외한 나머지 9명에서 5명을 뽑으면 되므로 ${}_{9}C_{5}={}_{9}C_{4}=126$

(4) 특정한 야구 선수 1명을 제외한 나머지 11명에서 4명을 뽑으면 되므로 ${}_{11}C_{4}=330$

(5) 특정한 초등학생 2명을 제외한 나머지 12명에서 3명을 뽑으면 되므로 ${}_{12}C_{3}=220$

43 답 (1) 266 (2) 80 (3) 465 (4) 364

풀이 (1) 전체 13명 중에서 3명을 뽑는 경우의 수는
${}_{13}C_{3}=\underline{286}$

여학생 6명 중에서 3명을 뽑는 경우의 수는

${}_6C_3=20$

따라서 구하는 경우의 수는

$286-20=266$

(2) 전체 9권 중에서 3권을 뽑는 경우의 수는

${}_9C_3=84$

소설책 4권 중에서 3권을 뽑는 경우의 수는

${}_4C_3={}_4C_1=4$

따라서 구하는 경우의 수는

$84-4=80$

(3) 전체 12명 중에서 4명을 뽑는 경우의 수는

${}_{12}C_4=495$

수영 선수 6명 중에서 4명을 뽑는 경우의 수는

${}_6C_4={}_6C_2=15$

체조 선수 6명 중에서 4명을 뽑는 경우의 수는

${}_6C_4={}_6C_2=15$

따라서 구하는 경우의 수는

$495-(15+15)=465$

(4) 전체 15자루 중에서 3자루를 뽑는 경우의 수는

${}_{15}C_3=455$

사인펜 8자루 중에서 3자루를 뽑는 경우의 수는

${}_8C_3=56$

색연필 7자루 중에서 3자루를 뽑는 경우의 수는

${}_7C_3=35$

따라서 구하는 경우의 수는

$455-(56+35)=364$

44 답 (1) 18000 (2) 360 (3) 1440

풀이 (1) (i) 남학생 6명 중에서 2명, 여학생 5명 중에서 3명을 뽑는 경우의 수는 ${}_6C_2\times{}_5C_3=15\times10=150$

(ii) 뽑은 5명을 일렬로 세우는 경우의 수는 $5!=120$

(i), (ii)에서 구하는 경우의 수는 $150\times120=18000$

(2) (i) 중학생 4명 중에서 1명, 고등학생 6명 중에서 2명을 뽑는 경우의 수는 ${}_4C_1\times{}_6C_2=4\times15=60$

(ii) 뽑은 3명을 일렬로 세우는 경우의 수는 $3!=6$

(i), (ii)에서 구하는 경우의 수는 $60\times6=360$

(3) (i) 과학책 5권 중에서 2권, 사회책 4권 중에서 2권을 뽑는 경우의 수는 ${}_5C_2\times{}_4C_2=10\times6=60$

(ii) 뽑은 4권을 일렬로 나열하는 경우의 수는 $4!=24$

(i), (ii)에서 구하는 경우의 수는 $60\times24=1440$

45 답 (1) 480 (2) 144 (3) 720

풀이 (1) (i) 8명 중에서 4명을 뽑는데 A는 포함되고 B는 포함되지 않아야 하므로 6명 중 3명을 뽑는 경우의 수와 같다.

$\therefore {}_6C_3=20$

(ii) 뽑은 4명을 일렬로 세우는 경우의 수는 $4!=24$

(i), (ii)에서 구하는 경우의 수는 $20\times24=480$

(2) (i) 특정한 2명을 미리 뽑아 놓고 나머지 4명 중에서 2명을 뽑으면 되므로 ${}_4C_2=6$

(ii) 뽑은 4명을 일렬로 세우는 경우의 수는 $4!=24$

(i), (ii)에서 구하는 경우의 수는 $6\times24=144$

(3) (i) 특정한 2명을 제외한 나머지 6명에서 5명을 뽑으면 되므로 ${}_6C_5=6$

(ii) 뽑은 5명을 일렬로 세우는 경우의 수는 $5!=120$

(i), (ii)에서 구하는 경우의 수는 $6\times120=720$

46 답 (1) 28 (2) 15 (3) 36 (4) 14 (5) 22

풀이 (1) 8개의 점 중에서 2개를 택하는 조합의 수는 ${}_8C_2=28$

(2) 6개의 점 중에서 2개를 택하는 조합의 수는 ${}_6C_2=15$

(3) 9개의 점 중에서 2개를 택하는 조합의 수는 ${}_9C_2=36$

(4) 두 평행선 위의 점을 하나씩 택하여 연결하면 한 개의 직선을 만들 수 있으므로 ${}_3C_1\times{}_4C_1=3\times4=12$

주어진 평행선 2개를 포함하면 구하는 직선의 개수는

$12+2=14$

(5) 두 평행선 위의 점을 하나씩 택하여 연결하면 한 개의 직선을 만들 수 있으므로 ${}_4C_1\times{}_5C_1=4\times5=20$

주어진 평행선 2개를 포함하면 구하는 직선의 개수는

$20+2=22$

47 답 (1) 31 (2) 110 (3) 35 (4) 72

풀이 (1) 7개의 점 중에서 3개를 택하는 조합의 수는 ${}_7C_3=35$

일직선 위에 있는 4개의 점 중에서 3개를 택하는 조합의 수는 ${}_4C_3={}_4C_1=4$

따라서 구하는 삼각형의 개수는 $35-4=31$

(2) 10개의 점 중에서 3개를 택하는 조합의 수는 ${}_{10}C_3=120$

일직선 위에 있는 5개의 점 중에서 3개를 택하는 조합의 수는 ${}_5C_3=10$

따라서 구하는 삼각형의 개수는 $120-10=110$

(3) 7개의 점 중에서 3개를 택하는 조합의 수는 ${}_7C_3=35$

(4) 9개의 점 중에서 3개를 택하는 조합의 수는 ${}_9C_3=84$

일직선 위에 있는 4개의 점 중에서 3개를 택하는 조합의 수는 ${}_4C_3={}_4C_1=4$

따라서 구하는 삼각형의 개수는 $84-3\times4=72$

48 답 (1) 70 (2) 15 (3) 60 (4) 315

풀이 (1) 8개의 점 중에서 4개를 택하는 조합의 수는

${}_8C_4=70$

(2) 6개의 점 중에서 4개를 택하는 조합의 수는

${}_6C_4={}_6C_2=15$

(3) 5개의 평행선 중에서 2개, 4개의 평행선 중에서 2개를 택하면 하나의 평행사변형이 결정되므로 구하는 평행사변형의 개수는

${}_5C_2\times{}_4C_2=10\times6=60$

(4) 7개의 평행선 중에서 2개, 6개의 평행선 중에서 2개를 택하면 하나의 평행사변형이 결정되므로 구하는 평행사변형의 개수는

${}_7C_2\times{}_6C_2=21\times15=315$

중단원 점검문제 | Ⅵ-1. 경우의 수 135-136쪽

01 답 7

풀이 (i) 카드에 적힌 숫자가 4의 배수인 경우

4, 8, 12, 16, 20의 5가지

(ii) 카드에 적힌 숫자가 7의 배수인 경우

7, 14의 2가지

(i), (ii)에서 구하는 경우의 수는 $5+2=7$

02 답 20

풀이 집합 A의 원소의 개수가 5, 집합 B의 원소의 개수가 4이므로 곱의 법칙에 의하여 $5\times4=20$

03 답 25

풀이 A → B → D의 경로로 가는 경우는 $2\times3=6$(가지)

A → C → D의 경로로 가는 경우는 $3\times2=6$(가지)

A → B → C → D의 경로로 가는 경우는

$2\times1\times2=4$(가지)

A → C → B → D의 경로로 가는 경우는

$3\times1\times3=9$(가지)

따라서 합의 법칙에 의하여 구하는 방법의 수는

$6+6+4+9=25$

04 답 6

풀이 y의 계수가 크므로 y의 값을 기준으로 구한다.

(i) $y=1$일 때, $x<5$이므로 $x=1, 2, 3, 4$의 4개

(ii) $y=2$일 때, $x<3$이므로 $x=1, 2$의 2개

(iii) $y=3$일 때, $x<1$이므로 조건을 만족시키는 자연수 x는 없다.

(i)~(iii)에 의하여 구하는 순서쌍의 개수는

$4+2=6$

05 답 13

풀이 $(a+b+c)(p+q+r)$의 전개식에서 항의 개수는

$3\times3=9$

$(a+b)(s+t)$의 전개식에서 항의 개수는

$2\times2=4$

따라서 합의 법칙에 의하여 구하는 항의 개수는

$9+4=13$

06 답 540

풀이 A에 칠할 수 있는 색은 5가지

B에 칠할 수 있는 색은 A에 칠한 색을 제외한 4가지

C에 칠할 수 있는 색은 A, B에 칠한 색을 제외한 3가지

D에 칠할 수 있는 색은 A, C에 칠한 색을 제외한 3가지

E에 칠할 수 있는 색은 A, D에 칠한 색을 제외한 3가지

따라서 구하는 방법의 수는 $5\times4\times3\times3\times3=540$

07 답 4

풀이 ${}_nP_2+3{}_nP_1=24$에서 $n(n-1)+3n=24$

$n^2+2n-24=0$, $(n+6)(n-4)=0$

${}_nP_2$에서 $n\geq2$이므로 $n=4$

08 답 90

풀이 서로 다른 10개에서 2개를 택하여 일렬로 나열하는 순열의 수와 같으므로 ${}_{10}P_2=90$

09 답 288

풀이 안경을 쓴 학생 3명을 한 사람으로 생각하고, 안경을 쓰지 않은 학생 4명을 한 사람으로 생각하여 2명을 일렬로 세우는 경우의 수는 $2!=2$

안경을 쓴 학생 3명이 자리를 바꾸는 경우의 수는 $3!=6$

안경을 쓰지 않은 학생 4명이 자리를 바꾸는 경우의 수는

$4!=24$

따라서 구하는 경우의 수는 $2\times6\times24=288$

10 답 24

풀이 맨 앞에 A를 놓고, 맨 뒤에 F를 놓고 나머지 4개의 문자를 일렬로 나열하면 되므로 $4!=24$

11 답 36

풀이 1□□□ 꼴인 자연수의 개수는 ${}_4P_3=24$

20□□, 21□□ 꼴인 자연수의 개수는 $2\times{}_3P_2=12$

따라서 2300보다 작은 자연수의 개수는 $24+12=36$

12 답 1

풀이 (i) $r-1=2r+6$이면 $r=-7$

(ii) ${}_8C_{r-1}={}_8C_{8-(r-1)}={}_8C_{9-r}$이면 $9-r=2r+6$, $3r=3$, $r=1$

(i), (ii)에서 자연수 r의 값은 1이다.

13 답 84

풀이 a, b, c의 순서가 이미 정해져 있으므로 서로 다른 9개의 자연수에서 순서를 생각하지 않고 3개를 뽑는 조합의 수와 같으므로 ${}_9C_3=84$

14 답 85

풀이 10개의 공 중에서 3개의 공을 뽑는 경우의 수는

${}_{10}C_3=120$

3 이하의 수가 적힌 공을 제외한 7개의 공 중에서 3개의 공을 뽑는 경우의 수는 ${}_7C_3=35$

따라서 구하는 경우의 수는 $120-35=85$

15 답 14400

풀이 (i) 남학생 4명 중에서 2명, 여학생 6명 중에서 3명을 뽑는 경우의 수는 ${}_4C_2\times{}_6C_3=6\times20=120$

(ii) 뽑은 5명을 일렬로 세우는 경우의 수는 $5!=120$

(i), (ii)에서 구하는 경우의 수는

$120\times120=14400$

16 답 23

풀이 8개의 점 중에서 2개를 택하는 조합의 수는 ${}_8C_2=28$

일직선 위에 있는 4개의 점 중에서 2개를 택하는 조합의 수는 ${}_4C_2=6$

반원의 지름에 해당하는 직선 1개를 포함하면 구하는 직선의 개수는 $28-6+1=23$

풍산자
반복
수학
수학(하)